U0093084
古龍

盛期之風貌

臥龍生作品 帶動武俠風潮

《飛燕驚龍》開一代武俠新風

《飛燕驚龍》(1958)爲臥龍生成名作，共48回，約120萬言。此書承《風塵俠隱》之餘烈，首倡「武林九大門派」及「江湖大一統」之說，更早於香港武俠巨匠金庸撰《笑傲江湖》(1967)所稱「千秋萬世，一統」達九年以上。流風所及，臺、港武俠作家無不效尤；而所謂「武林盟主」、「江湖霸業」等新提法，竟成爲社會大眾耳熟能詳的流行術語了。

《飛燕》一書可讀性高，格局甚大。主要是寫江湖群雄爲覬覦傳說中的武林奇書《歸元秘笈》而引起一連串的明爭暗鬥；再以一部假秘笈和萬年火龜爲餌，交插敘述武林九大門派（代表正派）彼此之間的爾虞我詐，以及天龍幫（代表反方）網羅天下奇人異士而與九大門派的對立衝突。其中崑崙派弟子楊夢寰偕師妹沈霞琳行道江湖，卻如夢似幻地成爲巾幗奇人朱若蘭、趙小蝶之絕世武功技驚天龍幫，而海天一叟李滄瀾復接連敗於沈霞琳、楊夢寰之手；致令其爭霸江湖之雄心盡泯，始化解了一場武林浩劫云。

在故事佈局上，本書以「懷璧其罪」（與真、假《歸元秘笈》有關）的楊夢寰屢遭險難，卻每獲武林紅妝垂青爲書膽(明)，又以金環二郎陶玉之嫉才害能，專與楊夢寰作對(暗)爲反派人物總代表。由是一明一暗交織成章，一波未平，一波又起，極盡波譎雲詭之能事。最後天龍幫冰消瓦解，陶玉帶著偷搶來的《歸元秘笈》跳下萬丈懸崖，生死不明，卻予人留下無窮想像空間。三年後，作者再續寫《風雨燕歸來》以交代陶玉重出江湖，爲惡世間，則力不從心，當屬狗尾續貂之作。

在人物塑造方面，臥龍生寫男主角楊夢寰中看不中用，固然乏善可陳，徹底失敗；但寫其他三名女主角如「天使的化身」沈霞琳聖潔無瑕，至情至性，處處惹人憐愛；「正義的女神」朱若蘭氣質高華，冷若冰霜，凜然不可犯；「無影女」李瑤紅則刁蠻任性，甘爲情死等等，均各擅勝場。乃至寫次要人物如「賓中之主」海天一叟李滄瀾之雄才大略，豪邁氣派；玉簫仙子之放蕩不羈，爲愛痴狂；以及八臂神翁聞公泰之老奸巨猾，天龍幫軍師王寒湘之冷傲自負等，亦多有可觀。

與

摘自 葉洪生、林保淳著
《台灣武俠小說發展史》

台港武侠文

流行天

臥龍

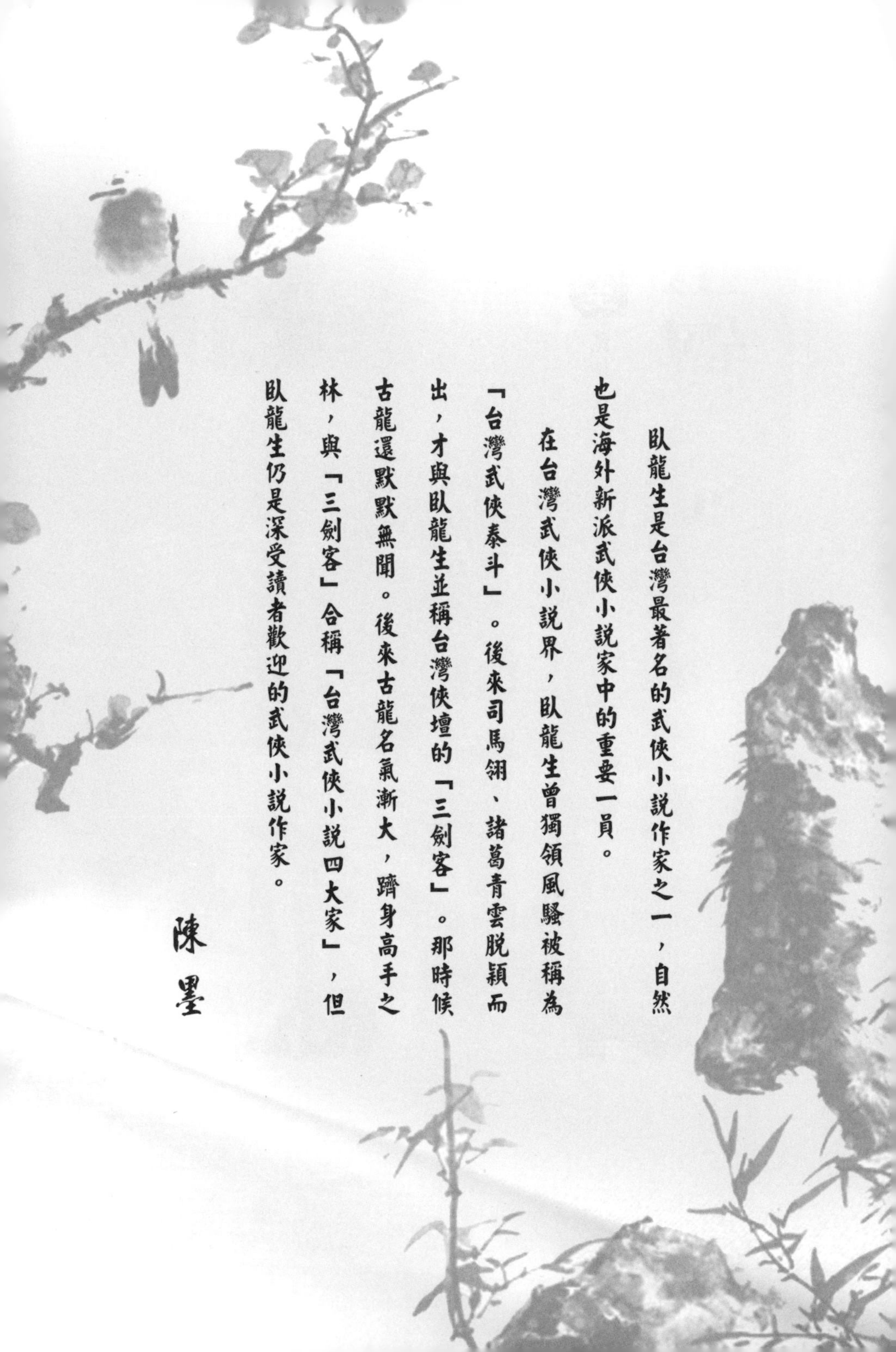

臥龍生是台灣最著名的武俠小說作家之一，自然也是海外新派武俠小說家中的重要一員。

在台灣武俠小說界，臥龍生曾獨領風騷被稱為「台灣武俠泰斗」。後來司馬翎、諸葛青雲脫穎而出，才與臥龍生並稱台灣俠壇的「三劍客」。那時候古龍還默默無聞。後來古龍名氣漸大，躋身高手之林，與「三劍客」合稱「台灣武俠小說四大家」，但臥龍生仍是深受讀者歡迎的武俠小說作家。

陳墨

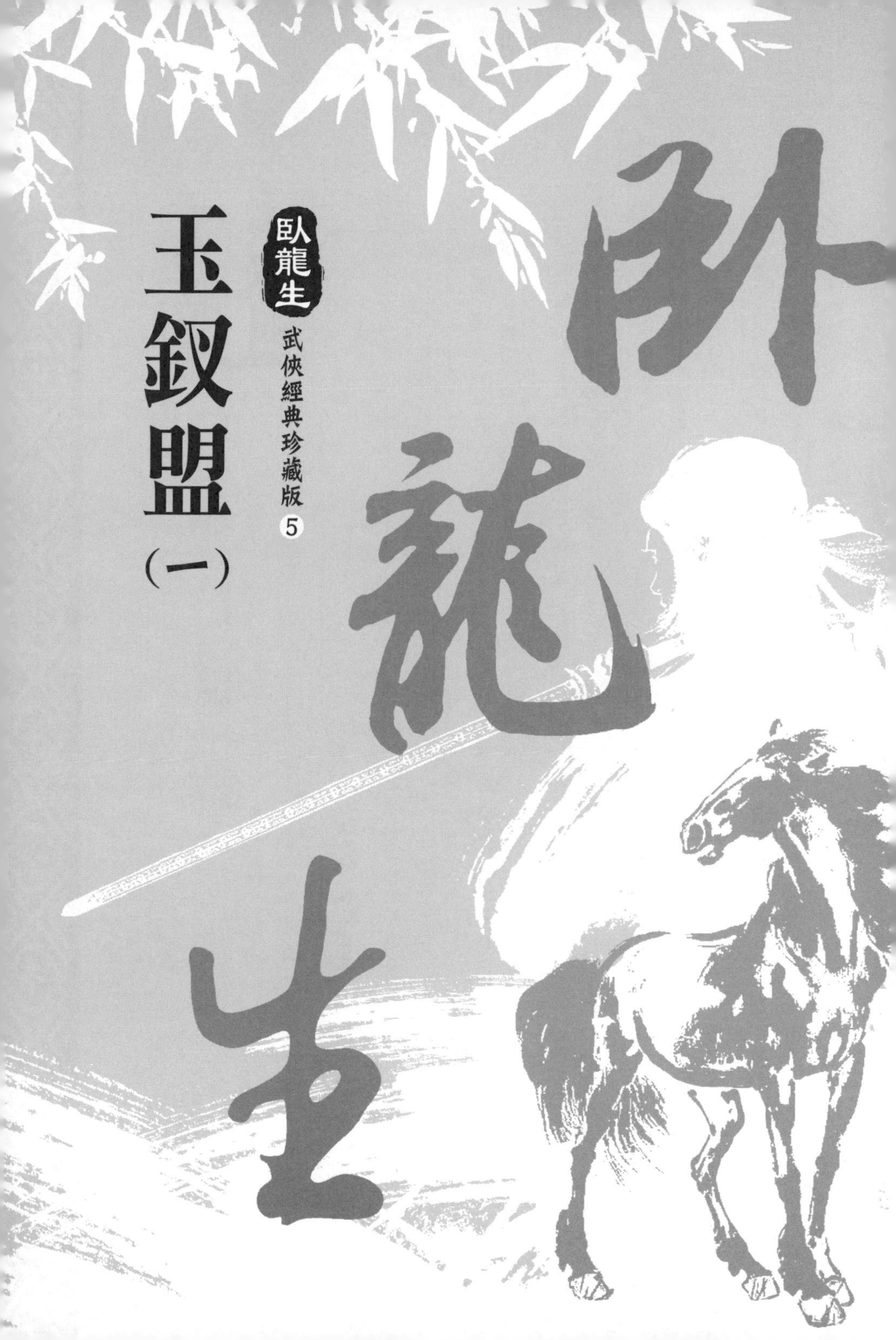

玉釵盟
（一）
臥龍生
武俠經典珍藏版
5
臥龍生

目錄

【導讀推薦】

《玉釵盟》與臥龍生正邪融合的敘事魅力

著名小說評論家及電影研究專家
陳墨

臥龍生開啓了台灣武俠小說創作的黃金時代，在他意氣風發的時期，接連寫出了《飛燕驚龍》（及其續集《風雨燕歸來》）、《玉釵盟》、《天香飆》、《絳雪玄霜》等掀起風潮的名著。

《飛燕驚龍》寫出了正邪是非相對難分的情節。正派的「九大門派」中人，一樣有貪婪，有自私，有暴戾，有殘忍，有爾虞我詐，勾心鬥角，有人性的種種弱點和缺點。而他們卻又保持正派的門風、門面，是以表裡不一，其實是多了一層內涵。

到了《玉釵盟》，正邪更是難分。該書塑造了「神州一君」易天行這一獨特的人物形象，似奸雄而又不失英雄氣，作惡而又行善，居心不良卻又並非十惡不赦，真有點「一半是天使，一半是魔鬼」的味道。這一人物形象給《玉釵盟》增加了極大的魅力，然而卻又與一般武俠小說的正邪不分大不一樣，因爲書中的主人公徐元平及少林寺慧空長老樹立了一種分辨正邪的標尺，也就是說，書中的是非觀念是非常清楚的。再加上本書以寫人性、人生及人之情感爲主，而且情節曲折有致，氣勢營造到位，從而被許多讀者所欣賞，人們將它當成臥龍生的代表作。

到了《天香飆》，則不但故事情節更加奇異精妙，而且關於正邪辯證的寄意也更加獨特深沉。如果說《玉釵盟》是對正邪融合的一種探索，那麼《天香飆》則是更深一層，是對正邪世界的一種透視和批判。

《絳雪玄霜》對正邪描寫又有更進一步的探索，這一點，我們留待後面專文分析。臥龍生小說創作的進步，還不僅表現在對江湖世界的正邪之分作步步深入的探索，而且表現在他的小說的敘事策略也在不斷的轉化，技藝在不斷的發展，以適應現代讀者的口味。

武俠小說到底應該怎樣寫才算「正宗」，這是許多人思考的問題。平江不肖生是一種，還珠樓主又是一種，鄭證因是一種，朱貞木又是一種，宮白羽、王度盧又各不相同。這些不同的流派，到了臥龍生走上俠壇時業已成了普遍被認可、接受的「傳統」。固然有見仁見智、各人所喜的情況，但對傳統的、巨大的包容性卻無人會懷疑。所謂的大家，就是要自創一格；要想當名家，也必須有自己的風度。

臥龍生的創作畢竟是要面對現代的讀者，因而如何適應讀者的口味，如何吸引讀者，是他也是所有的現代武俠小說作家共同面臨的課題。香港、臺灣兩地的社會環境不同，文化氛圍也不同，因而兩地的作家採取了不同的敘事策略。梁羽生、金庸以史爲綱、以人爲骨，講究堂堂正正之陣、明明朗朗之氣；而臺灣作家難以辦到，只得「出奇制勝」，在策略技藝及其故事情節上大作文章。

如前所述，《飛燕驚龍》一洗臥龍生早歲作品的傳統包裝方式，用自然而又自由的筆調、形式，展現故事的內容，從而邁出了從摹仿到自創的第一大步。

而《玉釵盟》、《天香飆》則更進一步擺脫傳統小說平鋪直敘、說到哪是哪的巢臼，改變了敘事策略，以經營懸疑與詭奇的情節爲特徵。《玉釵盟》一開場就是主人公徐元平夜探少林寺盜取《達摩易筋經》，卻又巧遇高僧慧空而得以傳授技藝，再力闖少林羅漢陣，不僅氣勢驚人，懸疑更加誘人。其中的人物關係、事件因由，全部有詭奇難測的特點。値得一提的是，臥龍生一向有鬥力不若鬥智的觀念，發展到極端，就體現爲，在這部書中，獨出心裁的創造了女主角蕭姹姹的形象，此人不會武功而胸羅萬有，以智勝人，以智役人，以智處事，以智解難。這一奇詭之筆，別開生面，讓人拍案稱絕，不知金庸小說《天龍八部》中的不會武功而精通百家武學的王語嫣的形象，是不是從這裡借鑑來的？

一　夜闖少林

幾聲暮鼓響過寂靜雄偉的少室峰。

沉沉夜色，遮隱了少室峰下一片蒼密的松林。

忽然，闖出來一個黑紗蒙面，背插長劍，疾服勁裝的夜行人，他略一張望，直向少室峰北麓的五老峰下奔去。奔行身法，異常快速，片刻間已有數里之遙，到了一座宏偉的廟宇前面。

抬頭望那橫樑上「少林寺」三個斗大的金字，不禁由心底泛上來一股寒意。這座名聞天下的寺院，數百年來，一直震懾武林，凡是江湖道上的人物，無不敬懼萬分。

那夜行人雖然用黑紗把臉蒙著，但仍無法掩飾住他慌恐焦急之態，不停地搓著雙手，舉止十分不安。突然，他停住了互搓雙手，翻腕摸摸背上的長劍，縱身一躍，忽的凌空而起，落在那紅色圍牆上面。但見一片連綿的屋脊，既沒有巡更值夜的僧人，亦不見一處燈火，這座震懾天下武林的名刹，竟是毫無一點戒備。

他飄身由圍牆躍落實地，施出「蜻蜓三點水」的輕功提縱身法，一連三個急躍，橫度過五、六丈寬的前院，緊接著兩手一抖，身子憑空拔起一丈二、三尺高，輕飄飄地落在屋面上。

在他想來，威名滿天下的少林禪院，戒備之嚴，定然如龍潭虎穴一般，前院既無埋伏，二

進院中，必當有守值僧人，是以在躍上屋面之後，立時伏下身子，借屋脊掩護，向下探望。

哪知事情卻大出他意料之外，二進院中，仍然是看不到一個巡值僧人。一陣夜風吹襲，送來幽幽花香，原來這二進院中，種滿了花樹，夜色中雖然看不清那繽紛花色，但聞那不同的花香氣味，已可知院中所種花樹，包括了各式各樣。

那夜行人伏在屋面上久久不見有巡值僧人出現，暗自忖道：我既已冒死入寺，豈能這樣畏首畏尾？

心念一轉，豪氣忽發，縱身躍下屋面，沿著那白石鋪成的甬道，向前走去。要知嵩山少林寺爲天下有數大寺之一，殿院重疊，不下千間，夜行人在寺中穿行了頓飯工夫之久，遍歷了數重大殿，始終未遇上攔路僧人，不禁膽氣又壯了許多。

驀然間，三聲清越的鐘鼓，由後院傳來，餘音蕩漾，直傳出數里之外，隱隱可聞那群山回鳴之聲。

他忽然警覺到停留在寺中的時間已經不少，再有一個更次，寺中僧人就要起身做早課了，可是，他此來欲尋的「藏經閣」還沒有找出一點眉目，不禁心中躁急起來。

這時，他正停身在二重大殿下面，抬頭看去，只見殿門前面分立著兩個雕龍木柱，心中忽的一動，暗道：這大殿足足有四丈以上高低，我借門前木柱之力，爬上殿脊，也許能看出「藏經閣」的所在。他想到之後，立時就做，手足並用，片刻之間爬上殿脊。

放眼望去，夜色中盡都是綿連的房舍，哪裡能分辨出「藏經閣」所在之處，心中大感失望。忽然一陣勁急的山風吹過，只吹得松嘯竹搖，一片籟籟之聲，枝葉搖擺之間，數十丈外，

忽現出一盞紅燈。

原來那盞紅燈被幾株巨松的密茂枝葉遮去擋住視線，如非這一陣狂勁的幽風吹拂松枝，便無法看得出來。他無暇多作思慮，牢記了那出現紅燈的方向，躍下殿脊，直對那出現紅燈之處走去。雖然遇上很多房舍庭院的阻擋，但仍能把握著方向不錯。

走了約一盞熱茶工夫，越過十幾重的庭院，果然看見一株松樹頂端，高挑著一盞紅燈，在山風中不停搖擺。細看那紅燈之下，竟是一個獨院，翠竹環繞著一座靜室，雙門大開，屋中高燃著兩支松油火燭，中間放一張長方形的供案。

壁間掛著一幅盤膝而坐的老僧畫像，供案上有一個尺許高低的玉鼎，鼎中檀香高燒，一片煙雲，繚繞滿室，供案左右，對坐著兩個小沙彌，合掌閉目，項掛串珠，穿著一色的灰白袈裟。那兩個靜坐的小沙彌，應是聞得異聲，倏然抬頭，四隻眼睛一齊向那勁裝夜行人停身之處投注過去，不知兩人是否發現了那勁裝夜行人，一顧之間，又閉上了眼睛，緩緩垂下頭去。

勁裝夜行人只覺兩個小沙彌在抬頭探望之際，眼神湛湛，分明都身具上乘內功，不禁心頭一驚，暗道：傳說少林寺武學的博奧，數百年來一直領袖武林，看來當真不錯，單看那兩個小沙彌的逼人眼神，內功已似在我之上，何況這寺中還另有無數高僧，看來我那盜取《達摩易筋經》的心願，怕萬難成功，今宵既尚未遇人攔擊，還不如早些退出的好。

他剛剛轉過身子，突然由心底泛上一陣羞愧之感，暗自責道：「徐元平啊！徐元平，大丈夫縱然粉身碎骨，亦不該如此畏縮不前，何況，那冊《達摩易筋經》……」

一個悲慘的回憶，閃掠過他的腦際，兩滴淚珠，奪眶而出。悲慘的往事，又激起他盜取

《達摩易筋經》的雄心。繞過那翠竹環繞的靜室，向前走去。他雖不知那靜室之中住的是什麼人？但他猜想必定是寺中地位極高的僧人，乃極小心屏息繞過。

靜室後面，又是一列廂房，外面是一道長長的走廊。他踏著鋪地紅磚，沿長廊向前走去。一陣微風，送過來襲人花氣，轉臉向廊外望去，但見數丈外有一座青石砌成的樓閣，兩旁種滿花木，中間是一道白石階梯。突然，他目光觸到樓閣上的匾額，不禁一陣驚喜。

原來那屹立在數丈外的高樓，正是他急欲尋找的「藏經閣」。

一陣驚喜過後，心情又平復下來，看四周一片寂靜，仍不見巡值僧人，心中疑慮頓起，想道：武林傳說「藏經閣」乃是少林寺中最爲重要的禁地，放置著少林派七十二種絕藝拳譜，既是這等禁要之地，怎的竟不見有人防守……這心念在他腦際一掠而過，另一個強烈的心願，沸騰起他滿腔熱血，也消除了他胸中的疑慮，兩個飛躍，已到那樓閣石級之前。

藏經閣所有門窗都緊閉著，匾下一塊小木牌，用紅筆寫著「藏經重地，不得擅入。」

他微一猶豫，翻手拔出背上長劍，正待破門而入，突然身後響起一聲低沉的佛號，道：「施主劍下留情，佛門重地，豈可隨便破壞？」

徐元平轉頭望去，只見一個身軀修長的老僧，站在數尺遠處，披月白袈裟，頸上掛著一串念珠，雖然生得慈眉善目，但神情卻十分嚴肅，湛湛眼神，有如冷電暴射，逼視在他臉上。

徐元平不自禁地打了一個寒戰，一時愣在當地，答不上話。但聞那老僧輕輕一聲歎息，道：「佛門廣大，善恕十惡，老僧已三十年未和人動過手了……」

他臉色漸轉緩和，略一沉思，接道：「這『藏經閣』乃是本寺禁區，即是本寺中弟子，亦不能擅自入內，老僧已在我佛面前立過宏願，非至性命交關，決不和人動手，但這『藏經閣』又是老僧奉諭監守之地，也許施主是無心至此，快請離此禁區，免老僧左右為難。」

徐元平看那老和尚臉上滿是仁慈之色，雙目中那種逼人的眼神，亦隱斂不見，心中暗道：這老僧這般仁慈，我實不該使他為難，但那《達摩易筋經》，我又是非要到手不可，難道真的就此退走……他想來思去，一時間難拿得主意。

但見那老和尚淡淡一笑道：「是了，江湖之上，素有不分勝負不罷手的現象，施主既敢入少林寺來，想必是武林高人，老僧幾句善言，自難使施主心服……」

他撿起一枚松針，笑道：「江湖上都說我們少林寺中武功，走剛猛的路子，所謂外門功夫……」話至此處，突然左手把垂在胸前的一串楠木念珠高高舉起，右手將松針緩緩向一粒念珠刺去，但見那松針慢慢深入，瞬息間對穿而過。

要知佛門念珠多用極老的楠木製成，堅比金鐵，那老僧能用一枚松針，把它洞穿，如非有極高的內家氣功，決難辦到。

只見那老和尚微微一笑，接道：「這松針透木之學，卻屬於一種內家氣功，施主如亦能照老僧所為辦法，我當立即辭去這『藏經閣』監守之職，要是施主甘願謙讓，那就請趕快退離此處，苦海無邊，回頭是岸，施生請三思老僧之言。」說罷，合掌垂目，臉色忽變肅穆。

徐元平目睹老僧松針透木氣功，心知對方武功比自己高出太多，今宵盜書之事，決難如願，暗道：我既找出這「藏經閣」的所在，又何必急在一時，少林寺中又毫無戒備，今宵縱然

不能如願，何妨明夜再來？哼！我非得把那《達摩易筋經》取到手中不可，我要練成天下無雙的絕藝……

他想到得意之處，不自禁揚了揚劍眉，抬頭望了「藏經閣」兩眼，轉身急奔而去。

但聞身後傳來那老僧長長的歎息，道：「因果輪迴轉，皆在一念間，阿彌陀佛，善哉！善哉！」

徐元平收住腳步，轉身望去，只見那老僧站立在夜色中，雙手拿著項下念珠，一動不動，衣服飄飄，容貌莊嚴，不自主地油然生敬。

他呆看了一陣，才轉身向前走去。

經過攔路長廊，是一條三尺寬窄的小路，松竹夾道，白石鋪地，徐元平陡然加快腳步，瞬息間走到盡處。

前面是一條廣闊的大道，他停住步，仰臉看看天色，正待辨別方向出寺，突聽不遠處一株巨樹後傳出來一聲冷笑，道：「這位施主好大的興致，深更半夜之間，還肯駕臨我們這少林寺中觀光，不過，你來有路，去時卻無門了！」

語音甫住，驀然風動，但見人影一閃，眼前現出高大的僧人，穿灰色道袍，橫攔路前。

徐元平看對方赤手空拳，也不拔劍，傲然道：「這少林寺是名聞天下的古剎，又不禁香客朝山，哼！爲什麼我就不能來寺中看看？」他自認這幾句話十分有理，所以說得理直氣壯。

那高大和尚冷漠一笑道：「施主話雖不錯，但未免太過牽強，既是朝山進香客，就該白

晝入寺，像這等夜深人靜之時，施主勁裝佩劍，滿殿遊走，未免有些欺人太甚了！」他仰臉望天，一聲輕笑，又道：「凡是在江湖上行走的武林朋友，大概都知道少林寺中規矩，來時容易去時難，施主既敢夤夜闖入寺來，想必身負絕學，有恃無恐了。」

要知少林寺自經達摩祖師開山授藝，創立少林派後，一直領袖著天下武林，江湖上一提起少林寺，無不敬畏。少林寺中僧侶，不但得恪守佛門清規，而且還得受少林派森嚴的戒律約束，凡能離寺行腳的和尚，不但武功要達爐火純青之境，且多是寺中老一輩的得道高僧，一般修行不夠，武功不高的和尚，根本難以離寺一步。

徐元平看攔路僧人，神態高傲，不禁心中火起，怒道：「那你要怎麼樣？」

那和尚笑道：「事情很簡單，如果你自信能闖得出去，那就不妨闖闖。要是自知無力，就快些解除身上寶劍，隨我到羅漢堂，聽候寺中方丈佛諭發落。」

徐元平一揚劍眉，冷笑道：「我既敢進寺，早已把生死置之度外……」

那和尚微微一笑道：「施主既有這等豪氣，那就不妨試試少林派武學如何？」

徐元平不再答話，肩頭晃動，左掌橫臂，右掌直擊，一招「雙龍搶珠」，猛攻過去。

那身軀高大的和尚，看他出手一招威勢奇猛，不禁暗暗一驚，忖道：「無怪此人這等狂妄，敢情是真有幾手。」

他身軀側轉，右手疾擊，讓過徐元平橫擊左掌，隨手一招「揮塵清談」，猛拂右掌，指風如剪，一閃而到，這一招用得巧妙至極，還手一攻，搶盡先機。

徐元平被急襲而來的指風逼迫得後退三步，瞬息之間，又揮掌而上，左掌「白雲出岫」、

右掌「浪打礁巖」，兩掌並進，合一擊出。那身軀高大的和尚，也被他凌厲的反擊之勢迫退了一步，心頭一震，橫裡躍開數尺，暗道：「此人出手招數精奧靈活，似已得名師指點，必是大大有來歷之人……」

他正想喝問對方師承門派，徐元平已連綿地展開了迅捷的攻勢，雙掌連環擊出，著著逼進，而且招術怪異，很難認出，掌法倏忽之間，他已連續攻出七掌，踢出四腿。在這生死決於頃刻之間，那和尚無暇再喝問對方師承出身，冷哼一聲，雙拳霍地展開還擊，使出少林派中一百零八招「羅漢拳」法，和徐元平展開搏鬥。

剎那之間，拳風呼呼，足影點點，拳掌交錯，四周風生。那一百零八招「羅漢拳」法，是少林派七十二種絕學之一，拳勢純走的剛猛路子，施展開後，就如鐵錘擊巖，巨斧開山，擊勢甚是嚇人。

十回合之後，那和尚已扳平劣勢，「羅漢拳」法亦進入精奧之境，威勢愈來愈大，拳風越打越強，相形之下徐元平已逐漸被迫落下風。那身軀高大的和尚，本是少林寺中的「戒持院」首座三僧之一，法名百行，爲少林寺當今四代中百字輩高手，奉派至「戒持院」，專司監管寺中觸犯清規弟子受戒之責，藝業精到，功力深厚。

他雖然搶得了上風，但一時間卻也無法擊敗對方，兩人力拚了三十回合，仍是個不勝不敗之局。原來徐元平在發覺以硬接對方強猛的拳勢難以取勝之後，立時改做遊鬥，以小巧的提縱身法和百行大師過招，竟然支撐到三十個回合以上。

百行大師一方面震驚對手的高強武功，一方面逐漸動了真火。

自己在少林寺百字輩師兄弟中，武功成就甚高，素受掌門師尊和諸院長老嘉許，今宵用盡絕學「羅漢拳」和人過招，竟讓別人走到三十回合以上，不禁激起求勝之念。這時，他的「羅漢拳」正施到第四十八式「長眉舒臂」和第五十式的「伏虎降龍」，立時運足真力，連環劈擊出手。

這兩招本來是「羅漢拳」中精奧之學，再加上他數十年修練的深厚功力，拳勢擊出，直如浪翻波湧，徐元平早就不敵了，哪裡還能擋得住百行大師這全力一擊，只覺一股排山倒海般的潛力拳風，直逼過來，不禁心頭大駭，慌忙仰身疾退倒竄而出。

他應變雖然夠快，但仍被百行大師的拳風餘力擊中，雙足落地之後，仍然站不住樁，一連後退五、六步，才站穩身子，只覺內腑一陣血氣翻動，頭暈目眩，心知再打下去，必要傷在對方手中，立時一提丹田真氣，轉身向右面奔去。

百行大師也不追趕，望著他的背影在轉角處消失。

徐元平轉過了兩個屋角，停住步喘息一陣，正待飛身上屋，突見廊沿下暗影中出來兩個和尚，他們手裡都握著一柄六、七尺以上的方便鏟，攔住了去路。

右邊一僧冷笑一聲道：「施主既然敢深夜闖寺，想必已知我們寺中規矩，此刻施主如果心仍不服，不甘願束手就縛，就請快快亮劍動手……」

徐元平心知免不了一場搏鬥，右腕一翻，背上長劍出鞘，左手劍訣一引，右腕一振，舞起一團耀眼劍花，一出手就是毒辣招術「鳳凰三點頭」，分向兩僧刺去。

但聞兩僧同時一聲怒喝道：「好辣的劍招！」霍然躍身疾退，同時舉鏟殺來，凌厲至極。那方便鏟乃是異常沉重的兵刃，徐元平不敢舉劍硬封，縱身躍過，揮劍還擊。

他剛才和百行大師動手之時，已嘗了少林武學苦頭，這次動手，絲毫不敢大意，甫一交接，立即施展出身懷絕學三十六招「追風劍」法，劍勢若長江大河，綿綿不絕攻上。

這套劍法，妙在迅快緊促，每攻一劍後，一招立時相連而至，不讓敵人有緩氣還手之機，當真是步若流水行雲，劍如電閃雷奔。

兩僧一時之間被他這迅速絕倫的劍招所制，竟自無法還攻。

但二僧功力深厚，方便鏟招數又異常精專，雖被徐元平「追風劍」法所制，無法還手，但鏟法使出有如一片光幕護身，雖無反擊之力，但卻足可自保。

直待徐元平一套「追風劍」法用完，劍勢將變未變之際，雙僧陡然奮起反擊，刹那間鏟影縱橫，呼呼風生，兩回合之後，攻守易勢，雙僧已搶回主動，鏟勢若狂風驟雨，著著逼進。

徐元平又苦撐數回合，已覺得難於支持，暗道：我戰死本不足惜，只是盜取那《達摩易筋經》的心願，今生永無實現之日。

心念一轉，陡生逃走之意，暗運功力，長劍全招「金絲纏腕」，把右面一僧迫退一步，借勢一躍，後退八尺，揮劍一搶，躍上屋面，左手探懷摸出一枚燕尾銀梭，只要二僧一追，立時施放暗器。哪知二僧並不追趕，冷笑幾聲又隱入廊下暗影中。

這時，徐元平心中已瞭然，表面上毫無戒備的少林寺，實則處處有著埋伏暗樁，森嚴無比，要想出寺，尚不知還得闖過幾道攔路暗卡……他剛才連經兩番激烈的搏戰，已知少林寺中

僧人，個個武功高強，早已失去了制勝信心。但他乃生性高傲之人，雖然明知無能闖出寺去，仍不願束手就縛，運氣調息一陣，右手仗劍護身，左手扣著一枚燕尾銀梭，認定出寺方向，施展開輕功，向前奔去。果不出他的預料，少林寺各層殿院之內，早已埋伏了暗樁。

徐元平剛剛翻越了兩層屋面，突聞一聲朗朗佛號道：「阿彌陀佛，小檀越慢走一步，貧僧等候大駕很久了！」

但見三僧肩頭晃動，倏忽之間由並排攔路之勢，變成了三面合圍，正中一僧，揮動手中戒刀，獨擋徐元平猛衝之勢，但聞一陣金鐵交鳴之聲，刀劍連相接助，迸發出一片火星。這一招硬接，震開了徐元平護身劍幕，但那和尚也被徐元平全力揮劍的衝擊之勢，震退了兩步，雙方一擊倏分，各自後退數尺。

只聽那和尚冷笑一聲，道：「小檀越身手不凡，貧僧有幸，會得高人……」陡然欺身直進，揮刀猛劈。

徐元平這次不再和人硬拚，閃身讓開一擊，劍走輕靈，迅快地刺出三劍，這是「追風劍法」中一招絕學，三劍雖是先後出手，但因刺出速度太快，直似三柄劍並擊而出一般。那僧人一時措手不及，仰身一跌後退五尺。

徐元平正待施開「大鵬掠雲」身法，逃出三僧的合圍，忽聞兩側二僧齊聲喝道：「好劍法！」兩柄寒光耀目的戒刀，左右合擊刺到。

徐元平長劍疾舉，一把「野火燒天」化解了兩僧左右夾擊之勢，大喝一聲，左手燕尾銀梭疾向右側一僧前胸刺去。

如果他此時把左手暗扣銀梭打出，必能傷得一僧，但他想在這等近身相搏之時，使用暗器，不但有欠光明，且將爲武林不齒，心念一轉，把暗器當做兵刃施用，疾向一僧點去。

右側僧人見他左手一舉間，銀光閃閃，不禁吃了一驚，再想收刀封架，已自不及，只得向旁側橫跨兩步，剛好把左側同伴的進擊之路擋住。

徐元平藉勢一躍，從兩僧旁邊掠過，雙腳還未沾地，這時忽覺涼芒電奔，寒風撲面，一片耀眼刀光，迎頭急劈而下。原來那擋守在中間一僧，又躍身攔住去路。

徐元平身懸空中，無法閃避，只得揮劍一封，刀劍相觸，又是一聲金鐵大震。徐元平雙足未履實地，力道難以用實，被人一刀震退回去三、四尺遠。就這一擋之勢，三僧分而復聚，又成了三面合圍之勢，但卻各守方位，不肯進攻。

徐元平打量了眼前形勢一眼，暗自忖道：這三僧武功雖都不錯，但如和我單打獨鬥，決攔不住我，可是他們這等各守方位互相策應，我卻不易衝得過去，怎麼想個法子，先亂了他們守助之勢，然後才能闖得過去……他正在籌思破敵之策，忽聞鐘聲盈耳，連續三聲，裊裊餘音未絕，三僧突然揮刀齊進。

徐元平看三僧一齊出手，不禁大怒，揮劍舞出一圈光幕，封開三僧戒力，施展開「追風劍」法，全力反擊。剎那間，寒光電奔，劍風似輪，力敵三僧，仍然著著搶攻。

要知徐元平這套「追風劍」法，乃是武林劍術一絕，只因他對敵經驗不足，無法把這套以快速靈巧飲譽江湖的劍法，威力全部發揮出來。

此刻在急怒之下，反而減少了顧慮，能夠盡情施展所學，十回合之後，三僧已相形見絀，被他靈迅的劍招，迫得只餘下招架之力。

他見三僧漸落下風，不覺心頭大喜，精神一振，倏然劍演三絕招「風捲殘雲」、「潮泛南海」、「石破天驚」，劍光耀眼生花，三僧一齊後退，徐元平藉勢長身一躍，脫圍而出。

回頭望去，只見三僧站在原地，望著他呆呆出神，不禁微微一笑，暗道：如果前面攔路的和尚，都和三人一樣，闖出少林寺何難之有？

正待放腿奔走，陡聞一個低沉的聲音起自身後，說道：「小檀越的『追風劍』法，已有了六成火候，自難怪他們攔擋不住。」

徐元平吃了一驚，振腕一劍，橫掃出手，人卻借勢橫躍五尺。

定神向發聲處望去，哪有一點人影，方覺驚異，忽聞身後又一聲低沉的佛號響起，道：「少林寺重重暗卡，一道比一道難闖，小檀越憑仗幾手『追風劍』法，只怕難出重圍，不如丟下兵刃，隨老衲去見本寺方丈，佛門寬大爲懷，決不致難爲於你。」

聽聲辨位，分明就在身後，徐元平這次早有了準備，運集功力，蓄勢相待，對方話音一落，立時翻身一劍刺去。夜色下，只見一個長眉垂目老僧，靜站在屋面之上，合掌肅容，寶像莊嚴，對那迅急凌厲的劍勢，渾如不覺一般，眼看劍鋒將近老僧前胸，仍不見他閃身相避。

不知是一股什麼力量，促使徐元平陡然收住了劍勢，後退一步，問道：「你爲什麼不讓避我的劍勢，哼！你縱然身懷絕學，也不能以血肉之軀，硬擋我這百煉精鋼的寶劍。」

但見那老僧微微一笑，道：「善惡分野，本繫於一念之間，小檀越能在劍鋒觸及老衲胸前之際，突然心回轉意，放下屠刀，總算於我佛有緣，阿彌陀佛，善哉！善哉！」

徐元平仔細看那老僧，年約古稀開外，兩條白眉足足有寸餘長短，直垂眼瞼，面露微笑，衣袂飄飄，不覺油生敬慕。

當下橫劍躬身說道：「多謝老師父指點迷途，但如要晚輩棄劍受縛，恕難遵辦。」

老和尚呵呵一笑，道：「這麼說來，小檀越是定要考較老衲的武功了？」

徐元平道：「晚輩雖有棄劍受縛之心，卻不願損及師門威名，說不得只好斗膽求教老師父幾招絕學，只要老師父能在十回合內勝得了我，晚輩這時就甘願棄劍認輸，隨同老師父去見貴寺方丈，負荊請罪。」

那老僧突然一聳垂遮眼瞳的白眉，笑道：「十回合太多，老衲縱然勝得，也將落個以老欺小之名，小檀越不妨以你那馳譽武林的『追風劍』法，向老衲下手，只要你逼得我兩腳移動半步，不但算做勝了老衲，而且老朽索性拚受掌門方丈一頓責罰，送你出寺。」

徐元平只聽得呆了一呆，忖道：你縱然身懷絕學，也不能這等托大，我就不信你能以血肉之軀，硬擋這百煉精鋼的寶劍！當下朗聲說道：「老師父乃德高望重之人，須知一言既出，駟馬難追，武林之中最重信諾二字！」

老和尚微微一笑道：「佛門弟子，不打誑語，小檀越儘管出手。」說罷，緩緩閉上雙目。

徐元平冷哼了一聲道：「恭敬不如從命，老前輩恕晚輩放肆了。」

徐元平健腕一翻，劍光閃閃，當胸刺去。

但聞那老僧低喧一聲佛號，上身微微一側，徐元平寶劍掠著僧袍刺空，不但雙足未動，就是閉著的眼睛也未睜開一下。

徐元平驚駭地收劍疾退，怔在當地。

只聽低沉笑聲盈耳，老和尚緩緩開口說道：「小檀越不必擔心，老衲決不還手。」兩句話又激起了徐元平好勝之心，欺身而上，揮劍橫斬，攔腰掃去。

老和尚突然仰身倒臥，霜鋒掠腹而過。

徐元平這一劍用足了勁力，劍勢落空，身子不自主地向右一傾，只覺微風拂面而過，一塊蒙面黑紗，已被那老僧取下，就在這一刹那間，那老僧已避開劍勢，挺身而起，靈快絕倫，間不容髮。

徐元平一連兩劍未中，反被人摘下了蒙面黑紗，不覺動了真火，大喝一聲，揮劍猛攻，倏忽間連續擊出五劍。

這五劍不但迅若奔雷，而且橫斬直劈，勢道各自不同，如果腳不離地，想把這五劍避開，實是大不容易之事。

但見那老僧，身若風舞柳絮一般，左搖右擺，忽而仰臥，忽而側伏，竟然腳不離方寸之地方，把五劍一齊避開。

徐元平長嘆一聲，投棄了手中寶劍，道：「老師父一身武功，果是罕聞罕見，晚輩甘願棄劍就縛，和老師父一同去見貴寺方丈。」

白眉老僧並沒有立刻回答徐元平的話，只把一雙湛湛眼神凝住在他身上，良久，才輕輕嘆息一聲，道：「小檀越言行品貌，似都非綠林中人，夜入少林寺，定非無因而來，不知能否據實相告老衲？」

徐元平傲然一笑，道：「晚輩不敢以謊言相欺，夜入貴寺，是想暫借貴派的《達摩易筋經》瞧瞧。」

白眉老僧身子微微一顫，道：「少林寺有七十二種絕技拳譜，哪一種都是實用之學，爲什麼你單單要借那《達摩易筋經》呢？」

徐元平道：「晚輩因身負血海深仇，仇人武功又絕世無匹，我相信少林寺七十二種絕技，只怕未必能制服對方。」

白眉老僧微微一笑，道：「少林寺七十二種絕技，你如能通達一半，當今武林相信已經無人能望你項背了……」他忽然嘆口氣，又道：「不過人生有限，歲月幾何，要以有限的生命，去學數十種不同的武功，實非可能之事，本寺自我達摩師祖手創迄今，已歷三十一代掌門，弟子人數逾萬，但卻無一人能學得七十二種絕技半數，縱然殫盡一生精力，也難償此宏願。」

徐元平見他不提相約之事帶自己去見掌門方丈，反大談起少林寺七十二種絕技，心中甚感奇怪，正待開口相詢，那白眉老僧又搶先說道：「小檀越不取少林寺七十二種絕技拳譜，卻選擇了《達摩易筋經》上乘內功的進修秘本，想來定已受到高人指示，不過，《達摩易筋經》秘本是本寺鎭山三寶之一，別說小檀越無能取得，就是你僥倖到手，但也難逃少林高手苦追，茲事體大，連本寺掌門方丈也擔受不起，必將傾盡全力追回，何況《達摩易筋經》上記載之學，盡都極難修爲的上乘內功，字字含意博大，小檀越縱然博古通今，也非一朝一夕能予瞭然，要是沒有通達此中法門的高人指點，只怕十年窮究，也難有成！」微微一頓，又道：「據老衲所知，當今之世，只有一個人通達此學，小檀越如能得他指點，一年內可窺門徑，三年內可望盡

得《達摩易筋經》中奧秘。」

徐元平聽得雙目圓睜，道：「那人現在何處？敬請老方丈大發慈悲，指示一條明路，晚輩定當虔誠相求那位老前輩憐憫門下……」

一幕淒涼悲慘的往事，又從他腦際中閃掠而過，想到忿恨之處，不禁咬牙作聲，熱淚奪眶而出，撲身跪拜下去。

白眉老僧慈愛和祥的臉上，忽然間泛上黯然之色，嘆道：「此人乃老衲同門師兄，才華絕世，豪氣干雲，只因一念之差，觸犯本門清規，先師一怒之下，把他囚入寺中，歲月匆匆，已滿一甲子之久，先師早已證道還因，歸登極樂，可是老衲這位師兄，仍被囚禁在寺內一處幽靜的庭院之中。

「在他初受囚禁之日，老衲曾許下相救諾言，爲此一諾，害得我晚證佛果十年，小檀越如肯伸手相助，解脫他終身囚禁之苦，然後再求他指點你修爲《達摩易筋經》上乘內功秘訣，既可償你之志，也可替老衲完成一樁未了心願。」

徐元平一拜起身，道：「此乃晚輩宿願，當不惜粉身碎骨以赴，只是以晚輩這點微末武學，如何救得了他，尙望老師父再指點一二。」

白眉老和尙歉然一歎道：「家師圓寂之後，已無人是他的敵手，別說區區幾間瓦舍，就是銅牆鐵壁也困他不住，但那囚室門上，因貼有家師親筆朱諭，是以他不敢破門而出，只要小檀越揭去門上朱諭，即可還他自由之身。

「不過老衲先要把話說明，我那師兄生性冷傲異常，六十四年囚居歲月，不知他是否已有改變，他肯不肯傳授你《達摩易筋經》的口訣法門，很難預測，如果他執意不肯，老衲也難強他，不過，你能替我償了這件心願，老衲當多留世間幾年，傳授你五種少林絕技，只要你能學有所成，雖未必能稱霸武林，雄踞江湖，但就當今之世而論，能和你頡頏的高手，也難選得幾人，此事雖爲老衲萬難的心願，但卻不敢要小檀越勉爲其難，應允與否，尙請自決。」

徐元平道：「晚輩得蒙賜示，已是感銘難忘，至於那位老師父肯否傳授我的武功，自然要看晚輩的緣份造化，豈能怪得禪師。」

白眉老僧微微一笑，道：「藥醫不死病，佛度有緣人，小檀越由此向正北一行，約三百丈，即可看見三盞高挑紅燈，那是本院僧眾受戒的『戒持院』，就在『戒持院』左側十丈左右之處，有一座滿種翠竹的院落，凡是本寺僧人，一律嚴禁入內，小檀越只要一進那座院落，就算到了安全之區，至於你進入院中的後果如何？便要看你的造化了……」

徐元平伏身撿起寶劍，躬身一禮，道：「多謝老師父指示迷途，日後晚輩如能洗雪血海沉冤，皆是老師父一番恩賜。」說罷，轉身疾向正北方奔去。

但聞衣袂飄風之聲，那白眉老僧突然凌空而起，搶在徐元平前面，回身攔住去路道：「你在去路之上，可能要遇上幾道阻攔，你那套『追風劍法』，雖然是馳名江湖的劍術，但如想闖過少林寺伏樁攔截，只怕未必能夠，老衲指示你二式劍招，必要時，不妨施用出手，但卻不准傷人。」

說罷，取過徐元平手中寶劍，口中講解要訣，手中比式相授。

徐元平本是極爲聰明之人，片刻之間，已然領悟，接過寶劍又躬身一個長揖，霍然轉身，

急奔而去。

他心中急於尋得那座靜院，遇攔阻，立時以那白眉老僧相授的二招劍式克敵，果然劍勢非凡，威力強大，攔路僧人甫一出手，立時被他奇奧的劍勢逼開，一連被他闖過四道攔阻，到了「戒持院」邊。

徐元平抬頭望去，只見三盞紅燈並掛在一座高大的門楣之上，分寫著「戒持院」三個大字，向左望去，那星星微光之下，果然見竹葉搖動，心頭一喜，仗劍幾個飛躍，疾進了四、五丈遠。

忽聞沉喝如雷，起自身後，道：「什麼人敢闖禁區？……」

那聲音起在數丈之外，但禁區兩字出口之時，已到了徐元平的身後，但憑這等快速絕倫的身法，已可知來人武功，高不可測。

這時，徐元平距那靜院尚有兩丈左右，聽那沉喝之聲，來若流矢，倏忽之間，已到了身後，不覺心頭大駭，雙足一蹬，凌空而起，直向那靜院之中飛去。同時揮劍一招「犀牛望月」，反臂刺去。但聞來人一聲怒喝道：「撒手。」

一股奇大銳力，隨聲擊到，徐元平突覺握劍右肘一麻，寶劍脫手飛出，懸空的身子，也吃那強勁潛力震得向下疾落。來人一擊之勢，力道強勁至極，徐元平還未轉過頭，身子已然摔在地上：他身雖被人凌空震落，但因對方旨在擊落他手中兵刃，並未傷到他身體，迅快的幾個翻滾，到了那靜院圍牆旁邊，匆急之間，頓忘利害，猛一提丹田真氣，拔躍而起。

只聽來人沉聲喝道：「小檀越還不停步，當真是要找死嗎？」

右手揮處，掌風直逼過來。徐元平的身子，已躍飛起一丈多高，如不硬接對方這一記劈空掌力，只有使用「千斤墜」的身法，把躍起的身子，沉落實地，否則，只有拚接對方這雄渾的一擊。

兩種極不相同的念頭，同時在他腦際閃過，他知道這是他唯一能躍落那靜院的機會，雖然，這機會充滿著死亡的危險。在這迫急的一剎那間，他選擇了死亡的冒險，雙掌運足生平之力，平胸推出，疾向那排空而來的掌風迎去。

這是一次極不公平的硬拚，雙方功力懸殊，如卵擊石，徐元平只覺對方劈來力道有如排山倒海一般，直壓而下，但感心頭一震，如受雷擊，耳際轟然作響，全身氣血翻動，噴出一口鮮血，昏迷過去。

不知過去了多少時間，他忽然感覺一陣寒意，睜眼看時，天色已經大亮，全身衣裳都被晨露浸濕。他長長吁一口氣，挺身坐了起來，仰臉看著天上幾片浮動的白雲。

徐元平呆呆出神，周圍的環境對他是那樣陌生，但聞晨風拂動滿院翠竹，發出沙沙響聲。

他舉手拍拍自己的腦袋，盡量想回憶起這是怎麼回事，可是，腦際宛如一張空洞的白紙，怎麼也想不起來……他掙扎著站起身子，搖搖擺擺地走了兩步，頭頂上像壓著一塊千斤鐵塊，痠軟的雙腿極難支持這沉重的負荷，他不得不借助那挺生的翠竹之力，兩手交替的扶著竹子，緩緩地移動著身軀。

太陽爬過了圍牆，金黃的光芒照著他前胸一片紫紅的凝血，閃閃生光，他伸手撫摸胸前的血跡，茫然一笑，閉上眼睛。

他本是有著很好內功基礎的人，運氣調息的方法，早已成為本能，雖然他已失去記憶能力，忘記了過去一切的事物，但傷勢並不致命，只是被對方強勁的掌力，震傷了大腦、內腑，全身各處血脈尚能正常循環，是故一經靜坐，不知不覺間運氣行功起來。

大約過了一個時辰左右，忽聽一聲沉重的歎息之聲，傳入耳際。徐元平霍然站起身子，轉頭向後望去，只見數丈外翠竹林中，有一座三間大小的破落瓦舍，兩扇房門，緊緊地關閉著，牆壁雖是用上等的大青磚砌成，但因年久未經打掃，看上去斑痕纍纍，十分淒涼，但那沉重的歎息之聲，就由那兩間瓦舍之中傳出來。

徐元平經過一段時間調息之後，精神已好轉不少，雖然舉步仍甚艱難，但已不似剛才那般，必須要扶著竹子才能走路。

他渾然地走向那兩間瓦舍門前，只見一張黃底朱字的封條，橫貼在兩扇黑漆剝落的門上。那封條久經風吹日曬，上面的字跡，早已無法辨認，其實他腦際中一片空白，智力、記憶均未恢復，縱然字跡清晰，也是看不出寫的什麼。

如果他像往常一樣清醒的話，只怕很難鼓起勇氣撕去那橫貼門上的封條，因為他會去思慮到極難預測的後果……但此刻他卻是毫無顧慮，渾渾噩噩地舉手撕去了門上的封條，隨手丟在地上。雙手加力，猛向那緊閉的房門推去，惟聞砰然一聲，兩扇木門應手碎裂，原來那木門經過數十年風雨侵蝕，早已腐朽。

他毫不猶豫地昂然入室，一陣積塵落下，撒了他滿臉滿身。

徐元平用衣袖揮去臉上塵土，打量室中布設，只見屋頂壁角之處，蛛網繚繞，到處積塵，似乎是久無人住。

忽然兩道冷電般的光華，一閃而逝，轉頭望去，只見一個鬚髮蒼然，垂掩全身的怪人，盤膝坐在幽室一角的木榻之上，長垂的雪髯皓髮之下，隱隱現露出灰袍衣角。他愕然地望了那怪人一陣，緩步向那木榻走去。

那怪人陡然睜開眼睛，兩道冷電般的神光，由垂瞼白髮中射出，那眼神之中似是含蘊了無比的威力，看得人油生寒意。徐元平雖然在神智未復之際，也不禁怦然心跳，收步停身，不敢再往前走。

那兩道讓人心悸的眼光，一直凝注在徐元平的臉上，一瞬不瞬，只看得徐元平的心頭有如鹿撞一般，本能地緩步向後退去。但見那怪人鬚髮一陣顫動過後，倏然閉上了眼睛。徐元平茫然地站了一盞熱茶工夫，又向那鬚髮掩身怪人身前走去。

這次那長髮怪人沒有再睜眼瞧他，直待徐元平走到他身邊，才陡然伸手抓去，手臂揚處，片片碎布飄飛，原來他身著僧袍早已朽腐，這一疾伸手臂，衣袖立時碎裂片片。

徐元平只覺右臂前胸幾處微微一麻，已被人舉手之間點中了「將台」、「臂儒」、「肩井」三處穴道，當下雙腿一軟，倒在那長鬚掩身的怪人身側，肩頭撞在木榻上，登時把木榻一角撞碎。他雖已無能掙扎，但人並未昏迷過去，只是無法開口說話，瞪起一雙朗目，呆呆望著對方。

只聽那怪人長歎一聲，說道：「老衲已有六十年未和生人見過面……」言下鬚髮顫抖，顯然他內心中十分激動。徐元平口不能言，即使他能夠說話，但因受震腦創未復，也不知如何安慰這愴然淒涼的老人。

但見他右手在徐元平身上按摩了一陣，又緩緩地伸出左手，雙掌互搓幾下，兩掌一齊在徐元平身上按摩起來，掌心所及，熱氣透體，使人大感舒暢。徐元乎只覺幾股熱流，催使他全身血脈加速循環，片刻之間，沉沉睡熟過去。

待他由沉睡中清醒之時，被制穴道已解；他伸手舒展一下身體，睜眼望去，不禁啊呀失聲。原來他經那鬚髮掩身的老人，用本身精深無比的內功運迫真氣，替他療治好了受震的傷勢，智力記憶盡復。昨宵諸事，一幕幕在他腦際閃過。

定神望去，只見那鬚髮掩身怪人，合掌閉目靜坐在木榻之上，那木榻一角早已破碎，但他已忘去那破碎的木榻一角，正是他自己肩頭所撞。他已瞭然對面鬚髮蔽體、盤膝靜坐的怪人，就是那白眉老僧口中所說，他那位被囚禁幽室六十年的師兄時，不禁駭然一歎。

六十年的歲月，對一個人的生命旅程，是何等悠長、重要？但那盤膝靜坐怪人，卻把這生命中極大部分時間，在這幾間瓦舍中度過……想到感慨之處，不覺觸景傷情，勾憶起自己淒慘的際遇。緩緩起身，對那老人跪拜下去，觸手輕響，木榻又被他按碎一塊。

要知那木榻經過六十年的時間，無人掃刷，木腐蟲蛀，早已朽爛，表面上看去，雖然仍是完好的一張木床，其實已難承受一點壓力。

他迅快地縮回觸按在木榻上的右手，望了那老人一眼，說道：「晚輩徐元平叩謝老禪師相救之恩。」說罷，立即拜伏榻前。

只聽那怪人冷笑了一聲，道：「你膽子不小，竟敢闖到老衲囚居之室，哼，什麼人指點你來，意欲爲何？」

徐元平抬起頭，思索了一陣，答道：「晚輩得蒙一位白眉老禪師的指點，尋來此處，懇求老前輩大發慈悲，允晚輩列身門牆。」

那怪人忽的睜開雙目道：「什麼，你想讓我做你師父？」

徐元平道：「晚輩身負血海沉冤，敬祈老禪師大發慈悲，指點晚輩幾招武學……」

鬚髮掩身的老僧，冷漠地乾笑了兩聲，接道：「指點你幾招武學，哈哈，世界上當真有這等容易的事嗎？」

徐元平黯然歎道：「只要老禪師答允傳授晚輩武功，使我昭雪沉冤；晚輩願以畢生之年，爲老禪師完成幾件善功，以謝深恩。」

那怪人忽然感慨歎息一聲道：「你這話可是當真？」

徐元平道：「如有一句虛言，天誅地滅。」

那怪人忽的圓睜雙目，望著室外說道：「他們來捉拿你了。」言罷，又緩緩閉上眼睛。

徐元平回頭望去，但見滿院翠竹搖動，哪裡有半個人影，方感懷疑，忽聞幾聲卜卜木魚，緊接著傳來一個宏亮的聲音，道：「掌門方丈駕到。」

餘音未絕，驟見人影閃動，兩個身披黃色袈裟，身材魁梧的和尙，聯袂躍入靜院，直對靜室走來。到了門邊，停住腳步，四道眼神一齊投注在那鬚髮掩身的怪人身上，臉上顯現驚愕之

色，合掌當胸，躬身一禮後，分列門外，合掌垂首，一語不發。那兩扇大門，早已被徐元平推得碎裂成小木塊，室內影物一目瞭然，但二僧愣視了那鬚髮掩身的老人一眼之外，不再向室內探視。

徐元平細看室門外面分列二僧，靜如山嶽，面泛紅光，兩個太陽穴高高突起，一望即知是內外兼修的高手，心頭微感一震，不自覺翻手向肩上一摸，一把抓空，才想起寶劍在昨宵已被人震落那靜院外面。

但聞那卜卜木魚之聲，又連續響了三聲，兩個身披大紅袈裟的和尚，又聯袂躍入圍牆，和那身披黃色袈裟的和尚一般，對幽室那鬚髮掩身的怪人一禮之後，分列在靜室門外。

徐元平看他們飛越圍牆的迅靈身法，已知四個和尚都是身懷絕學的高僧，即使讓自己和人單打獨鬥，亦毫無制勝把握……轉臉看去，那鬚髮掩身怪人仍然閉目靜坐，對室外四僧，渾如不見。就在他一轉臉間，圍牆外又輕飄飄地躍入了三個人來。

正中一人身披紅線滾邊的黃色袈裟，左右各有一個十、四五歲，面貌清秀的小沙彌，左面一人懷抱拂塵，右面一人手捧一根奇形短杖，緩步對著靜室走來。那正中僧人，年約五旬上下，方面大耳，長眉入鬢，袈裟飄風，貌像莊嚴，和藹之中，隱含懾人神威。徐元平不覺心頭一跳，暗道：這和尚氣度非凡，定然是寺中身分極高之人。

心中忖思之間，那和尚已到靜室門外，但見排列室外四僧一齊躬身行禮，神態恭謹異常。只聽他高喧一聲佛號後，合掌說道：「少林寺第三十二代掌門方丈元通，晉謁師伯。」

說罷，屈膝拜下去，兩個小沙彌和四僧也隨著跪拜室外。

那怪人忽然鬚髮顫動，就座木榻，微一躬身，說道：「請恕老衲身羅先師刑具，此刻不便迎拜掌門方丈。」

元通微微一笑，起身答道：「弟子不敢……」一眼看見地上朱諭封條。不禁臉色一變，接道：「弟子恪於派中戒規，不便常來探望師伯，尚請師伯鑒諒。」

那長髮怪人冷笑一聲，道：「那也罷了，先師遺命，自難怪你，不知今日有何見教之處，親勞掌門佛駕。」

元通道：「弟子昨宵得到『戒持院』中報告，有人誤闖師伯靜修聖地，想此地乃上兩代掌門方丈手創禁區，即本寺僧眾也不得擅入一步，何況外人，弟子不敢背棄職守，特請了歷代掌門收執的綠玉佛杖，查詢此事。」說完話，從右側小沙彌手中取過那根綠玉佛杖，高舉過頂。那鬚髮掩身怪人，口中雖在和元通說話，但始終未睜過一雙眼睛，單憑聽覺，分辨幾人動靜，但在聞得那綠玉佛杖之後，忽然圓睜雙目，兩道神光暴射而出，室外眾僧吃他那眼神一逼，都不禁身子一顫。

只有元通大師仍鎮靜如恆，面不改色地笑道：「師伯！請驗明綠玉佛杖信物，弟子此刻要傳諭拿人了。」徐元平定神看去，只見那綠玉佛杖，大約有一尺五寸長短，上端雕刻了一尊佛像，通體碧光，晶瑩耀目。綠玉佛杖，乃少林寺歷代傳給掌門方丈的至寶，凡是少林門下弟子，不分僧俗輩份，只要見了綠玉佛杖，一律得拜伏地上，聽候執杖人的令諭。徐元平不是少林門下弟子，自然不知道那綠玉佛杖的用途，但見那佛杖耀目碧光之中，隱隱現出幾條血紋，已知是極爲名貴的寶物。

那長髮怪人雙目注定那綠玉佛杖，足足一盞熱茶工夫之久，在這時刻中，他目光有著幾種大不相同的變化，忽而激動憤慨，忽而黯然神傷。終於，他緩緩閉上了眼睛，合掌拜伏在木榻之上。

元通見他屈服，微微一笑，收了綠玉佛杖，吩咐列身兩側的紅衣和尙道：「兩位紅衣護法，請依本門戒律拿人。」

兩個紅衣和尙同時躬身說道：「敬領法諭。」一先一後地進了靜室，緩步向徐元平逼去。

徐元平望著二僧逐漸迫近的來勢，心中十分爲難，不知是束手就縛，還是奮力抗拒……忽聽耳際響起一個細小卻清晰的聲音道：「你再後退一尺，和我打坐雲床觸接，然後發掌拒敵，不論對方攻勢如何強烈，均請放心拒擋。」

那聲音似是從遙遠的地方飄傳而來，但卻字字入耳，清晰異常，可是那兩個相距數尺、身披紅色袈裟的和尙，卻似未曾聽得一般，仍然緩步迫來。

看兩人移動身軀的步法，沉穩如山，這在行家看來，立即可以分辨出兩人都有著極爲沉厚的內功基礎，雖在行動之時，仍可隨時拒擋對方強猛的攻勢。

如以兩人舉步的沉穩看來，至少可分辨兩丈內落葉觸地之聲，但不知何故，兩人竟似未聽到那響在自己耳際的聲音……就在他心念轉動之間，二僧已迫近他兩尺以內，他不敢再多想，雙手撐地，原坐姿勢不變，身軀向後移動一尺，背靠木榻，剛好把那鬚髮掩身的怪人擋住。

只見二僧同時合掌當胸，躬身一禮，說道：「少林寺三十二代掌門方丈隨身護法弟子百智、百鏡，奉了掌門法諭，擒拿擅闖師祖靜修禁地的綠林盜匪，敬望師祖原宥弟子等放肆舉

動。」說罷，高喧了一聲佛號，垂首靜立不動。

只聽那鬚髮蔽身怪人，冷冷地答道：「掌門人既請了綠玉佛杖，老衲焉敢不遵法諭，爾等既奉掌門之命，老衲自是不便干涉，但請動手便了。」

那鬚髮蔽身怪人全身都隱在徐元平的身後，無法看清他的表情，只聞其聲，不見其人，但從他冷漠的聲音之中，猜測他十分不悅。

二僧本來並肩垂首靜立，在聞得那怪人答覆之後，霍然抬頭，沉聲應道：「弟子等身任護法，難以自己，請師祖原諒了。」餘音未絕，站在左側的百智當先出手，右臂一探，緩緩向徐元平右肩抓去。

徐元平只覺隨著對方緩緩抓來之勢，有一股極強潛力，掌勢未到，勁道已自迫人，不禁心頭大駭，右臂一振，疾拂出手。

哪知對方正是要徐元平如此，倏忽一翻右掌，隨掌潛力頓然消失，由緩變快，迅若電光，翻轉之間，便扣住了徐元平的右掌。

徐元平一掌拂空，已知不妙，再想收住急拂之勢，哪裡還來得及，只覺得右掌一麻，如被扣上一道鐵箍，全身勁力一齊消失。徐元平看對方出手一擊，就擒拿自己脈門要穴，不禁氣餒，正待認輸就縛，忽覺一雙手掌，緊按背心之上，一股熱流急攻丹田，心知已得身後怪人以本身真力相助，登時鬥志大增，吐氣出聲，振臂一甩。

但聞百智沉哼一聲，高大魁梧的身軀，竟被那一甩之力，震退了四、五步之遠，扣在徐元平右腕上的五指，也同時被一股內家強勁的反彈之力震開。

這變化不但使百智感到震驚，就是一側觀戰的百鏡，也同時臉上變色，連那站在靜室外面的元通大師，也不覺聳然動容，想不到對方一個十幾歲的少年，竟有這等精深的內功。

只聽百鏡冷笑一聲道：「小檀越果然不凡，貧僧也領教幾手高招。」說是領教，其實當先出手，舉手一掌，當頭拍下。

徐元平在揮手一甩之間，把那和尚震退，掙脫了被扣脈門，連他自己也不敢相信，不禁呆了一呆，待他聽到百鏡之言，掌風已當頭罩下，這次擊來之勢，和先前大不相同，不但迅決無比，而且不帶一點風聲潛力，輕飄飄地拍擊而下。徐元平來不及出手變招化解，只得一舉左手，硬把擊來的掌勢接住。

百鏡早把全身功力，運集掌上，但卻蓄勁不發，是以那擊出掌勢，絲毫不帶破風聲，直待和徐元平左掌觸接之後，才陡然把含蘊在掌心的勁力，發了出來。徐元平的功力和百鏡相差極遠，如何能擋受得住百鏡這排山倒海而下的全力一擊，只覺血氣翻動，頭暈眼花，左腕上骨疼欲裂。但他知道只要自己一收拒抵對方掌力的左手，對方那強猛絕倫的內力，立時將疾沉而下，當場就得斃人掌下，只得拚盡全身真力苦撐。

忽覺那觸在背心的手掌一緊，又是一股熱流，衝入丹田，催動全身真氣，驟然力量大增，不自覺振腕向上一抬，只聽百鏡悶哼一聲，身軀忽的凌空而起，砰的一聲，撞在牆壁之上，只震得全屋搖動，落屑如雨。

這座房屋，已有數十年沒人打掃，除了大樑之外，很多椽木都已朽爛，如何還能經受得了這極強的一震之力，落屑滿目之中，只聽得卡卡幾聲，屋上椽木連斷了十、三四根，落了下

來。這時，幽室中的百智、百鏡和徐元平等，都被那滿室亂飛的積塵弄得雙目難睜，不知對方有何舉動。

靜室外的元通大師，內功本極精深，運足目力看去，也只隱隱可辨大概，百鏡似乎受傷不輕，在撞壁之後，就未再站起身子，百智卻用左臂寬大的僧袖，遮去頭臉，右手當胸而立，擋在百鏡前面。

徐元平仍然盤膝而坐，用雙手掩住面門。

大約有一盞熱茶工夫之久，那滿室落塵才逐漸消失……百智不再攻敵，翻身抱起百鏡，一躍而出。

元通慈眉微聳，仔細地察看了百鏡的傷勢後，道：「他震及內腑，傷勢不輕，快送『達摩院』去療治傷勢。」

百智立掌低聲答道：「敬領法諭。」探臂抱起百鏡，急奔而去。元通大師回顧了兩個隨侍身側的小沙彌一眼道：「你們守在門外。」伸手取過綠玉佛杖，緩步進了靜室。兩個身披黃色袈裟的護法僧人，緊搶兩步，一左一右地隨在元通大師身側。

徐元平目睹少林寺的掌門方丈，親自臨敵，心頭大感凜駭，只覺對方舉動之間，威嚴懾人，竟不敢發掌拒敵，瞪著雙目，看著人一步一步迫近。忽覺那觸及背部的手掌一緊，耳際又響起一個微小清晰的聲音，道：「快些出手發掌，別讓他逼近身邊。」餘音未絕，一股熱流，又攻入丹田之中。

徐元平右掌一舉，正待擊出，忽見元通大師停止腳步，雙目一瞪，湛湛神光，直注臉上，威凌逼人，不禁心頭一震，舉起的右掌，又緩緩地放了下來。兩個黃衣護法僧人，忽的雙雙躍出，一左一右疾撲而到，迅如電射，一閃而至。

徐元平看二僧撲擊的來勢奇猛，哪裡還敢怠慢，雙手齊出，分拒二僧。他這發掌拒擋之勢，只是一種防護的本能，哪知掌勢出手，忽覺一股真氣由丹田直貫雙臂，但聞兩個護法僧人，同時哼了一聲，身軀一齊凌空向後飛去。

數尺外的元通大師，見他一舉手間，把自己身側兩個護法一齊震飛起來，不禁吃了一驚，張口噙住右手拿著的綠玉佛杖，左右雙手齊出，一手一個，竟把兩僧向後疾飛的身軀，一齊接住，動作迅靈，間不容髮，但卻被那強猛的衝擊之力，震得身軀晃動，一連後退三步。

徐元平幾時見過這等罕絕武林的手法，只看得呆了一呆，心中讚歎不已。

忽聽那微小的聲音，又在耳際響起道：「快些趁勢發掌，把他逼出靜室。」只覺丹田熱流激盪，全身真氣上衝，不自覺間舉手擊出一掌。元通大師尚未放下兩個護法僧人的身體，陡感一陣潛力直逼過來，一時之間，無法用手拒擋，只好運集真氣，挺胸硬接一擊。這一掌看似輕描淡寫，其實力道大得出奇，元通只感全身一震，前胸如受千斤重錘一擊，氣血翻動，馬步不穩，不自主地向後退了三步，每一落足之處，足印深陷地下半寸多深。

要知元通大師乃少林寺第三十二代弟子之中第一高手，內功深厚，拳掌無匹，但竟似承受不了這一掌之力，後退三步，仍然噴出一口鮮血。但他究竟是有道高僧，雖在重創之下，心神仍然不亂，緩緩把手中兩個護法僧人放下，右手取下口噙綠玉佛杖，低喧一聲佛號道：「弟子罪該萬死，冒犯師伯，雖受懲戒，但也不敢妄存半點怨恨之心，不過師伯借人之手，拒擋綠玉佛杖，是否觸犯了欺師滅祖戒律，弟子不敢妄自論斷，自當召集寺中長老商議，以憑公決，一候此事完滿告結之時，弟子再當面領求師伯責罰，以謝冒犯尊長之罪。」說完，捧杖躬身一禮，退出靜室。

原來元通大師，思慮機敏過人，在徐元平和百智動手之時，已然懷疑到是師伯暗以本身真力相助對方，直待他承受了徐元平一掌之後，愈發認定不錯。

他雖然沒有見過這位被囚禁幽室六十年的師伯，但卻聽師父談過這位不幸的師長際遇，知他才華絕世，聰慧無比，是近十代中少林寺最傑出的人才，十八歲那年，試技羅漢堂，藝壓同門，臨試師長無不驚奇他的成就，二十歲行道江湖，爲少林寺三代中，最年輕的出寺行道僧人，不及兩年，已名噪大江南北。因無意觸犯清規，被師父囚居這一座靜院幽室之中，少林寺已經兩易掌門方丈，他卻在這數間瓦舍之中，虛度了六十年的悠長歲月。他想到這位師伯諸般不幸的遭遇，不禁黯然一歎，停住腳步，又回頭望了那靜室一眼，只見徐元平盤膝靜坐在木榻前面，擋住了那鬚髮蔽身的老人全身。

忽覺胸前一疼，一口熱血又向上翻，趕緊排除腦際雜念，凝神調息一下，穩住了翻動的氣血，在兩個小沙彌和兩個護法僧人護擁下，緩步繞著翠竹，離開了靜院。

徐元平望著幾個和尚的背影消失在翠竹之後，翻過身子，對那鬚髮蔽體的老僧叩拜下去，說道：「如非老前輩暗中相助，恐晚輩早被人震斃掌下了……」

只聽那怪人冷笑一聲，截住徐元平的話道：「佛門之中，慈悲爲懷，就是沒有老衲暗中相助你擊退他們，他們也不會傷害於你，哼！你闖到我們少林寺劃列的禁區之內，就算讓你吃些

苦頭，那也是你罪有應得。」

徐元平聽得怔了一怔，暗道：「明明是你叫我發掌拒敵，怎麼能夠怪我？」他心中雖然有這般想法，但口中卻是不敢說出。

忽見那怪人仰臉哈哈大笑起來，笑聲異常詭異，叫人分不出他是哭是笑，一時之間，也不知如何才好。徐元平呆呆地跪在當地，足足有一盞熱茶工夫之後，那怪人才停住笑聲，蒼蒼皓鬚白髮掩遮中，仍隱隱可見他滿臉淚痕。徐元平忽然覺著眼前這武功絕世的老人，有著深沉的憂愁、淒涼。他是自己生平所見所聞的第一位武林奇人，有著蓋世絕倫的武功，和不可思議的深厚內力，大概當今之世，再無人能有他這樣的成就了。

但他卻把人生最寶貴的青春歲月，埋沒在這小小靜院的幽室之中……

二　悔心禪院

忽聽那老人冷笑一聲，說道：「你要我傳授什麼武功？」

徐元平道：「晚輩想學那《達摩易筋經》上記載武學。」

長髮老人搖搖頭，冷漠地一笑道：「你難道也想找一處人跡罕至的地方，嘗受二十年面壁之苦嗎？」

徐元平心頭一凜，道：「什麼？要二十年以上之久？」

長髮老人忽然微微一笑，這是徐元平第一次看到他真正的笑容，仔細看去，不禁吃了一驚，原來那長髮怪人的臉色竟是十分紅潤，只因被長垂的白髮雪髯掩遮，不留心很難看得出。

此刻，他那張紅潤的臉上，更覺光彩耀目，眼神也閃動著歡愉的光輝，顯然，似對自己在武學上的成就，有著很大的滿足和驕傲。忽然，他像觸了電流般，臉上的歡愉之容，立時隱去，眼神中的光輝，也隨著消失。他長長歎息一聲，閉上雙目，說道：「那《達摩易筋經》上記載武學，盡都是深奧無比的內家修練之法，別說二十年時間，就是三十年苦思窮究，也未必能夠博通，需知世間大成之事，決無僥倖成功，雖然偶有例外，但卻絕無僅有，而且多屬旁門之學，失之偏激，縱然學有所成，日後必蒙其害，老衲生平之中，只見過一人從旁門別徑之

中，修得大成，而那人竟還是一個女人……」

徐元平啊了一聲，道：「難道當今武林之中，真還有比老前輩武功高強之人不成……」

忽然想到了自己目睹身歷的悲慘往事，那人不但武功絕高，面且下手險辣無比，半宵之間，連傷十二個武林高手……

血淋淋的悲慘景象，又從他記憶中一幕幕展現腦際，只覺胸中熱血沸騰，淚水奪眶而出。

長髮老人舉手撫著他頭頂，十分慈愛地說道：「孩子，我知道你一定有著悲慘遭遇，所以，才到少林寺來偷那《達摩易筋經》，想練成蓋世無匹的武功，以作報仇之用……不過，這是一件毫無希望的事，別說你根本就無法找到列爲我們寺中三寶的《達摩易筋經》，縱然探得它存放之處，但以你那點本領，也無能偷竊到手，千數百年以來，也不知有多少黑道高手，江湖豪客，都在覬覦那部《達摩易筋經》奇書，可是千數百年之中，卻無一人能得到手……」

徐元平道：「晚輩只想學得經上功夫，以報血海深仇，並未存爭霸武林之願……」

長髮怪人道：「經上記載武功，字字深奧博大，單是求解經文就得費你三年以上的時間，如想窺得門徑修有所成，至少要耗去你二十年的青春。」

徐元平覺著那長髮怪人，在短促的一瞬之間，如同換了一個人般，變得十分慈祥和藹。只聽那老人繼續說道：「二十年不算很短，那時，你的仇人也許早已不在人間了。」

徐元平道：「這麼說來，晚輩今生今世，是永遠無法報得大仇了！」

長髮怪人沉吟一陣說道：「那《達摩易筋經》上，記載的武功，雖然淵博，但並無克敵制勝的實用法門，恐無法選擇精要的密訣練習，亦不能一鼓作氣練成，你這心願只怕今生難有得

償之日。」

徐元平千里迢迢地趕來嵩山少林寺，目的就是爲著那部真經，如今聽見那老人之言，不禁心頭一涼，問道：「這麼說來，晚輩是無望修練那《達摩易筋經》上記載之學了。」

長髮怪人道：「其實我們少林武學之中，不少深遠博大的武功，你能學上幾招實用手法，都比你偷得那《達摩易筋經》好……」

徐元平道：「晚輩的仇人，乃當今黑道中第一位高手，武功絕倫，心狠手辣，而且羽黨無數，智計百出……」

怪老人輕輕歎息一聲，接道：「老衲在這幽室之中，度過六十年的時間，已把《達摩易筋經》中記載的武學悟透，但我自知本身武功並非天下第一，我縱然不惜叛道私授，只怕也未必一定能報得你大仇……」他忽然閉上雙目，倏然住口，默默沉思起來。

徐元平驚愕地望著那沉思的老人，心中十分惶恐，他敏感的覺到，眼下片刻的時光，將是他整個人生中，最重要的一個關鍵，可能得到天下武林人物夢想的《達摩易筋經》上乘武學真傳，也可能被那老人摒棄門外，逐出幽室……

忽聽那老人一聲悠長的歎息，激動的神情，逐漸地平復下來。緩緩地睜開雙目，莊嚴地說道：「六十年的時光變化，江湖上早已把老衲忘去，老衲也早和大千世界脫離，只有一事仍耿耿於懷，使我不能掃淨靈台，早登佛果……」這時忽聞鐘鼓之聲，遙遙飄傳而來，打斷那老人未完之言。

徐元平細聽那鐘鼓之聲，緊促異常，那老人剛剛平復的臉色，陡然大變，直待鐘鼓聲復歸沉寂，才黯然說道：「這是少林寺最緊急的集議信號，寺中的長老，和各殿院中的主持都將聚集在『達摩院』內，研究對付老衲之策。」

徐元平道：「老前輩乃貴寺當今方丈師伯，難道他們還真敢對付老前輩嗎？」

老人淒涼一笑道：「我們少林長幼之分雖然嚴格，但掌門人的尊嚴，卻凌駕輩份之上，剛才我出手太重，打得他口中噴血，此事乃大不應該之舉，只要他一聲令下，『慧、元、百、天』四代中高手，都當群集這靜院之中，群攻老衲。」

徐元平聽得呆了一呆，忖道：「少林寺中僧人，不下數千之眾，四代高手何止百人，如果一齊出手，縱然是達摩重生，也難抵敵，看來這老人是凶多吉少了……」

徐元平看他突然之間，由緊張變得十分輕鬆，心中甚是不解，但口中卻茫然應道：「老前輩吩咐，晚輩焉敢不從，不知要打什麼賭？」

只聽那長髮怪人呵呵一陣大笑道：「孩子，咱們打一個賭，好不好？」

長髮老人笑道：「咱們打這賭最是容易不過，你先坐起來再說不遲。」

徐元平聽他言詞輕鬆，全不擔憂生死之事，這時不覺精神一振，當下依言起身，傍榻而坐。只見那長髮老人游目馳騁，滿室亂瞧，原來他隨口說出打賭之言，事前並無深思，這幽室之中，空空四壁，瞧來瞧去，找不出可以用作打賭之物。徐元平卻看得莫名其妙，不知他望來瞧去看的什麼？忽見那長髮老人左手輕輕在徐元平臉上一拂，右手疾伸而出，徐元平只覺一陣微風拂面而過，視線被阻，眼睛一黑。

待他視力復常，耳際已響起那老和尚哈哈大笑之聲，道：「這辦法最是公平不過，你猜猜我這雙手之中，拿的什麼？」只見他兩手緊合，神色歡愉，似是對這場打賭之事，興趣濃厚。

徐元平微微一笑，正待隨口胡猜上一句，忽見那老人臉上笑容一斂，神情鄭重地說道：「這場打賭關係甚大，你如猜得不對，我要立刻把你逐出此室，那就別再想我傳你武功了。」

忽然急鼓三響，鐘聲悠悠，劃空傳入耳際，裊裊餘音未絕，靜院圍牆之外，飄傳來一個低沉的聲音，說道：「大師兄身體可好，小弟慧果來看你了。」

長髮老人面色一變，冷冷地答道：「我佛慈悲，小兄身體托安，師弟幾時回寺中來了？」

但聽一聲悠長歎息，劃空而來，長歎餘音未絕，人已到了幽室門外。徐元平定神看去，只見一個身著灰袍的八旬老僧，合掌垂首，神態甚是恭謹地說道：「小弟已回寺三日了。」

長髮老人冷漠地望了當門而立的僧人一眼，道：「師弟可是奉了掌門人的令諭，來擒拿我這個不成材的師兄嗎？」

不再理那老僧，卻望著徐元平道：「如果你猜中老衲手中之物，這場賭就算你勝了，老衲當盡所能，完成你的心願。」

徐元平本是極為聰明之人，成敗決定在一言之間，不禁大感猶豫，本來極為輕鬆的心情，忽然間沉重起來，仰臉沉思，久久答不出話。慧果看師兄對自己神情冷漠，心中甚是感傷，想起昔年學藝之時，得受師兄惠賜良多，眼下他即將大禍臨頭，自己卻愛莫能助，也許在掌門方丈的綠玉佛杖令諭之下，自己還得親自和師兄動手，想到為難傷心之處，不覺滴下來兩點老淚，悄然退走。

徐元平雙目轉動，不放過幽室中一草一木，他想尋找出一些痕跡，幫助他判斷那老人雙手合蓋之物……突然一陣積塵落下，抬頭望去，只見一隻蝙蝠振翼而去，心中一動，脫口說道：「老前輩手中可是一隻蝙蝠嗎？」

長髮怪人忽的全身一顫，放開雙手，果然是一隻蝙蝠，振翼飛走。

徐元平見自己在無意中勝了這場賭賽，心中暗自慶幸，歡愉之情，形露於色。轉臉看那長髮怪人，只見他臉上流露著極爲奇異的神情，雙掌合十，喃喃祈禱，而且聲音極微，徐元平坐在身側竟聽不出說的什麼。

他放下合十當胸的雙手，笑道：「前因後果，強他不得，你既然勝得我們這場打賭，快請說出條件，老衲自當盡力而爲，時光無多，寸陰寶貴，老衲只能盡其在我，成敗要看你的才智造化了。」

徐元平亦知這座靜院幽室即將受到少林寺群僧圍攻，他那兩句時光無多，寸陰寶貴的話，正爲此言，當即答道：「弟子想學那《達摩易筋經》上乘內功心法！」

長髮老人忽的臉色一沉，道：「我是打賭輸給你的武功，咱們可毫無師徒關係，日後你出道江湖，盡可以贏得武功真相示人，但不能說你是少林門下弟子。」

徐元平微微一怔，正想以師倫大道相辯，但見對方神態莊肅，言似出衷而發，忽然心中一動，忖道：是了，想這等冠絕武林的少林秘技，豈能隨便傳授，我如認他作師，必得受了少林派中門規限制，也許少林派門規之中，有著不能隨意傳授門下絕技的限制……徐元平心念一轉道：「晚輩當謹記老前輩相誡之言。」

長髮怪人臉色大見緩和，微微一笑，道：「咱們再打一個賭，好也不好？」

徐元平一皺眉頭，忖道：怎麼這位老師這等愛賭，我剛才只是一時僥倖勝他，再賭一次必敗無疑，難道他又改變心意，不願以絕技相授，要借重賭毀諾不成？因他毫無致勝把握，一時間沉吟不語。

只見那長髮怪人哈哈一笑，道：「小檀越不要多疑，剛才咱們賭的是相傳武功之事，老衲既然輸給了你，自然不能借重賭毀諾，當盡我所能，以數十年修為禪功相授。但因咱們沒有師徒之情，老衲也不能強令你替我辦事，咱們最好是再賭上一賭，如果你再勝了，老衲除傳授武功之外，還送你一件至寶，助你復仇之用，如果老衲勝了，只請你代我尋訪一個人的下落，告訴他老衲的諸般經過……我佛慈悲，請恕弟子罪過。」說至此處，倏然一緊雙目，莊肅神情中溢露出無限淒涼。

徐元平雖不知他要尋找什麼人，但見他那種異樣的神情，想那人定然和他有著不尋常的關係。當下接道：「這等容易的事，何需打賭；只望老前輩告訴晚輩那人住處姓名，晚輩如能活著出了少林寺，就先去找他。」

長髮怪人搖頭接道：「老衲生平無求於人，豈能在古稀之年破此禁例，此賭非打不可。」

徐元平微微一笑道：「既是如此，當請命題。」

長髮怪人道：「適才由老衲出題，這一次該由小檀越了。」

徐元平略一沉思，探手入懷摸出兩枚銅錢，笑道：「晚輩手中現有兩枚銅錢，我把這兩枚銅錢放入衣袋，暗扣手中，老前輩猜猜晚輩手中扣著幾枚，如果猜中，就算老前輩贏了。」

長髮怪人笑道：「很好，這辦法也很公平，咱們快些開始。」說罷，閉目靜坐。

徐元平本存故意相讓之心，以他那等目力，只要一看自己攢錢的右手形態，定可猜得出來，哪知他竟閉目不看，不禁心頭大急。忽然心中一動，在右手扣錢之時，故意使兩錢輕微觸撞，發出極細小的聲音，心想對方精深內功，定可聞得自己手中是兩枚銅錢，當下從衣袋之中取出在手，在木榻上一放，道：「老前輩請猜。」

長髮怪人眼未睜開，口已叫道：「一枚。」

徐元平心頭一跳，急道：「晚輩輸了，老前輩猜得不錯……」

他在說話之時，已急收右手，想把手中兩枚制錢，放回一枚入袋中。

哪知長髮怪人比他還快，左手一伸已扣住他右手脈門，徐元平只覺右臂一麻，緊握的右手不自主地鬆開，兩枚制錢，一齊滾落地上。

長髮怪人神情一變，歎道：「小檀越存心忠厚，老衲卻弄巧成拙……」他鬆了扣制徐元平右腕的左手，接道：「天意如此，小檀越也不必為此抱憾，快請凝神調息，掃除心中雜念，聽老衲講授《達摩易筋經》上記載的易筋、洗體、無上心法要訣。」說話之間，舉起右掌，輕按在徐元平「天靈穴」上。

但覺一股熱流，由頂門直向全身散去，全身真氣受那熱流一催，立刻回聚丹田，氣聚身凝，忽覺心境空明如洗，百念俱消。

只聽那長髮怪人說道：「五心向天，萬念集一，導引吐納，功諸關節，筋力易換，轉衰為壯……」

忽聞靜院之外，鐘聲大作，佛號震耳，徐元平不自覺心神一分。

長髮怪人緩緩放下按在徐元平「天靈穴」上右手，歎道：「慧、元、百、天四代高手，已群集靜院之外，看來是難免一場搏鬥，小檀越如不能在掌風刀光之下，鎮靜心神，老衲縱有傾囊相授之心，只怕你也難獲半點裨益。」

徐元平急道：「老前輩但請放心，縱然刀劍相加，晚輩亦自能保持鎮靜。」

長髮怪人歎道：「你雖有視死如歸的豪氣，但未必有心分兩用之能，一面拒敵，一面聽我講說那《達摩易筋經》的心法要訣，老衲乃少林門下弟子，不便親自出手和同門搏鬥，勢非借助羅漢掌拒敵不可，你只要略有失錯，或是誤聽了經文要訣，不但老衲心血白費，你也得終生蒙受其害。」

忽然間鐘聲群掃沉寂，院外傳來一個洪亮的聲音道：「少林寺三十二代掌門方丈，率慧、元、百、天四代弟子，親訪『悔心禪院』，弟子奉諭傳命，敬請慧空師祖迎接掌門法駕。」

長髮怪人輕歎一聲道：「老衲這佛門法號，已六十年未聞人呼叫了。」

徐元平啊了聲道：「那慧空法號就是老前輩嗎？」

在他記憶之中，似乎聽人說過慧空二字，只是一時想不起來，但這慧空二字卻在他腦海中，留著很深的印象。

只聽慧空高喧了一聲佛號，道：「請恕老僧身羅先師刑具，無法迎接掌門人的大駕。」

片刻工夫，靜院外洪亮的聲音，重又響起，道：「掌門人已以綠玉佛杖，解除慧空師祖身受三十代掌門祖師加諸刑具，召請師祖迎駕。」

慧空雙掌當胸一合，就木榻盤坐躬身答道：「老僧不敢擅除先師加身刑具，只有就榻恭迎掌門人的大駕了。」

只聽靜室外砰然一聲巨震，深鎖了「悔心禪院」六十年的兩扇木門，已被震得片片破裂。

慧空臉色一變，低聲對徐元平道：「小檀越快些收斂心神，勿爲眼前形勢所動，聽老衲講解《達摩易筋經》內容要訣。」

徐元平轉眼一瞥，只見群僧魚貫地由兩扇碎裂的院門擁入，最先幾人已快近幽室，後面仍不斷有人擁入，聲勢浩大，觸目驚心。

慧空一舉右掌，輕拍在他後背的「命門穴」上，怒道：「還不快收斂心神，當真要老朽白費一場心血嗎？」

徐元平心頭一凜，慌忙閉上雙目，凝神內視，摒絕雜念。

他心神還未完全定下，耳際又響起慧空細微的聲音：閉目定心，固精練氣，運轉奇經，養氣化神，上行十二重樓，凝神還虛，虛化三花聚頂。要知《達摩易筋經》文，句句含意博大，字字深奧費解，慧空一口氣誦完了第一章經文之後，又逐句分解給徐元平聽，一面又指點他實用法門。

徐元平本有很好的內功基礎，人又聰明絕倫，原文雖難瞭解，但經慧空一再解說，已大部都能領悟，有幾處絕難知其所以，但卻把實用秘訣，字字句句默記心中……忽然有兩隻粗壯的手臂疾伸而出，抓住了徐元平左右雙腕的脈門要穴。原來兩人都把精神集中經文之上，一個在用心索求原意解說的方法，一個在神凝意會地默記經文及各種實用法門秘訣，竟不知有人到了身側。睜眼看去，只見兩個身披灰袍的人，分停兩側，一人扣著他一隻手腕。

但聞右面一僧冷笑道：「小檀越膽子不小，竟敢擅闖本寺禁區……」這和尚話還未完，徐元平突覺一雙手猛觸後背，他已連番得慧空內力相助克敵，有了經驗，暗中一提真氣，兩臂突然一收一推，只聽二僧同時一聲悶哼，吃他借助慧空內家反彈之力，把兩個和尚一齊彈退數步，跌在地上。

放眼向門外望去，只見元通大師手捧著綠玉佛杖，肅容而立，左側站著一個古稀開外，白眉垂遮眼瞼的老僧，正是昨宵相遇指點他來這「悔心禪院」的老和尚。右面一個八旬上下，身著灰色僧袍僧人，乃是剛才還來這「悔心禪院」探望慧空的慧果。

元通大師身後，並肩站著四個五旬開外的和尚，披著一色的深紅袈裟，幾人臉上，都隱隱泛現怒意。此外，尚有三排行列十分整齊的和尚，分站在元通大師四周，這正是少林寺元、百、天三代弟子中的高手。

只見元通大師冷漠一笑，道：「少林寺三十二代掌門人元通，拜見師伯。」說完話，合掌躬身一禮。

慧空聞言合掌一笑，道：「罷了，老僧擔當不起。」

元通身側的慧因、慧果，同時向前一上步，拜伏地上，道：「慧因、慧果叩見師兄。」

慧空一擺手笑道：「先師親手把我幽禁這『悔心禪院』之時，你們都是親目所見，是也不是？」

慧因、慧果齊聲答道：「當時先師正在盛怒之下，弟等未敢饒舌求情，致使師兄受了六十年……」

慧空微微一笑，截住了兩人的話道：「師倫大道，豈敢背叛，先師縱然對小兄處罰過重一些，但小兄並無怨恨先師之心。」

慧因歎道：「二師兄接掌門之後，我和慧果、慧生兩位師弟，也曾懇求二師兄請傳綠玉佛令，解除大師兄身羅先師刑具，但因二師兄顧著先師明訓，不敢請傳綠玉佛令，傷損先師尊嚴……」

慧空忽然放聲一陣哈哈大笑道：「先師對小兄愛之甚切，故亦責之甚深，二師弟不請傳佛令，以解先師加諸小兄身上刑具，正是他尊敬先師之處，自是難以怪他……小兄在這幽室之中，度過了六十年的歲月，早已忘記人間的一切恩怨事物，今生今世，不願再出此室一步……」突然雙目圓睜，兩道冷電般的眼神直逼元通臉上，接道：「令師在傳你接掌門戶之時，可有什麼遺言告訴你嗎？」

元通臉色微微一變，道：「先師圓寂之前，只傳了弟子綠玉佛杖。」

慧空冷笑一聲，道：「你師祖在傳你師父接掌門戶之時，你是否在場？」元通道：「弟子得蒙師祖恩典，特允留侍在場。」

慧空道：「你既然守在身側，定然聞得了你師祖遺言？」

元通微微一沉思，斬釘截鐵般地答道：「師祖道行深遠，在圓寂之際，除了手傳先師綠玉佛杖之外，並無一句遺言。」

慧空淒然一笑，道：「你這話可是當真？」

元通道：「弟子怎敢欺騙長輩。」

慧空忽然長笑一聲，長垂鬚髮，哆嗦抖顫，良久之後，才黯然一歎，自言自語道：「這麼說來，當真是先師把我忘了不成？」

慧因目睹慧空激動之情，心中大感詫異，接口問道：「師兄有什麼難言隱衷，或未完心願，望能借此時機告訴我們，小弟自當一盡全力，成全師兄。」言下之意，無異告訴慧空，時光無多。他在指示徐元平來這「悔心禪院」之時，只望借他之手除去師兄身加刑具，相攜逃走，哪知事情變化大大出乎他意料之外，慧空既未逃走，掌門方丈又親自請了綠玉佛杖，查究拿人，竟至演變成這等騎虎難下的悲慘局面。慧因輩份雖高，但也不敢抗違綠玉佛令，那不但大背歷代祖師訓戒門規，且將爲少林派中千古罪人，要受盡後輩弟子唾棄責罵……

只聽慧空冷笑一聲，道：「先師加刑於我之時，曾把這『悔心禪院』劃列爲咱們少林寺中禁地，凡是本寺中弟子門人均不得擅自涉入一步。元通師侄雖是掌門之尊，但也不能違犯師祖禁令，諭令震碎深鎖了『悔心禪院』六十年的院門……」，他突然變得聲色俱厲地喝道：「那院門之上，貼有本寺第三十代掌門方丈的親筆佛諭，凡是本門中弟子，膽敢出手震碎院門的，已犯了欺師滅祖的戒律。」

慧空言來如洪鐘震耳，雙目神光炯炯迫人，衝入群僧，一個個臉上變色。

元通微微一怔之後，突然怒道：「弟子既承歷代師祖恩澤，接掌少林派三十二代門戶，自然不能閉目不問本派重大之事。師伯倚仗輩份尊崇，藐視弟子職權，抗拒綠玉佛令，維護外人，打傷弟子隨身護法，開創本派前所未有的犯例，迫得弟子召集寺主長老，以及各院主持，集議『達摩院』，研究本派各項戒規，經各位長老及各院主持研究結論，師伯以戴罪之身，又

連犯派中四款規律，單是抗拒綠玉佛令一項，已是律應自絕歷代先師靈位之前，現下當著本派慧、元、百、天四輩弟子，仍敢大言嚇阻，抗拒掌門之命，無事生非，妄圖以諉過歷代尊長，其情可悲，其心可議。」

慧空大喝一聲：「住口！」聲如驟發焦雷，只震得屋搖瓦落。

慧因一皺長垂眼瞼的白眉，歎息一聲，接道：「老衲以寺中長老身分，請求掌門人暫息雷霆之怒，慧空乃現下本寺輩份最尊長老，先師雖把他囚禁這『悔心禪院』，但並無逐出門牆，他仍然身屬本派中人，我派素重尊長，望能聽完他衷訴之言，其間或有隱情，也未可知。」

元通心中雖然不悅，但因慧因輩份崇高，武功卓絕，爲少林寺當代第一高手，不敢不禮讓幾分，當下按住心頭怒火，微微一笑，道：「師叔之命，弟子焉敢不遵，師叔如覺慧空師伯之所作所爲，還有商量餘地，但請提出，弟子當恭聆教言。」

言詞雖然婉轉，但含意卻極尖銳，只聽得慧因雙頰發熱，滿臉泛紅。要知他素乃受弟子輩尊崇敬仰之人，數十年從未有人敢對他說過一句譏諷之言。現下當著這多晚輩之面，受元通一頓譏諷，心中大感難過。

但他究竟是修養甚深之人，淡淡一笑，合掌對慧空說道：「小弟已求得掌門方丈慈悲，師兄有什麼話，請快說出。」

慧空黯然一歎道：「此事已深藏小兄內心數十寒暑，迄今仍然難解疑竇，難道先師在道成圓寂之時，真的改變了心意不成……」

他仰臉忖思了一陣，接道：「其中或許另有隱情，但事關咱們少林派在江湖清譽威望，不

說也罷……」

慧因聽得微微一怔，難道師父指傳二師兄接掌門戶一事，真還有什麼內幕不成，道：「師兄忍受了六十年囚居之苦，不肯背違本派戒律，逃離『悔心禪院』。此刻更不宜抗拒綠玉佛令，使清譽毀於一旦。」

慧空被他一番話，勾起了深藏在心中數十年的創痛，當下長歎一聲，道：「兩位師弟既然這等苦苦追問，我如堅持不說，勢將召致本派中後輩弟子懷疑之心。」

他又黯然歎息一聲接道：「先師在囚禁小兄之時，曾經面告小兄，要我借在『悔心禪院』二十年的面壁歲月，一面悔悟舊錯，一面參悟《達摩易筋經》文……」話至此處，倏然住口。那長垂面門的白髮之中，突然暴射出兩道動人魂魄的神光，聲音也轉趨嚴厲，接道：「慧因，慧果，你們往前走上幾步。」慧因、慧果，相對望了一眼，依言向前走了幾步。

慧空淒涼一笑，聲音變得冷漠地說道：「師父圓寂之時，你們都到哪裡去了？」

慧因道：「小弟當時已奉師命，遠行南海彌陀山，不在寺中。」

慧果道：「阿彌陀佛，小弟其時正行腳關外，未能隨侍身側。」

慧空猶豫了半晌工夫，才顫抖地說道：「我懷疑師父的……」說到「的」時，倏然住口，但見那長垂的雪髮皓髯，不停抖顫，顯然，他在用力克制著劇烈的激動。

元通的臉已由紅潤變成了鐵青之色，但他仍能控制著暴起的怒火，回頭望著環繞的群僧，嚴肅地說道：「自我達摩祖師手創我少林派，迄今已歷三十二代，貧僧無能無德，實不足領導群倫，接掌我派三十二代門戶，只因先師慈命難違，不得不勉力應命，得承諸位師叔、師弟大力匡扶，十餘年來尙未有重大事故發生……哪知禍生蕭牆，變起肘腋，我派當今輩份最尊，武功最強的慧空大師，不但連番抗拒本座之命，而且不惜犯觸先祖手訂禁規，袒護外人，打傷本座護法弟子，藐視綠玉佛令，現下竟又敢妄圖諉過逝去尊長，以言惑亂眾心，本座身爲掌門，自難坐視……」

只聽群僧哄然說道：「慧空既然連番觸犯本派戒規，律法難容，掌門人應即傳令諭，依其所犯戒規懲處，以清門戶。」

元通點頭一笑，道：「達摩院元泰大師請率貴院上座四大弟子，擒拿叛徒慧空覆命。」

只見站在元通大師身後最左一僧人，合掌答道：「達摩院主持元泰，敬領掌門法諭。」

僧袍揮動，微風颯然，輕飄飄地落在幽室門口，躬身對幽室中慧空一禮，道：「弟子奉了掌門法諭，擒拿師伯，請恕弟子放肆了。」

說完，左掌一揮，立時有四個三旬上下的偉健僧人，從群僧隊中躍出。

但聞慧空放聲一陣大笑，道：「這座幽室已經先師劃爲禁地，本派弟子均應一體遵守，哪個敢擅入一步，立即將受嚴懲。」

元泰沉聲喝道：「師伯連番抗違掌門令諭，已是觸犯本派戒規之人，抗違師伯之命，已算不得冒犯尊長。」說話之間，已然潛運真力，雙拳護身，直向慧空撲去。

慧空右手抵在徐元平背心之上，低聲說道：「快些收斂心神拒敵，一面聽我用傳音入密法，講解《達摩易筋經》文，時間無多，成敗全要看你的才智了。」

話剛說完，徐元平已覺一股真氣，由丹田直衝上來，左掌一揮，疾向元泰擊去，他掌勢出手，耳際已響起了細微但極清晰的聲音，道：「易施洗髓篇，大盈若虧，大成若缺……」

元泰雙腳還未落著實地，忽感一般強猛絕倫的潛勢，直逼過來，他乃元字輩中三大高手之一，內功基礎深厚，身兼一十二種少林絕技，當下吐氣出聲，護胸雙掌，猛然平推而出，硬向撞擊而來的潛力迎去。雙方劈出內力一觸，立時捲起了一陣旋風，地上積存塵土，吃那狂飆捲起，滿室飛塵，瀰目難睜。

徐元平怕元泰借那瀰目飛塵，欺近身側，右掌緊隨劈出，掌力過處，飛塵滾滾，直向元泰停身之處撞擊過去。元泰功力雖然深厚，但他如何能擋得住慧空借用徐元平雙掌所發出的劈空掌力，第一掌雖被他勉強接住，但已被震得血翻氣湧，如何還有餘力接擋這第二次襲來掌風。

但覺一股凌厲絕倫的潛力，挾著呼嘯之聲，排山倒海一般擊過來，不禁心頭大駭，正待閃身退避，忽感身後又是一股強力撞到，只得疾向旁側一讓。

耳際間只聽到一聲：「阿彌陀佛。」兩股極強的劈空勁力，已然觸接一起，狂飆暴起，屋動瓦搖，磚落瓦滾聲中，五個伸臂相連的灰袍和尚，一齊衝入幽室。原來元通大師心知元泰難以擋得慧空雄渾無比的劈空掌力，是以在元泰縱身衝入幽室之後，立時又下令監修院中五位監行長老，一齊入室相援。

五僧剛剛衝入塵土瀰目的幽室，正趕上徐元平右掌擊出，當頭的元金大師，立時高喧一聲佛號，揮掌迎去。他那一聲阿彌陀佛，正是招呼四僧的訊號，四人同時運氣，雙手緊抵前面一人背心之上，以本身內力相助，元金大師劈出的掌風，陡然間猛增四倍。徐元平雖是借助慧空內力克敵，但在對方五僧合力的迎擊之下，本身亦受到強烈的感應，只覺內腑一震，全身氣血

翻動，雙目花亂，耳際長鳴，這五僧合力的反擊，威勢絕猛無倫。

忽聽身後的慧空冷哼一聲，口中仍然吟著經文，右掌陡然加力，徐元平微覺身子向前一傾，被對方一擊震散的真氣，倏忽間匯聚丹田，翻動的氣血，立時平復下來。定神看去，群僧已然逼到三尺以內，不禁一驚，雙掌一齊劈出。元泰和監修院中五老，正想縱身而上，忽見徐元平雙掌一齊推出，合力揮掌一接。

徐元平只覺慧空觸在自己後背上的熱流，綿綿不絕地注入丹田，真力大增，不覺吐氣出聲，劈出的雙掌加速向前一送。

他只是本能地加快了掌勢，不知這加速一送的威力，奇大絕倫，只聽六僧同時悶哼了一聲，吃那強大劈空勁氣震得飛起身軀，向外摔去。

這時但聞幾聲隆隆大震，元泰和元金大師兩人的身軀，撞在那幽室磚壁之上，半邊磚牆吃那強大的撞擊之力震得倒塌下來。

徐元平似是想不到這雙掌加速一送，竟有這般的威勢，不禁微微一怔。

只聽身後慧空低聲喝道：「快些澄靜心神，聽我誦解《達摩易筋經》文，伐毛篇……」

元泰和監修院五個長老，大部都爬起退回到群僧列隊之處，只有元金似是受傷較重，吃對方掌力震得撞塌了牆壁之後，一直就未爬起來。元通並未下命派人去搶救元金大師；他只是呆呆地站著，臉上神色變化不定，顯然，他正在思慮一件重大的決定。

忽見元通揮動一下手中的綠玉佛杖，群僧立時一個個合掌垂首，靜待令下。只聽元通說道：「慧因、慧果兩位師叔請接綠玉佛令，聯手出擊，全力搏擒叛徒，元、百、天三代弟子，

各就羅漢陣位，並立時停止供應叛徒需水及食用之物。」
慧因一皺長垂眼瞼的白眉，低聲說道：「掌門暫請息怒，老衲還有下情上陳……」
元通冷笑一聲，接道：「師叔可是要抗拒綠玉佛令嗎？」
慧因急道：「老衲不敢。」
元通聲色俱厲，怒容滿臉，道：「慧空既傷本座護法，又抗拒綠玉佛令藐視派規，罪無可恕，兩位師叔素知我派門規，綠玉佛杖乃歷代師祖傳下信物，慧空連番拒抗，已不能再算是我們少林門下弟子，兩位師叔快請出手，格殺勿論。」
慧因、慧果黯然一笑，道：「老衲等敬領綠玉佛令。」說完，縱身一躍，雙雙撲入那塵土尚未落盡的幽室之中。
慧果一探臂，抱起倒臥在壁角的元金大師，躍出幽室放好，重又躍回。只見元金大師滿臉都是積塵，口中也被塵土塡滿，人還在昏迷之中，雖未氣絕，但看上去傷得十分慘重。要知少林派門規森嚴，元通未下令搶救元金大師，群僧均不敢擅自出手。
這當兒，那幽室中瀰漫的積塵，已逐漸消溶，依稀可見慧空盤膝靜坐在木榻上，徐元平傍榻而立，兩個人都聚精會神的，慧空還不停口齒啓動，但卻聽不到他說話之聲。
慧因、慧果一齊合掌躬身，高聲說道：「掌門方丈已傳下綠玉佛令，命小弟等擒拿師兄。」
慧空睜眼望了兩人一眼，低聲對徐元平道：「快些盤膝坐下，我以本身功力助你盡早學得《達摩易筋經》上記載武學。」

徐元平依言坐好，慧空突然一掌，擊在他頭上「前頂」要穴，徐元平忽覺全身一顫，立時知覺頓失。

慧果見慧空相應不理，立時接上一句道：「綠玉佛令乃歷代掌門師祖相傳信物，小弟等不敢抗拒，要請師兄原諒了。」

慧空冷笑一聲道：「兩位師弟請轉告掌門方丈，寬放老衲三日限期，屆時老衲當自絕以謝抗拒綠玉佛令之罪，現下如若苦苦相迫，哼，可莫怪老衲失手傷人……」

慧因、慧果聽他十分堅決，回頭望著室外的元通，還未來得及開口說話，元通已搶先說道：「叛徒已然連傷數人，豈能再依他寬放時限，如被他逃了出寺，那可是我們少林寺奇恥大辱，凡是現下站在此地之人都將愧對歷代祖師陰靈……」說完，一揚手中綠玉佛杖，高聲接道：「本座再傳綠玉佛令，恭請慧因、慧果兩位師叔立刻出手，早擒叛徒。」

慧空突然圓睜雙目，哈哈大笑道：「老衲縱有觸犯綠玉佛令之處，但掌門人擅自傳諭擊毀吊鎖的『悔心禪院』雙門，亦有蔑視先師之處，但憑此點，老衲就可以據理拚命……」他突然把目光投射在慧因、慧果身上，冷冷地接道：「兩位師弟請自己估量估量，縱然聯手而上，只怕也未必是小兄的敵手……」

慧因、慧果的武功，大都是由慧空代師傳授，在兩人心目之中對這位大師兄敬若師尊，現下要他們師兄翻臉動手，實在大感爲難，但又不能抗拒掌門方丈的綠玉佛令，一時之間呆在當地。

只聽元通大師厲聲喝道：「本座三傳綠玉佛令，敬請慧因、慧果兩位師叔早些縛擒叛徒，以保我派清譽！」

慧因白眉一揚，道：「大師兄，請恕小弟放肆了！」呼的一掌，直劈過去。慧空冷漠一笑，按在徐元平頭頂的右掌不動，左手五指輕輕地一彈，幾縷指風，應手而出，迎著慧因劈來的掌風撞去。

慧因劈出掌風，和慧空彈出的指風相觸，立時覺出不對，只感慧空指風，裂破他劈出的掌風，直向身上襲到，不禁吃了一驚，一面潛運其力，加強掌風威勢，一面飄身向後跌退。

慧果目睹慧因已然出手，心中一動，忖道：大師兄被囚這「悔心禪院」，已有六十年的時間，如以他武功而論，本可早逃出寺，但他卻甘願忍受這悠長的面壁之苦，不肯違先師遺命，今番抗拒綠玉佛令，起因全爲這少年後生，如把這少年後生除去，或可止他心中妄念，以成全他的名節，免得落下背叛門規的逆徒之名。

心念一轉，潛運八成真力，施展「百步神拳」絕技，遙向徐元平前胸「玄機」要穴打去。

他本是極有道行的高僧，只因一心要維護師兄名節，不惜妄動殺機。慧空已悟得《達摩易筋經》中全部武功，耳目是何等的靈敏，一見慧果揚手打出「百步神拳」，不禁臉色大變，冷哼一聲，左掌疾如閃電而出，擋住徐元平前胸，硬是把一股裂碑碎石的拳風接住，振腕向外一推，慧果輕哼一聲，飄身退出幽室，他卻迅快地收回左手，右掌連續在徐元平前頂要穴，輕擊三下。

三掌過後，徐元平突然睜開了雙眼，由暈轉醒，但覺一股滾滾熱流，由前頂要穴泉湧而下，分向軀體四股流布，行轉於經脈之間，舒暢無比。那熱流愈轉愈強，片刻之後，忽覺全身

一顫，出了一身大汗，人又失去知覺。

這時，慧因劈出來的掌力，早已被慧空施展「彈指神功」破擊，心知如再不知難而退，只怕要當場受傷，立時一飄身，緊隨慧果，退出幽室。

元通看兩人甫和慧空交接一招，立時便退出幽室，認為兩人顧念私誼，不願和慧空交手，心中大感憤慨，正待出言質詢，忽見慧果張嘴吐出了一口鮮血，不禁面色一變，急把欲待出口之言，重又嚥回腹中。

慧因一皺眉頭，急忙問道：「師弟受傷很重嗎？」

慧果輕輕歎息一聲，說道：「我被他內家反彈之力，傷了內腑……」

只聽幽室中飄傳來慧空冷漠的聲音道：「快些閉口，散去壓制傷勢發作的功力，閉目調息，如若不聽我忠告之言，十二個時辰之內，傷勢惡化，吐血而死，需知我反震之力和你打出的『百步神拳』力道，恰成正比，這是你自討之苦，怪不得我手辣心狠。」

慧因低聲道：「師弟不可逞強，快些依言施為，免得傷勢惡化……」他微微一頓，合掌對元通道：「老衲非不盡心，實因雙方武功相差懸殊，如非老衲知難而退，只怕也要傷在他『彈指神功』之下！」

元通微微一怔，道：「什麼？『彈指神功』……」

慧因微一點頭，答道：「不錯，這是我們少林寺七十二種絕技中，最難修習的三種絕技之一，據老衲所知，本派中近三百年來，尚沒有人練成這門功夫，慧空師兄……」他本想頌讚慧空幾句，但話將出口之時，忽然覺著不對，倏然而住。

元通冷笑道：「叛徒既然背棄我歷代師祖誡戒，甘願自毀六十年囚居名節，本座如不做斷然措施，何以對先師付託之重，慧果師叔暫請退出『悔心禪院』，養息傷勢，本座定當設法擒伏叛徒，以清門戶。」

慧因道：「他已悟得《達摩易筋經》文，武功高不可測，以老衲之見，不如寬放他三日限期……」

元通一揮綠玉佛杖，截住了慧因的話，道：「師叔但請放心，我不信他真能擋得全寺高手聯攻。」

但聞幽室之中又傳來一聲冷笑，道：「老衲已許諾三日後自絕謝罪，掌門如若恃強迫攻，那只不過徒造一場浩劫。」

元通微一沉思，答道：「看在先師份上，我答應寬放你三日時間，但三日後如不守諾自絕謝罪，我當火焚『悔心禪院』。」元通說完，揮動綠玉佛杖，眾僧立時各守方位，排成羅漢陣，把幽室重重包圍。

慧空抬頭望著幽室外排成的羅漢陣，輕輕歎息一聲，觸放在徐元平前頂要穴的右手，突然收回。

這時只聽得徐元平長長吁一口氣，睜開了眼睛。

慧空伸手指著院中排成陣圖的群僧，低聲說道：「幽室外的是我少林派名震武林的羅漢陣，當今高手能夠闖得這座羅漢陣的，只怕難以選得出三、五個人，可是三日之後，你就必須單槍匹馬，闖過此陣。」

徐元平在未入少林寺前，本聽人談過這羅漢陣的厲害，入寺之後，又連番遇上寺中高手，那一股初入少林寺的豪氣，早已消失殆盡，是以聽說三日後要他單人闖出這羅漢陣，不禁吃了一驚，急道：「羅漢陣乃名滿天下的奇陣，以晚輩這點功力，如何能闖得出去。」

這時，元通大師和慧因等都已退出了「悔心禪院」，靜院中只餘一座殺氣騰騰的羅漢陣，一百零八個少林寺僧侶高手，各守方位，一派莊嚴肅穆，但卻聽不到一點聲息。

只見慧空的臉色忽怒忽喜，變化不定，似是沉浸在往事的回憶之中，又似在思考著一件重大難決的問題。忽見他雙目一閉，合掌當胸，自言自語地祈禱了一陣，他說話微弱得連坐在他身側的徐元平也聽不出說的是什麼，只見他口齒啓動了一陣，突然睜開雙目，眼神湛湛，望著徐元平道：「形勢如此，老衲也顧不得許多了。」

他這幾句突來之言，只聽得徐元平怔了一怔，道：「老前輩，請恕晚輩愚劣，不能解得老前輩話中含意……」

慧空突然微微一笑，道：「我原本存有藏私之心，不願把少林派最精奧的兩種絕學相授，但眼下情勢不同，我如不把這兩種速成奇學傳授於你，只怕你難以闖得過羅漢陣去。」

徐元平道：「老師父如肯成全晚輩洗雪血海沉冤之願，不僅晚輩終生感戴大恩，就是……」

慧空臉色一沉，十分嚴肅地接道：「我是打賭輸給你的武功，哪個是你師父？再要這般稱呼，莫怪我立時把你逐出幽室。」

徐元平先是一怔，繼而垂首答道：「晚輩記下了。」

慧空輕輕歎息一聲，臉色變得十分緩和，眉宇間流露出無限慈愛，左手從背後摸出一把短劍，輕按把柄彈簧，只聽嗆的一聲輕響，登時滿室寒光奪目，森森劍氣，逼得徐元平打了一個寒戰。老和尚右手握劍、左手輕彈劍脊笑道：「我們賭了兩次，第一次我賭輸全身武功，第二次我又賭輸了一件武林至寶，這柄短劍已陪我度過了六十年寂寞歲月，幸得這次賭輸於你，要不然，這一柄武林人物視若性命的奇寶，要陪我永埋這『悔心禪院』了。」

說完，雙手捧劍交徐元平面前。徐元平不敢推辭，跪拜榻前，接過短劍。

只見慧空臉上，閃掠過一抹淒涼的笑意，感慨地歎息一聲，道：「孩子，這把短劍雖是天下武林人物心目中的至寶，但對老衲，卻是一件極爲不祥之物……」話至此處，忽然住口，仰臉望著破損的屋頂，臉上神情變化不定，他似想把一件積在心裡的往事說出，少頃，激動的臉色逐漸歸於平復後，又道：「除了用這把短劍，洗雪你血海沉冤之外，最好是珍藏起不要用它，因爲這把短劍關連一件震駭江湖的兇殺慘案，也許追查這柄短劍的幾個高人，都還健在人世，一經炫露，只怕要牽引出一場風波……」

他緩緩地把放置身側的古銅劍鞘，取在手中接道：「短劍雖是削金斷玉的寶刃，但這古銅劍鞘，卻比劍珍貴萬倍。」

徐元平茫然地望了那古銅劍鞘一眼，並無發覺有何特異之處，心中雖然不信，但口中卻是不敢辯駁。

慧空似是看出徐元平懷疑，微微一笑道：「我已對人許過諾言，永不洩露這劍鞘上的隱秘，以後，你能否揭穿這震撼武林人心的隱秘，那要看你的造化了。」說完，顫抖著雙手，把劍鞘交遞到徐元平的手中。

徐元平剛把短劍歸入劍鞘，細微清晰的聲音，已在耳際響起，他悚然驚覺，慧空又開始誦解《達摩易筋經》文，徐元平趕忙聚精會神地用心聽講。

教的人用心良苦，精細無比，每一招每一式都講得十分清楚；聽的人心神專注，準備學成絕技，用以洗雪身負血海沉冤。兩人都全部精神集中，不知不覺間天色入夜。一夜兩天的時間，匆匆過去，慧空滴水未飲，滔滔不絕地說了三日時間。

第三日早晨，才把《達摩易筋經》全部講完。

慧空抬頭望望窗外，已是日昇三竿，拂髯一笑道：「這三日夜的工夫，我已把本身所知的較為精奧之學，都已傾囊相授，只要你記下各種要訣動作修習，不難達爐火純青之境，真經最末一段記載就是破解羅漢陣的辦法，需知當今之世，能破羅漢陣法的，只有你一個人，老衲為此，不無愧對師門之感……」

慧空深長地歎息一聲，接道：「現下相距三日限期，還有一個時辰左右，老衲要在這一個時辰之內，授給你三十年修為功力，助你闖出羅漢陣去。」

徐元平茫然應道：「什麼？」

慧空淒涼一笑道：「佛法無邊，小施主在一個時辰之後，就知老衲所言非虛了。」

慧空說完，大喝一聲，只震得瓦滾塵飛，徐元平這時只覺得如五雷轟頂，全身一顫，人便暈了過去。

當他清醒之時，只見元通懷抱綠玉佛杖，在四個小沙彌護擁之下而來。

徐元平急忙轉身喊道：「老前輩，貴寺……」

這時，只視慧空盤膝閉目而坐，動也未動。

一個可怕念頭，閃電掠過腦際，他驚震得全身一抖，緩緩伸手摸去，立時淚水泉湧而出，不知何時，慧空已經氣絕。

過度的驚慟，反使徐元平哭不出聲，只是呆呆地望著慧空的屍體流淚。

三天的時間，在整個人生中只不過是短暫的一瞬，可是徐元平卻受到了慧空無比的恩寵。

徐元平悔恨自己爲什麼要自作聰明，故意弄響袋中的制錢，贏得了第二次賭賽，雖然他弄響制錢是存著相讓之心，但是由於他的機詐使慧空輸了第二場賭賽，這場賭賽使他贏得一柄斷金削玉的寶刃，但卻使賜予他無比恩寵的倔強老人，把深藏心中數十年的隱秘，帶埋泉下……

三日來的經過，一幕幕地在他腦際中重現，使他忘去了幽室外環伺的強敵。

忽然間，響起了一聲洪亮的佛號，把他由極度悲痛中驚醒過來。回頭望去，只見元通抱著綠玉佛杖，臉色異常莊肅地當門而立，左門站著白眉垂遮眼瞼的慧因，右邊站著慧果，四個小沙彌一字排列身後，每人手中捧著一柄寒光耀目的戒刀。

一股莫名的悲憤，點燃起他心中的怒火，伸手拉起置放身邊的短刃，藏入懷中，大踏步直向門前走去。他並不知道自己已得慧空數十年修爲的武功真傳，只憑一股衝動的憤慨，使他忘去了生死危險。

元通並沒有把徐元平放在眼內，兩道精光湛湛的眼神，只是盯著盤膝而坐的慧空，對於徐

元平洶洶來勢，望也不望一下。

元通見慧空眼皮睜也不睜動一下，似乎早已將三日的限約忘去，不禁抬頭望望天色，道：「三日約限已到，師伯可有什麼遺言告誡弟子嗎？」

他一連問了數聲，慧空動也未動，不禁大怒，側頭望了慧因一眼，厲聲喝道：「師伯許諾三日內自絕謝罪，現在時間已到，為何這般裝聾作啞……」

話還未完，驀聞幽室門口響起一聲冷笑，道：「武林之中最重師道，你以下犯上，逼死尊長，還敢這般疾顏厲色……」餘音未絕，呼的一股強猛掌風，直向元通擊去。

元通目光何等銳利，早已看到徐元平到了幽室門口，只因未把他放在心上，是以全無戒備，待他驚覺到對方擊來掌勢力道極大時，已然招架不及。

他乃一代掌門之尊，在眾目睽睽之下，不好縱身躍避，只得氣聚左肩，微一側身，用肩頭接這一擊。

要知徐元平已經慧空用佛門開頂之法，把數十年坐禪苦修的功力，盡皆授受，這一掌威勢奇大，只打得元通身軀飛起，摔出去六、七尺遠。徐元平一掌擊中元通，乘勢大喝一聲，飛身躍出幽室，直向羅漢陣中衝去。

元通雖被徐元平一掌震得摔倒在地上，但他畢竟是功力異常深厚之人，一提丹田真氣，立時把翻動的氣血壓住，挺身站起來，但聞身側衣袂飄風之聲，九個僧人閃電般由他倆身側躍過，接著由身後響起一個低沉的聲音道：「掌門人快請移駕，羅漢陣就要發動了！」

他雖是少林派中掌門，但在聞得身後低喝之後，亦不敢多在陣中逗留，因那羅漢陣乃少林寺中對付強敵的屏障，數百年來，從未聞過有人闖出羅漢陣的傳說，陣勢如一發動，變化精奇無比。只得快步向外退去。

徐元平飛躍出室，守陣群僧已紛紛躍起攔截，拳掌如雨，分由三面攻到。慧因低聲對四個小沙彌喝道：「快些隨護掌門人退出羅漢陣去，再晚一步，就難以出陣了。」說罷，一把拉住慧果，直向幽室中躍去。

徐元平呼呼急劈兩掌，把群僧圍攻來勢擋住，正等回身攔阻慧因、慧果，哪知第二撥僧人攻勢又到，只聽一聲佛號，聯袂攻來群僧一齊出手，一股極強大的掌風，狂飆般捲舞而到。他已得慧空用佛門開頂之法，盡授本身功力，掌勢雄渾絕倫，群僧雖是九個人一齊出手，但卻被他雙掌擋住。

一招硬打，徐元平只不過身軀微微一晃，但九個和尚卻被凌空震落實地。但聞風聲颯颯然，第三撥群僧又到，這次攻勢又自不同，八僧分由左右兩邊襲來，拳影掌風，挾連襲到。

徐元平微微一皺眉頭大喝一聲，左右雙掌分向兩側襲來敵勢劈去。剛把第三撥襲來的敵勢擊退，第四撥敵人又到，攻勢綿綿不絕，而且每一撥攻勢各異。

他一鼓作氣連退十二撥群襲後，不禁心中發急，忖道：「他們這群攻之勢連綿不絕，已無休止，不知要打到什麼時候才能停手，我一人之力，和他們這車輪般群襲硬拚，縱然不被打死，時間一久，也要活活累死，不如奮起全力，以迅雷不及掩耳之勢，闖出陣去。」

心念一轉，正待運足全力，猛批一掌，來個先聲奪人，然後乘勢衝出。哪知心念剛動，忽聞兩聲長嘯過後，群僧忽然停住車輪群襲，各個退回原位。

原來，元通和四個小沙彌已退到羅漢陣外，慧因、慧果，也隱入幽室，羅漢陣勢，已然變動。這羅漢陣共由一百零八個和尚組成，此時分做十二撥，每撥九人，這些和尚們全都面容嚴肅，單掌當胸。他們一排排縱橫而立，整齊之中，又覺得十分從容。

徐元平突然生出一種異樣之感，心想：「這羅漢陣果然名不虛傳，怪不得慧空老前輩傳授我《達摩易筋經》之後，其時已是最後的一刹那，尚自語重心長地提醒我那真經最後一頁，乃是專破此陣無上心法。如今看來，此陣暗蘊一種極為強勁之力，犯者必死！我想天下任何高人，站在此陣之前，心理上先得輸了一陣……」

這時候眾僧鴉雀無聲，似是有所待而不立刻出手攻他。徐元平在這刹那間又尋思道：「慧空老前輩雖是將破陣的無上心法傳授與我，但此刻我怎的老是想不起該如何下手去破？莫非我天資魯鈍，未能領悟，抑是此陣在數十年中，又另有精微變化，今非昔日可比？」

他困惑地沉思不解，猛然一聲禪唱，響徹雲霄。這一聲禪唱之後，緊跟著院中眾僧同聲高誦一聲佛號，滿院勁風排空激盪，僧衣亂飄。

徐元平但覺眼前一花，跟著全身都感受到無數股無可形容的潛力壓迫，宛如驀的投身在極大極急的漩渦中，身不由己地要旋轉著沉浸下去。他是局中之人，感受如此，如是局外觀戰的人，則一點也瞧不出異狀，僅僅瞧見那些和尚齊齊揮動寬大衣袖。

他早已運功護體，這時被四面八方的潛力迫上身，卻自然而然地生出抗拒之力，把襲來的潛力完全卸掉。那一百零八個和尚又齊齊誦一聲佛號，響徹雲霄，徐元平心中一凜，這番陣法真個是要發動了……

靈機一動，驀的跨前兩步，舉掌作勢，像要攻擊迎面一丈處那一撥的和尚。他的動作快得異乎尋常，人家剛剛瞧清楚他跨前兩步，他卻已退回原位，果然身後一股潛力，激湧面至。

徐元平一旋身，雙掌平推，眼光到處，不覺微驚，原來後面並無和尚迫前，只有一撥九個和尚，並肩而立，各揮右掌向前推出，相距尚有丈半，力量已及。

徐元平原來是想到後面的和尚們攻來，於是他冷不防地盡運全身功力，把這一撥擊退，並且打算把他們擊亂。這一來他便可以搶得主動之勢，繼續逐個擊破。

說時遲，那時快，他雙掌推出之力，已與對方那一撥和尚的力量撞上，徐元平清嘯一聲，猛地抽出一掌，往右側擊去，跟著左肘一沉，往身後猛撞。他掌擊肘攔，全是虛勢，然而這時候他的功力不比等閒，隨著鐵掌手肘的動作數股潛力激撞而去。

圍立在他四周的和尚剛好都揮掌揚袖，九個人的力道竟合成一般，齊齊攻到，和他的內家真力一觸，全部抵消。人影連閃，這數撥和尚都換了後面的人，又齊齊揮掌揚袖。

徐元平電光石火般忖道：「不好，我老是站在此地鬥內力，縱然有蓋世之勇，也將落個筋疲力盡而束手被擒的下場，倒不如衝過去，即使羅漢陣奧妙無窮，但我寧願五步濺血，死也要轟轟烈烈……」當下掌拍肘撞，又發出數股力量，抵消了對方襲來之力，便往空中一竄。

這一縱足足跳起三丈之高，急向四方掃瞥一眼，只見幽室門邊站著兩個和尚，那元通方丈也倚在門邊觀戰。心中爲之一定，周圍和尚雖多，但高手如慧因、慧果等都不在其內。

然而眼光一掃到地面，便知此陣確實厲害，原來那十二撥和尚這時都又快又疾地往後移動，只見衣袂飄舉，人影晃動，卻不聞半點腳步聲。徐元平首先感覺到的是沒有一點空隙，可

容他落足。他此刻的功力當然可以再提真氣，重新升起或往前後移動，但他已計算出無論落向何處，都不容他插足。

說時遲，那時快，他的身形已飄飄下墜，地下的和尚根本沒有一個抬頭看他。

徐元平心中一動，腰上一用力，變成頭下腳上之式，一掌擊向一個和尚的頭頂。這一掌要是擊中，那和尚的腦袋非完全碎裂不可，誰知人家理也不理，照舊走動。他的掌力到處，突然被旁邊一種吸力吸去，擊在地下。

他又沒有旁的辦法硬生生地橫劈一掌，人隨掌去，地下眾僧依然袍袖飄飄地疾走，若無其事。他只覺一股吸力，拉著他的身形不由自主，直向人叢中跌。這一剎那間，他已感到全身力氣用不起來，心知這正是羅漢陣的大妙用，急忙換口真氣，上身一挺，身形便翻起來。

這時他身形離地不過七尺，下面光頭亂閃，又讓開一丈方圓的空地。徐元平驀然縮起雙腿，變成在空中盤膝而坐的姿勢。眨眼間，徐元平又真個坐在地上。

羅漢陣中升起宏大的佛號，元通方丈呼了一口氣，道：「總算把這廝擒住了……」

一言未畢，只見陣法仍然催動，跟著只聽徐元平大喝一聲，幾個和尚飛起半空。元通方丈心中微微一動，少林寺的威名，眼看冰消瓦解。原來徐元平在盤坐落地之後，立時運行真氣，雙掌連環劈擊出手，強猛的劈空潛力，震飛起環攻他的四個和尚。羅漢陣立時被掌風衝擊之力，弄亂一處環節。

只聽一聲高亢梵唱，全陣由迅快地動盪，歸於靜寂，遊走的僧侶倏然間一齊停下，四個被徐元平掌力震飛的和尚所留空位，立時被後一排和尚迅快補上，而那四個被摔的僧侶，卻填補了第二排空位。

徐元平定神望去，只見群僧彼此把臂相連，結成了一排一排的內牆，奇怪的是，一個個都把眼睛閉著，臉色十分嚴肅，齒唇啓動，不知在說些什麼。他按捺下心中的激動，凝神思索那《達摩易筋經》文的最後一段。

當他想到「以靜制靜，接力克強」兩句時，忽聞群僧齊聲高喧佛號，四面一齊逼進。徐元平猛提一口真氣，左掌疾向迎面攻來的一排僧人擊去。忽覺身後風聲颯然，徐元平左右雙腿一齊被人抓住。原來他身後和尚早已欺近身側，伺機而動，他只顧招架當前和尚攻勢，身後門戶大開，待他擋開前面拳掌，挺身跳起時，身後群僧立時有兩人疾躍而出，分拿住他左右雙腿。

徐元平在這剎那之間，心念疾轉如輪，如不施展絕技傷人，勢將被人生擒，幾乎在他心念轉動的同一瞬間，迅如電光一閃般，雙手一齊探出，使出擒拿手法，抓住了兩個僧人。手一著力，立時氣運雙腿，大喝一聲，身子向後一縮，雙足疾向抓他雙腿二僧的前胸點去。

在這電光石火的剎那間，已另有兩僧夾擊而到。徐元平自認招數夠快，準能先把那兩個和尚踢中胸前大穴，然後再招架這兩僧襲擊。可是問題就在這兩腿分道踢出，若不使足氣力，則不能借力以改變招式，若要全力施爲，則被踢的兩僧焉有倖理？

徐元平心中雖憤那元通方丈毫無人情，但這少林寺中的和尚，卻也是授他絕藝的慧空老和尚後輩，飲水思源，他實不能對這些奉命行事的和尚們施展辣手。

這個念頭不過剎那間即逝，但雙足已慢了一步。只聽早先拿住他雙腿的兩僧哼了一聲，向後仰倒地上。幾乎在同時之間，另外兩僧的鐵掌一齊擊在徐元平身上。

徐元平被兩僧掌力震開數丈，卻挺胸直立絲毫無傷。

那兩僧爲之大驚，原來當他們鐵拳擊到徐元平身上時，這兩位佛門弟子可謂是宅心慈善，見徐元平躲之不及，一齊稍偏掌力，避開致命死穴。徐元平心中一動，便照舊踢向那兩僧，一面運氣護身，那兩僧被他踢倒，正好閉住穴道，不致喪命；而徐元平挨了兩掌，因不是要穴被擊，是以也毫無傷損。

說時遲，那時快，徐元平忽然悟出妙諦，閃眼一覷，這一撥失去兩僧的和尚們，都因怒氣勃勃，是以一時尚未換位易人。

徐元平大喝一聲，宛如平地起個霹靂，使個身法，已到了和尚叢中。後面那撥爲首和尚發令道：「爾等迅速退開……」說時，他們這一撥已經並肩聯臂，各人發出一掌。

徐元平心道：你們可遲了一步啦……，身隨念動，使出十二擒龍手奧妙招式，眨眼之間，已點住四個僧人的穴道。

徐元平騰出一手，抓住一個和尚背後的衣服，倏然向對面最近的一撥和尚擲去。剛一出手，跟著又抓起一僧，向左邊的一撥和尚擲去。

那兩撥和尚一陣嘩然，爲首的和尚發出命令，眾僧都舉掌外推，卻露出不大願意之色。徐元平冷笑一聲，疾如閃電般再擲出兩僧，仍然扔向正面和左面的兩撥和尚，要知道這羅漢陣中每一撥和尚，只要聯臂出掌，其力絕巨，就等於九人之力合在一起。所以眾僧聽到有命要出掌去擋那飛過來的同門，便唯恐會傷了他，都露出不願之色。

他們舉掌一擋，大家不約而同地只用了四成力量，哪知掌力與那被扔過來的僧人一觸，突

覺那僧人帶著無窮潛力，登時把他們整撥都迫退半步。

這時第二個被擒的和尚跟著飛到，這一次他們都全力出掌。

慧因老和尚看了這種情形，打個冷戰，朗聲道：「老衲非出手不可了……」

只聽在徐元平正面和左面的兩撥和尚喝叱連聲中，隊形也已散亂。

原來徐元平再拋出兩僧時，力道剛猛無比，同時間，他的身形有如離弦之箭，朝正面那撥和尚撞去，居然比被他擲出的和尚還要快了半個身位，接著一掌擊去。這一掌他已用足勁力，掌力如驚濤駭浪，排空激盪。正好趕上那撥和尚第二次揚掌，兩下力量恰恰抵消。在這空隙裡，那個被擲的僧人橫著直襲這一撥和尚。

他們此刻無法不亂，只因徐元平又復一掌攻到，九個和尚只有五個揚掌應敵，另外四個卻齊齊出手去接那僧人。

豈知徐元平用的力量奇妙難測，雙方一觸，四個和尚但覺那僧人帶來的潛力忽剛忽柔，抵擋不住，都翻身撲滾於地。

徐元平閃電般到了眾僧中，正要伸手抓起兩個，然後再使用同一方法，將擋住去路的和尚們全都攻散，以使羅漢陣冰消瓦解，手才伸出，耳邊忽聞一聲清越無比的洪亮佛號，擊得耳鼓嗡嗡而鳴，跟著數縷勁風直襲腕脈，徐元平知逢勁敵，精神一振，使出慧空老和尚傳授的十二擒龍手，五指驀然一扣，那襲至腕脈的數縷勁風，敢情是慧因老和尚出手時的指風。

這時慧因見他應變神速，招數神妙無比，認得這一式的來歷，急忙縮手，腕骨已被徐元平指尖拂著。

徐元平這一招出手，只輕輕拂著敵人一下，不由得十分驚駭，眼光一瞥，只見慧因老和尚面罩嚴霜，肅立不動。他不敢大意，氣納丹田，力貫雙臂，也自蓄勢待發。

慧因老和尚道：「尊駕敢是想把少林寺毀了才肯離開？」

徐元平心頭一震，道：「弟子不敢。」

慧因老和尚怒喝一聲，雙掌合十，驀地向前一推，徐元平也出雙掌抵擋，砰的大響一聲，兩人各退一步。

老和尚猛吸一口真氣，右臂骨節連珠暴響，聲勢甚是驚人。

徐元平搶佔先機，鐵掌一揮，當胸擊去，慧因老和尚微微踏前半步，也是一掌劈出，兩掌相交，震地大響一聲，徐元平身形拔空而起，飄飄蕩蕩，直向幽室右方飛上。

這時眾僧本已重新布好陣勢，剛才被擲出的幾個和尚，僅是穴道被閉，這時已被救醒，仍能參戰。他們一見徐元平飛得又高又遠，忙忙移動陣法。誰知徐天平跌落之處，正是幽室側面的竹林中，因此他們縱然能衝入竹林，卻無法施展羅漢陣法。

慧因老和尚忖道：「好聰明的孩子，總算沒有辜負老僧一片好心……」一面移步到元通方丈那邊，大聲道：「請示方丈，是否立刻派高手追擊？那孩子相信此刻已負微傷了。」

元通方丈怔了一下，斷然道：「不必了，讓他去吧……」

這時，不但是元通方丈，其餘所有的僧人，都一陣默然，只因天下無敵的羅漢陣，已然威名掃盡。

三　鬼谷二嬌

徐元平雙腳一點實地，立時縱身而起，躍上圍牆，回頭望去，只見眾僧個個肅容而立，羅漢陣中仍然殺氣騰騰，毫無零亂現象。想到適才一場凶險的搏鬥，不禁由心底泛上來一股寒意，如非慧因暗助一掌之力，他不相信自己已能闖得出名震天下武林的羅漢陣法……他暗中試行運氣，只覺百穴暢通，毫無不適之感，這才知道自己並未受傷。

其實，他已得慧空以佛門開頂之法，把本身數十年修成的功力，盡相糅合，即使慧因真的用力劈他一掌，以他現下功力，亦足可硬擋一擊。只因他這等近乎神奇的成就，不但是說來難以令人相信，即其他親身經歷之人，也是不敢深信。

他茫然地呆站一陣，才返身向前奔去，因爲元通下令放他離寺，所以無人追擊他。沿途之上，雖遇有幾度攔截，但都被他輕而易舉地舉手擊退，衝出少林寺。

徐元平放腿奔行一陣，忽然想起自己三日夜未進過食用之物，不想起也還罷了，這一想到，登時覺著饑腸轆轆，十分難忍。抬頭望去，只見一道高聳雲霄的絕峰，橫阻去路，右側是一蜿蜒深入群山幽谷的小道，左側卻是一片雜林。

他一路奔來，並未留心道路，是以跑錯了方向。

他向四周張望一陣，信步向林中走去。

他想在林中尋找一些山果、松子之類，暫療饑火，哪知深入百丈之遠，仍然未找到一棵果樹，不禁心中著急，一提氣放腿急奔。

這片雜林足足有四、五里，兩邊都是峭立的山壁夾峙，而且枝幹橫出，雜草蔓藤叢生，他雖有著迅快的身法，但卻無法施展。大約有一頓飯工夫之久，才穿過雜林，至雜林盡處，那兩側夾峙的石壁，亦突然中斷，到了一處山口所在，他突然加快了速度，疾如奔馬向前跑去。

正奔行間，忽聞一聲：「阿彌陀佛。」迎面一棵大樹之後，轉出來一位年登古稀的老僧，白眉垂目，合掌肅立。正是少林寺慧因大師。

徐元平急忙一沉丹田真氣，硬把向前奔衝的身子收住，深深一揖，說道：「如非老前輩暗助一掌，晚輩恐怕難以闖出那天下無敵的羅漢陣……」

慧因低沉地歎息一聲，莊肅的臉上流現出傷痛神色，道：「小檀越已得我少林絕傳之學，單是那十二招擒龍手法，就足使老衲失色……」他微微一頓之後，接道：「老衲原想借助小檀越之力，救老衲師兄脫離他幽居六十年的『悔心禪院』，哪知弄巧成拙，反害他早登極樂。」

徐元平臉色一變，熱淚奪眶而出，右手握拳一擊左掌，說道：「慧空老前輩待我恩重如山，我非得替他報仇不可。」

慧因微微一歎道：「你要找哪個替他報仇？」

徐元平正在悲憤之際，毫不思索地說道：「我要找貴寺方丈元通大師。」

慧因道：「如論罪魁禍首，你應該找老衲才對。」

徐元平歎道：「老師父志在救人，如何能怪得你？」

慧因淡淡一笑，道：「因果循環，強他不得，我那師兄乃才華絕世之人，他的作爲，自不能以常情測度之。六十年前，他的武功已是我們少林寺中傑出高手，就是幾位長輩，也要遜他一著，家師對他更是寵愛無比，決不會存心把他囚禁一生。可惜的是，家師西歸我佛太早，以致遺下這段公案，老衲雖對此事懷疑甚深，但我們少林寺中最重掌門權責，何況接掌三十一代門戶之人，又是老衲同門師兄，在我未找出證明之前，老衲也不敢輕舉妄動……」話至此處突然住口，低頭沉思了一陣，道：「此事乃我們少林寺之事，如果檀越未得我師兄遺囑相托，倒不必出手過問。」

徐元平道：「慧空老前輩雖然未囑托於我，但他對我恩重如山，只要我能練成《達摩易筋經》上乘武功，非要把此事查個水落石出不可。」

慧因一皺長眉，肅然道：「此事涉及我們少林寺在江湖上的清白聲譽，小檀越千萬不可妄作推論，老衲即將離山行腳，天地悠悠，也許這一別，再無相會之日，因而匆匆趕來此處再和小檀越會上一面。」

徐元平察言觀色，知道他有事相問，當下說道：「晚輩能有這等奇遇，都是老師父指點而得，但有所命，無不遵從。」

慧因微微一笑道：「不錯，老衲趕來此處，確實有事相詢，但此地不是談話之所，請隨老衲來吧。」

說完，轉過身子緩步向前走去。

徐元平隨在身後，走約里許左右，到了一處十分隱秘的山谷所在。

只見一塊大青石上，放著一盤饅頭，旁邊站著慧果大師。

慧因指著大青石上一盤饅頭，說道：「小檀越已經數日未進飲食，此刻請先用一點素齋，咱們再談不遲。」

徐元平正當饑餓之時，也不推辭，狼吞虎嚥般，片刻吃光。

慧因望了慧果一眼，問道：「師弟可確知那柄短劍，落在大師兄手中嗎？」

慧果點點頭道：「六十年前一個明月之夜，我親眼看到大師兄拿著那柄短劍，徘徊在少室峰頂賞玩，三個月後，就被師父囚禁入『悔心禪院』，那柄短劍自是仍然在師兄手中。」

慧因轉頭望著徐元平，道：「小檀越已經聽到了，那柄短劍關係匪淺，如果在你身上，望能借予老衲一看。」

徐元平聽得怔了一怔，半晌答不出話。

慧因輕輕歎息一聲，道：「老衲決不是危言聳聽，那柄短劍如果真在小檀越身上，對你有百害而無一利。」

慧果接道：「由來奇寶易招禍，小檀越如不肯聽老衲等忠告，只怕大禍就在眉睫。」

如果老僧直言借劍一看，徐元平當不致推拒，可是慧因、慧果這一出言強調，反而激起他凌雲豪氣，當下笑道：「兩位老師父這樣關懷晚輩，徐元平感激非常。不錯，慧空老前輩確實有一柄短劍相贈晚輩，不過這劍現下已爲晚輩所有，慧空老前輩在贈劍之時，亦曾再三告誡晚

輩，除了用以洗雪晚輩沉冤外，不能輕易炫露，至於短劍的來歷，晚輩並不知道，兩位老師父如肯相告，晚輩當洗耳恭聽。」

他聽兩人言外之意，大有謀奪那短劍之心，是以反唇相詢短劍來歷，但卻不肯出劍相示。

慧果陡的一揚雙眉，微現嗔怒之色，但只一現即逝，眨眼間又恢復莊肅之色，說道：「小檀越既得老衲的師兄傳授武功，以情推論，亦算得我們少林門下弟子，你這等對待長輩，可是武林中大忌之事。」

徐元平微一沉忖，道：「晚輩雖蒙慧空老前輩授予武功，但並無師徒之名，大可不必遵守少林派中門規。」

慧果怒道：「你既非少林門下弟子，他如何能傳授你本門武功？」

徐元平聽得微微一怔，暗自忖道：慧空老前輩在傳我武功之時，再三堅拒，不准我認他爲師，看來這其間，大有文章。心念一轉，道：「晚輩不敢欺瞞兩位，慧空老前輩所授晚輩武功，均是賭輸於我，就是那柄短劍，也是晚輩打賭贏得來的。」

慧因望了慧果一眼，道：「大師兄才華絕世，思慮縝密無比，豈是我等所能揣測得到。」

慧果道：「那柄短劍，關係極大，難道我們就此撒手不問嗎？」

慧因微現怒意地答道：「大師兄待我等恩情何等深厚，你如存下謀奪他寶劍之心，那可是大不該爲之事。」

慧果合掌垂首答道：「小弟不敢，不過，大師兄現下已駕歸極樂，咱們總不能眼睜睜的看著寶劍讓他人奪走。」

慧因道：「大師兄既把寶劍贈於他，定然早經思慮，人家既非謀奪，我們豈能強取……」

話至此處，微微一頓，望著徐元平接道：「小檀越已得我少林上乘武學真傳，就老衲所見而論，你在『悔心禪院』短短三日夜的時間所得，只怕要超越你三十年面壁苦修的功力，如果我推想不錯，我們師兄不但盡把他一身武學訣要相授，而且可能施展佛門中開頂大法，轉授了他畢生修爲的功力真元，甚望小檀越能予珍惜這曠世奇遇，不要負了我大師兄一片苦心。」

說完一拉慧果轉身疾奔而去，徐元平想說幾句感謝之言也來不及。

他茫然地望著二僧背影消失，才尋路下山，天色入暮時分，到了一處市鎮所在。

他已數日沒有休息，立時找處客棧住下。食用過酒飯之後，想到了身懷短劍，當下關好門窗，取出短劍，就案邊燭光之下鑒賞。

只見那古銅劍匣之上，由精工雕刻著很多花紋和很多似花非花、似字非字的點痕，他望了半天，仍然看不出個所以然來，暗道：這柄古銅劍匣，除了鋼質堅硬，雕刻的花紋精緻之外，絲毫看不出可疑之處，不知有何珍貴之處？

徐元平又仔細瞧了一陣，仍然看不出道理來，右手一按把柄彈簧，抽出短劍。

短劍出匣之時覺到寒氣襲人，案上燭光吃那森森劍氣一逼，驟然間暗了許多。

徐元平隨手一揮，登時寶光四射，案上燭火光亮，變成了昏黃之色。

他雖聽人談過干將、莫邪之流的寶劍，有著切金斷玉、削鐵如泥之能，但心中還不深信，現下一看這柄短劍，光華如此強烈，不禁心頭大喜，隨手在案上拿起一只細磁茶杯，輕揮短劍

削去。只見寶光一閃而過，磁杯完好如初，絲毫不聞聲息。

徐元平呆了一呆，定神看去，只見那磁杯中間，有一道極細的裂痕，原來磁杯早已被寶劍斬成兩截，只因那短劍過於鋒利，是以不聞相觸之聲。

這等鋒利之物，大出了徐元平意料之外，不禁想起了慧空大師贈劍之情，驚喜之中，又混入了無比的感慨。慧空那慈愛低沉的聲音，又在身邊響起，道：「短劍雖是切金斷玉的寶刃，但這古鋼劍匣卻比劍珍貴萬倍。」

他悚然一驚，由傷痛的回憶中清醒過來，他把短劍還入鞘中，重新拿起劍匣，放在燭光之下，仔細地察看。

這一用心觀察，果然被他看出一些蛛絲馬跡，只見那精工雕刻的花紋，似是一個圖案，隱隱顯示出起伏的蜂巢，一旁的點痕亦非雜亂無章，似是代表一種什麼符號，又好像一種象形文字。這疑竇引起了他的興趣，用衣袖拂拭一下劍匣，映著燭光，更仔細地察看劍匣上的花紋。

忽聽窗外傳入一聲低沉的佛號，道：「小檀越如歡迎我這不速之客，老衲極願把所知的隱秘相告。」

徐元平耳目靈敏，聞聲已辨出是慧因大師，收好短劍，打開房門。只見慧因大師合掌站在門外，雙目微閉，面露微笑；徐元平對慧因本極尊仰，當下躬身一揖，笑道：「晚輩正需要老師父指點迷津……」

慧因一笑，接道：「小檀越年紀不大，但卻聰慧得很，老衲事先確未想到我那慧果師弟竟存有奪劍之心，幸得小檀越預防得宜，始終未出示那柄短劍，免去一番無謂搏鬥。」

徐元平想起適才對慧因禪師失禮之處，歉然一笑道：「剛才在山中晚輩多有開罪之處，老師父勿怪才好。」

慧因輕輕歎息一聲，道：「老衲自先師圓寂之後，大部時間行腳在外，已很久未和慧果師弟晤見，想不到他年近古稀，仍有貪念。」說話之間，緩步進入房中。

徐元平搬把木椅，笑道：「老師父請坐下賜教。」慧因點頭就座，徐元平回身關上房門，自懷中取出短劍，雙手捧至慧因大師面前，說道：「慧空老禪師在賜贈晚輩此劍之時，曾經告訴晚輩說，寶劍雖是千古奇珍，但劍匣更比寶劍珍貴萬倍，而且訓誡晚輩不能隨便炫露，以免招引麻煩，並說此劍關連一件震盪武林的兇殺慘案，除了用以洗雪晚輩血海沉冤之外，不能妄自動用。因當時時間倉促，晚輩無暇追問，現下想來，心中極感惶恐，深望老師父不吝賜教，以開晚輩茅塞。」

慧因抽出短劍，隨手一揮，立覺寒氣迫人，連聲讚道：「好劍，好劍，果然是名不虛傳……」

徐元平微微一笑接道：「寶劍雖是絕世奇珍，只是嫌短了一些吧。」

慧因還劍入鞘，道：「小檀越已得我大師兄全部真傳，再有此寶刃相助，假以時日，不難領袖武林，休看此劍短小，但威力決不低於干將、莫邪之流的寶器，望能妥爲保存，善於運用，爲武林放一異彩，不負我師兄一番苦心。」

徐元平只覺得心頭一凜，答道：「晚輩才智低劣，實不足佩帶這等神物利器，老師父如肯收受，晚輩以劍轉贈，聊表一點心意……」

慧因搖頭笑道：「老衲行將就木，要此利器何用，小檀越快請收起。」說完，把短劍交還到徐元平手中，忽然長歎一聲，道：「我那慧空師兄，在贈劍之時，當真就未提此劍來歷嗎？」

徐元平道：「慧空禪師不說，晚輩自是不敢多問。」

慧因一整臉色，神情變得十分莊嚴，說道：「我那大師兄不但武功絕世，而且文才無雙，胸博六藝，旁通易卜，他既然未對小檀越說起此劍來歷，定有用心，老衲本不敢饒舌多嘴，但因此劍關係太大，老衲不得不再告誡小檀越幾句……

「七十年前，這柄短劍本爲一位當時名重江湖的女俠所有。那位女俠，不但武功極高，而且貌美如花，她究竟美到如何程度，老衲緣慳一面，但據傳言描述，她一顰一笑，無不醉人如酒，束手受戮。但她生性冷酷無比，每當人丟棄手中兵刃，拜伏石榴裙下之時，她就用這柄鋒利無比的短劍，緩緩地刺入那人的前胸……」

徐元平只聽得心頭一寒，道：「怎麼？難道那些人就當真任利劍刺胸，不肯躍避刀刃嗎？」

慧因歎道：「這等傳說，本是難以令人置信，但是言者鑿鑿，而且人人如是，這卻又使人不能不相信了。」

徐元平口雖未駁，心中卻在暗自忖道：世間哪有這等情事，縱是天仙化人，也不能使人一見之下，就甘心束手受戮……」

慧因目光何等敏銳，看他神色，已知他懷疑自己之言，淡然笑道：「這傳說一直在江湖上流行了數十年之久，直到近十年來，才逐漸平息下去，老衲雖未和那位女俠見過，但聽人談到此事，已不下百數十回之多，而且那被短劍刺死的人，有不少是江湖上極具盛名的人物，想來此事縱然是傳說誇大，但決非空穴來事……」

徐元平看他神色鄭重，暗道：他乃有道高僧，決不會信口開河。不由心中信了五成。

慧因道：「那位女俠用這柄短劍殺人過多，因而江湖之上都稱它為『戮情劍』，意思是說，見到這柄短劍之時，千萬不能動情，情念一動，必將為這柄短劍戮死。這『戮情劍』之名，愈傳愈廣，反而把它真名隱沒不聞了。」

徐元平察顏觀色，已知他所知有限，微微一笑道：「這短劍削鐵如泥，斷玉似腐，凡是會武之人自然人人都愛，但慧空老前輩在授劍之時，再三告訴晚輩說，這古銅劍匣更比寶劍珍貴萬倍，想來老師父定是知道的了。」

慧因微微搖頭，答道：「我那慧空師兄，才華絕代無倫，老衲怎敢和他相比呢？」

徐元平微現錯愕之色，道：「這麼說來，老師父竟然也是不知的了。」

慧空略一沉思，道：「我那慧空師兄，既說劍匣比劍珍貴萬倍，自是不會有錯，老衲不敢妄測，只是此劍牽扯了無數的慘殺血債，卻是千真萬確之事，據老衲所知，現下有不少武林高手，在天涯海角奔走，尋找此劍下落，小檀越身懷這等珍貴不祥之物，甚望謹慎密藏。」

徐元平道：「這短劍殺人雖多，但運用在人，不知和此劍有何關係。」

慧因道：「戮情劍雖非殺人兇手，但卻是幾個兇殺慘案的關鍵，據說戮情劍原為南海一個風塵怪傑所有，不知如何到了那位女俠手中。以後那位女俠失蹤不見，此劍落入另一位醜怪無

比的女人手中。那醜怪女人武功比那美貌女俠尤高，但她卻最恨忘情負心之人，她出沒江湖不過三、四年的時光，但死在這短劍之下的負情男女，不下千人之多，日必一案，鬧得大江南北神鬼不安……」他微微一頓後，又道：「總之，此劍珍貴而不祥，甚望小檀越善自珍重。」說完起身告辭。

徐元平不敢強留，只得起身送出店外，長揖送別。

他望著慧因的背影逐漸在夜色中消失，心中微生悵惘之感，呆呆地在門外站了一陣，才返身回到客棧。

徐元平緩步走入房中，一腳剛踏進門，突覺微風一動，右腕脈門要穴已被人扣住。

那人出手快如閃電，饒是徐元平身負絕高武功，仍然閃避不開。只聽一個細微的聲音，在他身後響起道：「小檀越請恕老僧無禮，戮情劍乃有害無益之物，老僧縱然不取，小檀越也難保存得住。」

徐元平聽聲辨音，已知暗襲之人是慧果大師，不禁心頭大怒，正待發作，突然心中一動，強忍下欲待出口之言，忖道：我脈門要穴被他扣拿，全身勁道都失，如果出言激怒於他，他硬行下手搶奪，勢非被他取去不可。心念一轉，才按捺下心頭怒火，笑道：「老師父這等強行索劍之法，不覺著有失身分嗎？」

慧果臉上一熱，訕訕答道：「老僧生平從無暗中向人施襲之事，只是現下情勢不同，小檀越得我那大師兄武功真傳，又得他以佛門無上開頂大法，把他數十年修爲的真元，轉手於你，老僧雖未必就怕，但勢非得多費上一番手腳不可……」說話之間，扣拿徐元平脈門的左手增加勁力，右手逕向懷中摸去。

徐元平一聽他提起慧空大師，不覺心念一動，想起了慧空傳授口訣的封穴閉脈之法，當下暗中運氣，把一條右臂脈穴，完全封閉。這當兒，慧果的左手已觸及他懷中的戮情劍柄，正待握劍取出，突見徐元平身子一轉，左手疾翻，也扣住慧果大師的右腕脈門。這一招來勢太過突然，慧果萬萬沒有想到他右腕脈門被扣之後，仍有力量反擊，不禁心頭一驚，冷哼一聲，左手上加了三成勁力。

可是徐元平早已運氣閉住右臂脈穴，雖覺右腕骨疼欲裂，但卻不妨害他運用內力，一咬牙，左手也用了五成勁力。

他心中感慨慧空和慧因愛護之情，不便用足全力，傷害慧果。饒是如此，慧果亦自承受不起，只覺半身一麻，力道頓失，扣制徐元平右腕脈門的左手，也不自覺地鬆開。

但他究竟是身負絕學之人，臨危不亂，一面運氣抗拒，一面反擊，左膝一抬，猛撞徐元平丹田要穴。

這一招攻勢，當真是用得神妙無方，迫得徐元平抖手躍開。

慧果功敗垂成，不禁激起殺機，雙眉一聳，冷笑道：「小檀越身手真個不凡，老僧再領教幾招。」欺身而進，一掌劈出。

徐元平雙腳不離六寸之地，上身微微一側，讓避開一掌，反手攻了一拳，戳了兩指。

慧果被他拳指齊施的攻勢，迫得向後退了一步，但迅即又欺身而上，拳掌交錯，連攻了

十三、四招。徐元平掌指揮舞，一口氣化解了慧果十三、四招的強猛攻勢後，慧果攻勢略緩，徐元平趁勢還擊，拍擊三掌，踢出四腿。

兩人均怕驚醒店中客人，不敢放手大戰，各以奇奧迅快的手法，搶制先機，蓄勁掌心，留力不發，扎椿如山，只憑上半身伏仰側臥，讓避對方攻勢，表面上看不出什麼威勢，其實這等近身相搏，手臂伸縮之間，可及對方全身各大要穴，最是危險不過，只要稍一失神，輕則重傷，重則殞命。

徐元平雖得慧空大師傳授了《達摩易筋經》，及少林派各種精奇武功要訣，但因初次用來對敵，不能得心應手，胸博雖廣，卻是連遇險招。幸得他聰慧絕倫，悟性超越常人甚多，在學習之時，又得慧空以本身功力相助，澄清了胸中雜念，集中全神而學，雖只有數日時間，但他卻記熟了慧空所授全部武功要訣。

兩人打了一陣之後，徐元平心神漸定，手法亦逐漸純熟，攻勢愈來愈猛，招術也愈打愈奇，慧果暗暗心驚，忽的疾攻兩掌，向後跌退。

徐元平沉沉一揖，笑道：「多謝老前輩考教晚輩武功。」

慧果合掌述了一禮，心中暗自忖道：這小子武功如此之高，如想以武功奪得懷中短劍，只怕極是不易。心念一轉，放下臉笑道：「小檀越才華橫溢，毋怪被我那大師兄肯破例收歸門下，傳授了他一身絕世無匹的武功。」

徐元平道：「晚輩雖蒙慧空老前輩傳授武功，但並未行拜師大禮，列身少林門牆。」

慧果心裡暗罵道：好狡猾的小子……但外形卻絲毫不動聲色，微微一笑道：「依老衲剛才

和小檀越動手相搏幾招來看，小檀越已得我們少林派武功真傳了。」

徐元平道：「好說，還得請老師父多多指點。」

慧果道：「小檀越既是我們大師兄衣缽弟子，和老衲總算有一點香火情義……」

徐元平截住慧果的話道：「晚輩已再三正告老師父，慧空老前輩雖然傳授了晚輩武功，但那是賭輸於我，並無半點師徒情意。」

他因存心替慧空查雪六十年囚禁之冤，只怕和少林派攀上關係，日後有許多不便之處，是以，不肯承認。

慧果見他始終不承認和少林派中有關係，只得淡淡一笑道：「那也罷了，老衲在初入師門時，多虧大師兄照拂，大部武功，也都是大師兄代師傳授，名雖是師兄師弟，其實情義深重，無疑師徒。」徐元平微微一笑，卻未接口。

慧果輕輕歎息一聲，道：「小檀越既不承認是我們少林門下，老衲也不便強人所難，但我大師兄傳授小檀越武功之事，你總不能再予否認。」

徐元平道：「不錯，慧空大師傳授了我的武功，雖然賭輸於我，但晚輩心中一樣感激。」

慧果道：「這就是了，你既然感激我大師兄的傳藝之恩，是不是該爲他的名譽著想，他乃我們少林派中三百年來僅有的奇人，一身武功，舉世無匹，別說我們這同門師兄弟難以望他項背，就是上一輩的師長，也難和他抗拒，他如不接受那『悔心禪院』囚禁之罰，實難有人能強囚於他……」

徐元平一皺眉頭接道：「師倫大道，豈容忤逆，慧空大師乃大智大慧之人，自然是不屑爲

這叛師離道之事。」

慧果眼看徐元平逐漸步及自己謀算之中，心頭甚是高興，但他乃見聞博廣之人，喜怒不形於色，仍然一臉莊肅神情，說道：「我那大師兄甘願把六十寒暑的有爲之年，埋葬於『悔心禪院』，小檀越可知是爲了什麼？」

徐元平究竟是年輕之人，不似慧果那等老而彌辣，立時冷笑道：「慧空大師縱然遭懲罰，相信令師十分愛護於他，決不會把一曠絕奇才，無聲無息的埋葬『悔心禪院』，可惜的是令師已於四十年前道成圓寂，無法和他理論此事，但據晚輩數日觀察，只怕此中大有可疑之處！哼哼，晚輩日後有機緣，定當查明此事……」，話至此處，忽然覺得失言，倏然住口。

慧果歎道：「姑不論此中是否有可疑之處，但我那大師兄，卻爲我少林寺樹之下一代典範，『悔心禪院』中六十年面壁，留下了千百代少林弟子的教慕典範，老衲雖爲他六十年囚居感傷，但亦爲他能樹此一代楷模欣慰，絕世才華，果然是與眾不同。」說完話，臉上忽然浮現出黯然神色。

徐元平想到慧空在數間破損瓦舍中幽居六十年歲月之苦，不禁感傷萬千，他乃至性之人，想到慧空相待自己的諸般好處，只覺得胸中熱血沸騰，淚水奪眶而出。

慧果趕忙接口說道：「我師兄二十歲出道行俠，數年間聲威便遠傳大江南北，綠林中人，聞名喪膽，不知積修了多少善功，想不到竟落得終身囚禁之苦，老衲雖是佛門弟子，也要說一句天道皟皟了。」

徐元平被他連番撩撥，不覺真情激盪，淚水滾滾，順腮而下。

慧果又一歎息道：「我大師兄所以身遭囚禁，起因全在那柄短劍之上，此刻如重現江湖，只怕要引起滔天風波，如被人追查此劍曾落在我那師兄手中，不但爲我少林派招惹不少麻煩，只恐我那大師兄的清白聲譽也將毀在這短劍之上了，因此之故，才迫的老衲暗中施襲奪劍。」

徐元平聽得心頭一震，道：「這麼說來，老師父定然知道那短劍的來歷了，如能把短劍和慧空大師之間的關係見告，晚輩自當在老師父監視下把短劍毀去，使它永無再見江湖之日。」

他感激慧空傳授武功之恩，心中實不願再使那半生孤寂囚居的老人死後清白受到玷污，幾句話說得斬釘截鐵，十分堅決。

慧果暗罵一聲，好個狡黠的娃兒，看來他倒是不易上當。心中雖在暗罵，但外形卻仍保持著戚傷神色，說道：「此事對我那大師兄關係甚大，老衲實不便相告於人，小施主這等追問，確使老衲爲難。」

徐元平道：「慧空大師待晚輩恩重如山，只要是爲他之事，教晚輩赴湯蹈火，我也是心甘情願，老師父但請放心。」

慧果道：「此事說來話長，小檀越可知那短劍的名字嗎？」

徐元平道：「晚輩剛承慧因老師父簡略相告，說此劍名喚『戮情劍』，但並未說出此劍來歷出處，以及與慧空大師之關係。」

慧果道：「此事除我之外，天下恐怕很少有人知道……」他沉吟一陣之後，接道：「這已是六十幾年前的往事，我大師兄得到此劍之日，家師適和我三師兄慧因遠行南海，少林寺中一切事務，均由老衲一位師叔代行。因我那師叔年事過高，又不喜和生人交往言談，是以寺中很多瑣務均由老衲代辦。這日我那慧空師兄返寺，老衲特於當日之夜前往晉謁，想請師兄代主寺務，哪知一見我師兄之面，大師兄就要我爲他做一個見證人，他已和人約好，三日後夜間和人在少室峰下一處隱秘的山谷中比武，而且不讓我洩露此事。待到第三日二更時分，大師兄果然帶了兵刃，喚我一起前去。我們到達少室峰頂時，敵人已經先到了一步。」

徐元平問道：「來人可是一位女子嗎？」

慧果微微一笑，道：「來人也是兩個，一男一女，男的身著勁裝，背插寶劍，相貌魁梧英俊；女的一身素裝，嬌小玲瓏，因她臉上戴有面具，無法看得她面像如何，但依她身材風度推論，必然是一位極美之人。」

徐元平心頭微微一跳，接道：「他們可是爲爭那戮情劍，才相約而鬥嗎？那也是武林中常見之事。」

他因心中崇敬慧空，只怕慧果說出傷損慧空之言，情不由己地插了一句。

慧果歎道：「如果單單爲爭奪戮情劍，也不致牽引出無窮後患，可是除了那戮情劍外，其中又牽纏著私情恩怨，以致使得那場比武之會，變成了生死之拚，那真是一場武林中罕見的搏鬥，只看得老衲目不暇接。」

徐元平道：「老師父可記得他們在比武之前，談過些什麼話嗎？」

慧果俯首沉思不語，似在回憶，也像在考慮，足足過了有一盞熱茶工夫之久，才陡然抬頭說道：「小檀越這般苦苦追問，難道真要老衲親口說出我那大師兄的隱秘不成。」

徐元平一聳劍眉，仰臉思索了一陣，道：「老師父既不願說，晚輩也不便追問，但想那慧

空大師乃一代人傑，自是不會有什麼喪德敗行之事，縱是失手傷人，也是情非得已。」他心感慧空大恩，早已把他看做師父。

慧果笑道：「不錯，我那大師兄在那場比武中，的確是傷了人，但據老衲現場目睹而論，如無受傷之人，也難結束那一場生死搏鬥。雙方自少室峰頂相見之後，未交一言，立時拔出兵刃，聯袂向峰下一處密谷奔去，我和那素裝少女緊隨兩人身後急追。那英俊少年武功似和師兄相差無幾，兩人聯袂急奔，快如流星一般，片刻工夫，已把我和那素裝少女，甩了數丈之遠。

「等我們兩個追到谷中之時，兩人已動上了手，那時老衲剛剛藝滿出師，說年齡比小檀越大得有限，尚不足二十四歲，我大師兄那時也不過三十四，但他已是威震大江南北，掩盡天下英雄的大俠客了，唉！往事不堪回首，想來歷歷如繪，如今那青山依舊，可是我那一代奇傑的大師兄，已然證果還因，駕返極樂了。」

徐元平只聽得咬牙作聲，問道：「那場激烈的大拚搏，想來定是慧空大師勝了。」

慧果道：「初動手時，形勢於我大師兄十分不利，那英俊少年出手劍招十分怪異，害得我大師兄全身都被劍光籠罩，直到三百餘招之後，天色已到五更時分，我那大師兄突然振刀反攻，刹那間刀勢大振，那施劍少年被迫得步步後退，被逼到一處山腳所在，我師兄心存仁慈，喝令那少年棄劍認輸，哪知對方借我大師兄說話之機，陡然間刺出一劍，那一劍刺得奇奧至極，我大師兄雖在戒備之下，仍被一劍刺傷左臂，這才招惹起我師兄怒火，反手三刀，把那少年重創刀下，雖未當場氣絕，但以他傷勢而論，是決難醫得好了……」話至此處，倏然住口。

徐元平道：「攻人不備，咎由自取，那自是怪不得慧空大師。」

慧果道：「老衲只能言盡於此，至於那少年受傷之後，和我那大師兄說了些什麼，恕老衲不便奉告，兩人動手相搏，真正原因並非為劍，但那短劍卻是此案的關鍵，一旦出現江湖，必將使此一慘案重翻，果真如此，那不但對我大師兄清白有污，且將為我們少林寺招來極大的麻煩，說不定要掀起整個武林中一場血雨腥風的浩劫。小檀越如體念我大師兄傳你武功之恩，請把那關於我們少林寺存亡絕續的戮情劍交還老衲，不但老朽感激不盡，就是我那死去的大師兄，也一併感激小檀越了。如果小檀越執意不肯，老衲也不便再相強索。」

徐元平被他一番話說得情感激盪，探手入懷，取出短劍，正待交給慧果，突然心中一動，又把短劍放入懷中。

慧果剛想伸手接劍，忽見徐元平又把短劍藏入懷中，不禁臉色一變，拂袖而起，冷笑一聲，說道：「小檀越這等戲弄老衲，是何用心？」

徐元平道：「老師父誤會了，晚輩怎敢存心相戲，只因想到了慧空大師在相贈此劍之時，曾告誡晚輩要珍重收藏，把此劍轉送老師父原無不可，但如叫晚輩背棄慧空大師遺言，那卻是萬萬不能。」

慧果怒道：「這麼說來，你是不肯交還那戮情劍了？」

徐元平道：「老師父儘管放心，晚輩當尋找一處隱秘所在，深埋此劍，使它永無在江湖重現的可能，這等做法，既可不違背慧空大師遺言，又可保得他的清譽。」他口中雖然說得十分婉轉，但心中已對慧果動了懷疑，藏好短劍之後，暗中運氣戒備。

慧果臉色本極難看，但略經沉思之後，滿臉怒容突然消失，笑道：「小檀越既然對老衲動

了懷疑，老衲也不便打擾了，但望小檀越好好的珍藏短劍，莫讓它落入別人手中就好。」

徐元平正色答道：「老師父請放心，只要晚輩一息尚存，決不讓此劍落入別人之手。」

慧果雙眉微微一聳，僧袍一拂，飄然風動。徐元平還未來得及躬身送客，慧果已到了房門之外，徐元平躍出房門時，慧果早已走得蹤影不見。

他呆呆地站在夜色之中，想著這數日以來的連番遭遇，真是如夢如幻，慧空的孤傲冷怪，慧因的慈祥和藹，慧果的機詐陰險，同是佛門弟子，一師相承，不但武功造詣大不相同，而且連性格也各趨極端……

正自想得出神，忽聞一聲輕微小石擊瓦之聲，起自對面屋脊。

徐元平霍然驚覺，正想轉身飛撲上房查看，但心中突然一動，裝作未聞，仰臉望望天色，緩步走回房中，熄去燈光，和衣倒臥榻上。

他本是假裝就寢，以誘來人上當，哪知等了足足一頓飯工夫之久，仍不見一點異狀，如換常人，定以耳誤而不再留心此事，但徐元平卻堅信自己沒有聽錯。當下輕輕推開後窗躍出，迅快地翻上屋面，隱入屋脊後面暗影之處，運足目力，四面張望。

果然發現一條人影，由對面屋後飛起，疾向正東方向奔去。

他本不想追蹤，但想那「戮情劍」關乎到慧空一生清譽，登時飛身躍起，施展輕功，尾隨那人身後追去，想查出那夜行人是否為「戮情劍」而來。

那夜行人身法竟然十分迅快，片刻間，已離了市鎮，深入郊野，在一所孤立宏偉的大莊院外失去蹤跡。

徐元平仔細地打量了四周一眼，心中暗自忖道：這是什麼人住的莊院，建築在這樣荒涼的地方。原來這莊院右側，緊依著一片亂墳，觸目盡都是纍纍青塚；左側是一座畝許地大小的水池，星光閃爍之下，泛現起盈盈水光。莊院前面散亂地矗立著十幾株四、五丈高的大白楊樹，隨風沙沙作響，落葉飄飛中不時傳來夜梟長鳴。

那莊院也建築得十分奇怪，紅牆碉樓，似廟非廟，看上去陰風慘慘。

這怪異的建築，又選擇了這等荒涼的地方，真使人難以猜測那大莊院中住的是人是鬼？

徐元平雖身負絕世武功，但在看清楚了四周的景物之後，也不禁心中泛起一陣寒意。

正想轉身回去，突聞一聲格格的嬌笑之聲，隨夜風飄傳入耳際。這笑聲脆如銀鈴一般。如單憑那嬌脆的笑聲分辨，那發聲之人定然是一位絕世的美女，但是在這樣荒涼的地方，這銀鈴般的笑聲，卻平添了一種恐怖的氣氛，使人毛髮悚然。

徐元平愈聽愈怕，終於忍耐不住，伏身撿起一塊石子，運足腕力，直向五丈外一座壘起的青塚投去。

但聞砰然一聲，笑聲忽然中斷，青塚之後緩緩站起一團白影，繁星微光之下，慢步走來。

那白影愈來愈近，已可逐漸看清楚是一個長髮垂腰、身著白衣白裙的女子，只是長髮披頭蓋臉，無法看清楚她面貌如何。

徐元平不自覺地打了一個寒噤，當下一提丹田真氣，厲聲喝道：「什麼人，再要裝神扮鬼的嚇人，可莫怪在下無禮了。」

他這一聲厲喝，聲如洪鐘，但那丈餘外的白衣女子，卻如未聞，仍然緩步直走過來。

徐元平不自禁地倒抽了一口涼氣，只覺全身一顫，出了一身冷汗。他舉起右掌，正待劈出，忽見那白衣女子手一舉，分開了垂在臉上的長髮。定神看去，立時嚇得徐元平向後退了三步，掌勢還未劈出，手臂已軟了下來。那白衣女人卻格格一笑，又向前走了幾步，左臂一揚，長袖緩緩向徐元平臉上拂去。

徐元平身軀向後一仰，後退了五、六尺遠，讓開那白衣女一拂之勢，長長吸一口氣，潛運功力，沉聲喝道：「你究竟是人是鬼，再要往前逼進，在下可真的要失禮了。」

他口中雖然喝問著對方是人是鬼，但心中卻是相當害怕，聲音微微發抖。

只見那白衣女子柳腰一擺，蓮步款款地直走過來，右手一舉，撩開覆面長髮。

徐元平已看到過那張觸目驚心的怪臉，哪裡還敢再看，右手一揚，劈出一掌，一股潛力直逼過去。

但見那白衣女子玲瓏的嬌軀，隨掌勢凌空而起，衣裙飄飄，退到了一丈開外。

他在驚恐之下，也未仔細觀察，一見那女子虛飄飄地凌空而退，心頭更是驚駭。

其實他在驚恐之下，掌力只發出三成左右，只是他自己感覺不到罷了。要知練武之人，最重要的是鎮靜功夫，心不靜則氣難調，氣不繼，勁力難發。徐元平一開始就被那白衣女子的恐怖形態所懾，心神早為之所惑，影響所及，耳目也失卻了平時的靈敏。

那白衣女人略一停息，又緩步直走過來，長髮拂動，衣裙飄飄，蓮步細碎，搖曳生姿。

突見她一弓柳腰，疾如電光，猛撲過來，右手斜舉掠鬢，左臂長袖卻拂向徐元平的面前。

徐元平大喝一聲，右手疾吐而出，一招「迎風擊浪」直擊過去。他在出掌時大喝一聲，恐懼頓消，力道強勁不少，那白衣女子右手未離開遮面長髮，左手相距徐元平面門還有尺許光景，徐元平劈出的掌力已撞擊而到，只聽那白衣女子口中「啊」了一聲，隨著劈來掌勢，飄空而退。

徐元平看那白衣女子無法近得自己，不覺膽子壯了許多，潛運真力，又是一掌劈去。這一掌威勢可非同小可，一股強勁的潛力，排山倒海般追擊而去。那白衣女子目睹奇勁掌風，心頭大驚，顧不得顯露真像，懸空一個觔斗，向左側閃開了八尺左右。

徐元平看得一怔，左掌護胸，右掌蓄勢，沉聲喝道：「你究竟是什麼人，這般裝神扮鬼的是何用心？如再不回答在下的話，哼哼！可莫怪我出手狠辣了。」

那白衣女子突然一分遮面長髮，嬌笑一聲，直撲過來。

徐元平一看到那張疤痕斑斑的醜臉，不自覺心中一寒，打了一個冷戰。就這微一分神，白衣女子已撲到身側，徐元平慌急中疾退兩步，右掌正待劈出，忽見白衣女身軀一轉，右手纖指迅快地在徐元平面前一彈，一股異香撲襲過去，徐元平掌勢還未劈出，全身勁力已失，頭一暈，摔倒地上。

白衣女一理長髮，露出一張赤紅可怖的怪臉，款擺柳腰，走到了徐元平身邊蹲下，伸出纖纖玉手，探入徐元平懷中，取出「戮情劍」，一按把柄彈簧，抽出寶刃，夜色中閃出一道冷森森的光華。

她正待還劍入匣，突然由她身後伸過來一雙粗大的手掌，來勢奇快無比，一翻之間，已扣

住她粉嫩滑膩的握劍右腕，同時響起了一聲哈哈大笑道：「你們鬼谷二嬌的彈指迷魂粉，果然是名不虛傳，老夫今天又一次開了眼界。」聲如破鑼，沙啞中帶著鏗鏘之音。

白衣女嬌喝一聲：「放開！」右肘一曲，向後撞去。

只聽那破鑼似的聲音又響起道：「好刁蠻的丫頭，老夫終日打雁，還能讓雁兒啄了眼睛不成，你別打算招呼你姐姐來救，嘿嘿！她嗎？早已被老夫點了要穴，放置一處隱秘所在，你如想獨吞寶劍，可別怪老夫心黑手辣了。」

白衣女子亦知道自己這回肘一撞，決難傷得對方，但她在回肘相撞之時那聲嬌喝，卻是招她姐姐趕來相助的信號，哪知對方竟然棋高一著，先下手把她姐姐點了穴道，不覺氣餒。一面運氣抗拒那逐漸加強的右腕壓力，一面柔聲說道：「你先放開我右腕脈門要穴……」。

她身後之人一聲冷笑，打斷了她未完之言，接道：「誰不知你們鬼谷二嬌詭計多端，少在老夫面前賣巧弄乖，哼哼！我金老二不吃這個，識相的快把那戮情劍匣給我，老夫念在你相助謀劍的份上，履行前諾，把那戮情劍送於你們姐妹，如再撒嬌賣嗲，拖延時刻，哈哈，老夫就索性連劍帶匣一併收存了。」說話之間，暗加真力。

白衣女突覺行血迴逆，半身發麻，心知再要抗拒，只怕當場就得殞命，只得把左手中古銅劍匣向後一送，道：「拿去！」

她因脈門要穴受制，無法回頭探看，左手自肩向後遞出，左手拇指，已暗和中指相接，只要身後之人一接劍匣，立時彈出迷魂粉。哪知對方老辣無比，竟是不肯上當，只聽一聲冷笑道：「老夫已屆花甲之年，不敢和姑娘玉手相觸，請把那劍匣丟在地上，老夫自己拿吧。」

白衣女無可奈何，只得一鬆五指，丟了手中的古銅劍匣，說道：「我已件件照你吩咐，可以鬆開我的脈門要穴了吧？」

話剛說完，突覺後背「肩井穴」上一麻，一聲啊喲還未叫出口，人已倒臥地上，右手的短劍，也同時掉下，幾乎打在了徐元平的臉上。

只聽靜夜中響起了一陣哈哈大笑之聲，倏忽間，那笑聲已到了數丈之外，白衣女耳聽強敵大笑而去，心中又急又怒，但因穴道被點，無法起身追趕。

金老二果然只取了古銅劍匣而去，留下了那柄切金削玉的短劍，她望著身側數尺，閃爍著寶光的戮情劍，但卻無法取到手中。

過了約一頓飯工夫之久，忽見徐元平長長吁一口氣，挺身坐了起來。橫臥在徐元平身側的白衣女，正在運氣活穴，瞥眼徐元平清醒過來，不禁心頭一驚，提聚的真氣，立時散去，忖思道：我那彈指迷魂粉，中人之後，最快也要四個時辰之後才能醒來，怎麼這少年竟能在不足一個時辰中清醒過來？看來今番是凶多吉少了。」

她哪裡知道，徐元平能夠提前清醒過來，全得那戮情劍森森的劍氣之助，因為金老二點中她穴道之時，她手中的戮情劍掉在了徐元平頭邊數寸之處，受那劍氣浸逼一陣後，提前清醒。

徐元平轉身一望之後，立時嚇得啊呀一聲，跳了起來，翻身一躍退了一丈多遠。原來那白衣女在穴道被點，摔倒之時，遮面長髮散開，一張疤痕斑斑赤紅怪臉，完全現露出來。

徐元平躍退之後，忽然想起懷中的短劍，伸手一摸，懷中已空，轉頭望去，只見白衣女身側四、五尺處，寒芒耀目，立時緩步走回，伸手撿起寶刃，再找劍匣時，早已不知去向。

仔細看那橫臥的白衣女子，眼珠兒不停轉動地望著自己，再一想剛才和她動手的情景，分明是個身具上乘武功的高手，念轉慧生，恐懼頓消，一上步，舉劍喝道：「你究竟是什麼人，扮成這般怪樣子嚇人，我的劍匣哪裡去了？如再裝模作樣，我要你立時濺血劍下。」白衣女眼珠轉動了兩下，卻未答話。

徐元平俯身一聽，果然可聞得輕輕的呼吸之聲，確定了眼前的白衣女子是人，心中一動，伸手點了她左右雙肘間「曲池穴」，然後才解開她被點的「肩井穴」。

只見白衣女長吸一口氣，緩緩坐起身來，兩雙小臂卻如癱瘓一般，軟垂難動。

徐元平舉劍在她面上一揮，冷冷地問道：「我的劍匣哪裡去了？快說！」

白衣女「肩井穴」被解開之後，已能說話，微微一笑，道：「劍匣已被人搶去啦！」聲音雖然柔婉動人，但那一笑卻是觸目驚心，醜臉上疤痕聳動，難看至極。

徐元平只看得全身一顫，皺起眉頭，問道：「劍匣被誰搶去，他向哪裡去了？」

白衣女忽然輕輕歎息一聲：「告訴你也沒有用，那人不但武功奇高，而且詭計多端，我們都上了他的當啦！」

徐元平忽道：「哼！要不是你裝鬼嚇我，我怎麼會丟了劍匣。」

白衣女道：「我雙肘『曲池穴』都被你點制，已不能再打彈指迷魂粉了，你怕什麼呢？」

徐元平道：「誰怕你了？」

白衣女道：「你既然不怕我，爲什麼護胸橫劍，如臨大敵一般呢？」

徐元平聽她盡說不著邊際之言，不禁大怒，雙肩晃動，直欺而上，左掌一舉，當頭劈下。

哪知白衣女竟不再閃避，雙目圓睜，望著那下落掌勢冷笑道：「你真敢一掌劈死我？」

徐元平掌勢一停道：「我爲什麼不敢？」

白衣女格格一笑，道：「你一掌把我劈死了，你就永遠找不到那古銅劍匣。」

徐元平心頭一凜，暗道：不錯，如果一掌把她擊斃，當今之世只怕再無人知道那古銅劍匣落入什麼人的手中了。不覺猶豫起來，高舉的左手，停在半空，落也不是，收也不是。

白衣女嬌笑道：「拿走你古銅劍匣之人，乃當今綠林有名的魔頭之一，平常的珠玉古玩，均不屑瞧上一眼，連你這削金切玉，武林中人人珍愛的寶劍，也不肯要，單獨取走那劍匣定是珍貴無比的了。」

這一番話，有如鐵錘敲心，句句都擊在徐元平的心上。離開少林寺，不過一日夜的工夫，卻丟了古銅劍匣，如不把劍匣追回，何以對慧空大師英靈。他乃至情至性之人，想到爲難愧疚之處，頓覺滿腔熱血沸騰，星目中滿蘊淚光，濡濡欲滴。

白衣女看他聽得自己話後，突然神色大變，望天出神，舉掌不落不收，呆呆地站著不動，心頭大感奇怪，柔聲問道：「你幹嘛那樣傷痛，一個古銅劍匣又有什麼大不了的，莫非這短劍，是你愛侶相贈的定盟之物不成？」

徐元平悚然一驚，由傷痛悔恨中清醒過來，怒道：「你胡說八道些什麼？這短劍乃一位老前輩賜贈於我，而且賜劍之時再三告誡於我，要善自珍藏，如今丟了劍匣，縱然我不惜一死謝罪，也無顏見他老人家於九泉之下。」

白衣女低頭沉思，說道：「你如信得過我，就把我兩肘間穴道解開，我幫你去尋劍匣。」

徐元平聽得怔了一怔，暗自忖道：這醜怪女子看去武功雖然不弱，但我還不致怕她，只是她那些彈指迷魂粉卻是厲害無比，如果解開她兩肘穴道，她要故技重施，那可是防不勝防。

白衣女看他沉思良久不答，知他心中憚忌自己，當下冷笑道：「你猶豫什麼？剛才我若趁傷痛失神之際，猝然施襲，你自問能夠躲得過嗎？」她微微一頓後，歎道：「我無緣無故的施展迷魂粉，盜取你身懷寶劍，自難怪你懷疑，不過，我也是受了騙，那引你來此之人，才是真正謀奪你寶物之人，想不到那老魔頭陰險無比，事先就想好了對付我們姐妹的計劃……」

徐元平驚道：「什麼？你還有姐姐？她現在何處？」說完，轉頭四面張望。

白衣女接道：「她已遭人暗中點了穴道，至於移放何處，我也不知道，等你解了我兩肘穴道之後，我們還得去找她。」

徐元平道：「哼！我幾時答應過解你的穴道？」

白衣女道：「不解就不解，那你就別想追回古銅劍匣。」說罷，緩步而去。

徐元平忽的縱身一躍，探臂抓住那白衣女衣領，提了起來，掄轉一周，借勢肘撞掌拍，拍活了她肘間被點雙穴，振臂一摔，把一個玲瓏的嬌軀，投出去一丈多遠。

他怕拍活那白衣女穴道之後，又著了她的道兒，是以一解開她穴道，立時把她投擲出手。

只見白衣女半空中柳腰一挺，一連翻了兩個觔斗，頭上腳下輕飄飄地著落實地，格格一笑，道：「我知道你一定會給我解開穴道的，果然我沒有想錯。」說著話，緩步走來。

徐元平不禁地向後退幾步，橫掌當胸，喝道：「站住！再往前逼進，在下可要開罪了。」

哪知白衣女對他那大聲厲喝，卻渾如不聞一般，仍然蓮步款款地直走過來，一面舉起右

手，往臉上一抹，那張醜怪無比的赤紅臉，登時換上了一張秀目柳眉、瑤鼻櫻唇的姣好人面。

只見她揚了揚手中人皮面具，展顏一笑，接道：「你怕什麼？我又不是真鬼。」

她雖已除去了臉上面具，徐元平仍存戒心，右手一揮戮情劍，夜色中立時閃起一道銀虹，森森劍氣，直逼數尺。

白衣女似未防到徐元平有此一著，驚駭地疾躍而退，笑容一收，怒道：「你要幹什麼？」

徐元平冷笑一聲，道：「哼！你還想重施故技嗎？可是在下決不會再上當了。」

白衣女先是一怔，繼而微微一笑，道：「你可是怕我施展彈指迷魂粉，再把你迷暈過去，是嗎？」

徐元平道：「旁門邪術，算不得武學正宗，有什麼值得誇耀之處！」

白衣女道：「看你年齡不大，口氣倒是不小，哼！當今武林之世，有誰不知我們雲夢山鬼王谷，迷魂藥物天下獨步……」

徐元平冷冷接道：「借重藥物迷人神智，縱然得勝，何足爲奇，鬼蜮伎倆，豈足言武，說來竟然還沾沾自喜，看你那份模樣，真是不知人間還有羞愧二字。」

白衣女被他罵得眨眨大眼睛，呆在當地，半晌工夫才歎息一聲，說道：「我活了這麼大了，就沒有聽人這般尖刻的責罵過我。」徐元平聽她說得天真幼稚，忍不住嗤的笑出聲來。

白衣女嗔道：「你笑什麼？我說的都是真話，難道又錯了不成？」

徐元平道：「看來你倒還是個心地純潔之人，尚有藥可救。」

白衣女笑道：「那也未必，我發起狠來，殺人連眼也不眨，我姐姐更是強我幾倍，不少綠

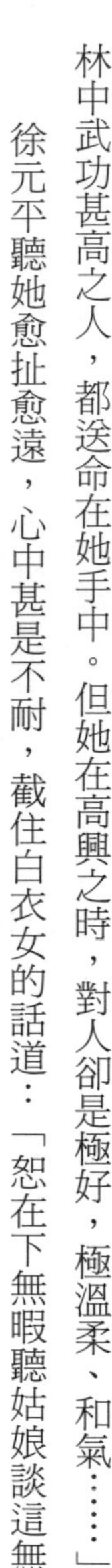

林中武功甚高之人，都送命在她手中。但她在高興之時，對人卻是極好，極溫柔、和氣……」

徐元平聽她愈扯愈遠，心中甚是不耐，截住白衣女的話道：「恕在下無暇聽姑娘談這無謂之事，但請相告搶我劍匣之人去處，在下追尋失物要緊。」

白衣女道：「那人居無定址，行蹤飄忽，世界這等廣闊，你一個人到哪裡去找，還不如先把我姐姐救了，讓她幫著找你劍匣，她不但見聞廣博，而且智計百出，定然有辦法可想。」

徐元平忖道：你姐姐有什麼了不得，哼！要是真有本領，也不會被人點了穴道啦……，心裡在想，口裡卻答道：「你姐姐現在何處？咱們又如何找她？」

白衣女低頭想了一陣，突然啊呀一聲驚叫，轉身就跑。

徐元平微一怔神，白衣女已到兩丈開外，徐元平只當她借機逃走，急忙提聚真氣，正待施展「八步趕蟾」輕功追襲，忽見那白衣女停了腳步，回過頭招著手道：「快些來吧！再晚了我姐姐就沒有命啦！」

兩人輕功均屬上乘，一施展開，疾如閃電流星，片刻之間已跑了三、四里，到了一處長滿了枯草的荒涼所在。

白衣女收住腳步，略一打量，直向一處堆積的枯草處撲去，兩手齊揮，那堆積的枯草紛紛亂飛，眨眼之間已被她撥開了堆積的枯草，抱出一個全身黑衣，長髮散披，面如金紙，難看至極的女子出來。

她剛躍出那堆積的枯草，忽見火光一閃，一堆枯草已熊熊燃燒起來。

徐元平倒抽了一口涼氣，這人真是陰毒，這片林草方圓足有二里大小，燃燒起來，勢必把這黑衣女子燒個屍骨無存不可。心念轉動之間，人已疾躍而上，想把火勢撲滅，但因那堆積的枯草，都是極爲乾燥，火苗一起，瞬息大作，哪裡讓他搶救得及。

只聽那白衣少女不住大聲喝道：「快退出來，那老魔頭陰險得很，別再上了他的當……」她話還未完，忽然見一道火光，在枯草之間閃穿而過，霎時間四面火起，三、四丈方圓內盡成火海，濃煙侵空，薰得人雙目難睜。

徐元平一面提聚真氣，一面閉住呼吸，雙臂一振，施展「一鶴沖天」身法，由四面火勢圍困中，凌空而起，半空一個大轉身，變成「八步登空」，腳不沾實地，橫飛出二、三丈遠，脫出火海圍困，饒是他身具上乘輕功，應變迅快，衣服亦被燃著數處。

這時，那白衣少女已把懷中的黑衣女子放置在地上，奔來相救，見他自脫圍困而出，臉上忽現笑容，急搶兩步，伸出一雙纖纖玉手，拍滅他身上幾處仍在延燃的火苗。

徐元平見她這般相待，甚覺不好意思，正待說兩句感謝之言，忽見白衣女微微一顰翠眉，雙手在衣服上輕擦了兩下，笑道：「你的輕功真好，要是我定然出不來啦，就是不被燒死，亦必被燒成重傷。」聲音清脆悅耳，神態無限溫柔。

徐元平初次被人恭維，心中大感受用，厭惡之心登時減去大半，訕訕一笑，道：「在下這點武功，有限得很，算不了什麼，姑娘只怕被燒著手了？」

白衣女嫣然一笑，道：「燒是燒著啦，可是一點也不疼。」急步奔到那黑衣女身邊，抱她過來，接道：「火勢已成燎原，難以救得，咱們先找一處地方，解開我姐姐穴道，再一起去找

金老怪，追回你的劍匣。」

徐元平轉臉望了那黑衣女子一眼，急急地別過頭去，問道：「你姐姐可也是戴的面具嗎？」

白衣少女笑道：「我姐姐比我好看多了，不相信，你再轉過頭來看看。」

徐元平依言轉頭望去，果然她懷抱中玉人面目已變，輪廓秀麗如畫，雖在暈迷之中，仍可看出是一位絕美之人，不禁微微一笑，道：「你們姐妹兩人，個個玉容如花，爲什麼偏要戴那等醜怪的面具，扮鬼嚇人？」

白衣女道：「我們鬼王谷的門人，都有一套人皮面具，我和姐姐從小就喜扮鬼遊戲……」話至此處，忽然住口不言，側臉望了徐元平一眼，臉上浮現出無限歉疚之色，接道：「咱們不要再談這件事情好嗎？因爲我們鬼王谷中隱秘，是不能隨便告訴別人的，一旦被查出之時，我就要受極殘酷的門規制裁。」

徐元平啊了一聲，未再追問，默然相隨那白衣女身後。

白衣女走了一陣，突然停住腳步，回過頭道：「你心裡不高興了？」

徐元平淡淡一笑，道：「沒有。」

白衣女忽然幽幽說道：「當今江湖之上，很少人不知道我們雲夢山鬼王谷的大名，可是真正去過我鬼王谷的人，卻是少之又少，除非得到谷主的允許，由我們派人迎接，否則縱然是進了谷中之人，也不會知道自己已進了鬼王谷……」

徐元平不待白衣女話完，就搖著頭笑道：「我不信，天下會有這等情事。」

白衣女似想再說什麼，但她在啓開櫻唇之後突然又變了主意，長長吁一口氣，不再接言。

夜風吹飄著那黑衣少女長髮，也助長了那燎原火勢，熊熊烈焰，照紅了半邊天色。

白衣女奔行到那宏偉的莊院前停住了腳步，笑道：「咱們進這莊院之內，替我姐姐解開穴道再走。」

徐元平望著那聳立碉樓，沉吟一陣，道：「這等深更半夜，私入人家宅院，有些不大好吧？」

白衣女格格一笑，道：「看你那文縐縐的樣子，就不像是跑江湖的人，這莊院之內，早就沒有人住啦，你不信咱們進去瞧瞧。」

徐元平又望了望四周的景物，暗道：「這等荒涼所在，也許真的沒有人在……」，他心念還未轉完，白衣女已縱身躍過圍牆。

夜色中但見層層屋脊重疊，這莊院規模竟是不小。

白衣女有如回到自己家中一般，抱著人直向後面闖去。徐元平跟在身後，看她走得毫不猶豫，似是十分熟悉，不禁心生疑竇。

這等鬼氣森森的大莊院，一片漆黑，她走來如此順暢，顯然是早已熟悉，莫要再中了她什麼詭計。當下暗中運氣，留心戒備。

她一口氣穿過兩重院落，來到一處滿置盆花的小跨院中，回頭笑道：「不知是什麼人，在這荒涼破落大莊院中，佈置了這處精雅的所在。」說話之間，人已登上三層石級，推開了兩扇

房門。

徐元平走到門口，忽覺一陣脂粉幽香，迎面襲來，不禁心頭一凜，退了兩步，暗道：房中脂香粉氣襲人，分明是女子閨房，我豈能隨便闖入。

忽見火影一閃，房中燭光大亮，白衣女回頭叫道：「你怎麼不進來呢？」

徐元平道：「女子閨房，在下不便擅入。」

只聽那白衣女格格一陣嬌笑道：「除了我和姐姐之外，房中並無別人，但請進來無妨。」

徐元平忖道：眼下二女，都是闖蕩江湖之人，倒不必對她們謹守俗凡禮法。當即舉步進室。

只見檀桌錦墩，綾壁玉玩，藍緞遮頂，白毯鋪地，佈置得雅貴無比。那白衣女把黑衣女子放置在木榻上面，盤膝而坐，施展推宮過穴的手法，推拿她被點的穴道。

金老二點穴的手法似是很重，那黑衣女穴道被解之後，精神仍甚萎靡，先睜開一雙眼睛望了望，才緩緩地坐起身子。她由死亡邊緣被救回來，既無驚異之感，又無歡愉之情，冷漠得像一塊堅鐵寒冰雕刻而成。

忽聽那白衣少女說道：「姐姐，咱們都上了金老怪的當啦，要不是他救了我，我們都將被那金老怪置於死地。」

黑衣少女冷漠的一笑，目光緩緩地移注到徐元平臉上，問道：「你是什麼人，幹嘛要救我們？」

徐元平聽得一怔，道：「在下並沒有救人之想，只不過想追回我古銅劍匣罷了。」

黑衣女望了他手中寒輝奪目的戮情劍一眼，說道：「你的劍匣哪裡去了？」

白衣女搶先說道：「他那劍匣被金老怪拿跑了，咱們去幫他把劍匣追回來。」

黑衣少女道：「哼！我們為什麼要幫他追回劍匣，念他相救一場，讓他帶著寶劍去吧。」

徐元平聽得胸中熱血一衝，正待發作，白衣女已搶先說道：「我已經答應了他。」

黑衣少女舒展一下雙臂，舉右手理理散垂的長髮，走下木榻，直對徐元平慢步走去。徐元平心頭一震，右掌潛運功力，暗自戒備。

就在瞬息之間，那黑衣少女已到他身前，冷冷地說道：「你知道拿走你劍匣的金老二是什麼人？我看你趁早別想取回劍匣了。」

徐元平因運氣閉住呼吸，不能開口說話，只好搖搖頭冷哼一聲，以示反對。

黑衣少女看他欲言又止的神態，忍不住微微一笑，又道：「你幹嘛不說話呀？那金老二乃當今綠林之中聲威卓著之人，武林道上，個個敬畏，你想找他追回劍匣，豈不是自尋死路？」

徐元平已嘗試過那迷魂粉的厲害，哪裡還敢出聲答話，但聽她言詞之間，又不似心存惡意，正感為難之時，忽見那白衣女躍下木榻，接口笑道：「姐姐，他的武功很好，只怕要在咱們姐妹之上，縱然他一人打不過那金老怪，但由咱們相助，那是一定可勝。」

黑衣女臉上流露出不信之色，道：「金老二的武功何等高強，咱們姐妹都勝不了他，加上他又有什麼用？」言下之意，十分輕藐徐元平的武功。

白衣女道：「他武功不會弱於咱們姐妹，不信你就試試。」

黑衣女冷笑一聲，道：「我不信，當真有這等事？」突然一側嬌軀，雙掌連環拍出，分襲

徐元平兩處穴道，猝然出手，迅快絕倫。

徐元平雖早已凝神戒備，但看她出手之快，認穴之準，心中亦覺駭異，此女武功，果比妹妹高出不少，如不施出絕技，把她制住，只怕得很長時間的拚搏。右手仍然握著戮情劍，氣沉雙足，身子忽向左側斜臥下去，左手施展慧空大師傳授十二擒龍手中一記「縛龍北海」，在身子斜臥的同時，由後背疾伸而出，一把扣拿黑衣少女右腕脈門。

徐元平心中惦念著追回劍匣之事，不願和二女鬧出不愉快的局面，掌心微一用力，發出二成暗勁，把那黑衣少女震退三步，人卻一躍而起，雙足寸步未移，仍然站立原處。

黑衣少女呆了一呆，歎道：「我妹妹說得不錯，你的武功當真是比我們強些，合咱們三人之力，也許勉強可以對付金老怪了。」

只聽那白衣女嬌笑一聲，偎入那黑衣女子懷中，問道：「這麼說，姐姐是答應了？」

黑衣女微微一笑，點頭說道：「人家既然救了咱們姐妹性命，咱們幫他追回劍匣，那也是應該之事，剛才我擔心他武功太差，就是找到了金老怪，咱們三人也打他不過……」

白衣女格格一笑，接道：「現在你知道他的武功比咱們強多了吧？」

黑衣女突然笑容一斂，冷冷地說道：「那也未必，如要他一個人對付金老怪，仍然是打不過人家。」

白衣女似是很怕姐姐，不敢再接口相駁。

徐元平目睹那黑衣少女忽喜忽怒的神情，心中暗自忖道：這兩個嬌艷少女，忽冷忽熱，喜怒難測，自己要留心一些，別再著了她們道兒，劍匣不能追回，連劍也被她們竊取而去，那可

是大不上算之事。

只見那黑衣少女凝神仰首，思索了一陣，忽然跳起來，說道：「快走，再要晚了，只怕金老怪已攜劍匣遠逸，那時再想追蹤找他，可是大不容易之事。」

她這沒頭沒腦的幾句話，只聽得徐元平和那白衣少女大感莫名其妙，白衣少女怔了一怔，問道：「姐姐，咱們要到哪裡去找金老怪呢？」

黑衣少女冷笑一聲，呼的一口氣，把房中燭光吹熄。

徐元平心頭一驚，怕二女在燭光忽暗、目難視物之時突然施襲，不自覺地向後疾退兩步。

只聽那黑衣女子冷冷地說道：「你怕什麼？哼！我要施展彈指迷魂粉，不熄燭光，還不是一樣把你迷倒。」

徐元平被人一語道破心事，甚感不好意思，一時之間想不出適當措詞回答，只好訕訕一笑，一語不發地站在一側。

夜暗之中，不知黑衣女是否看到了徐元平的尷尬模樣，只聽她繼續說道：「金老怪從不做沒把握的事，他不肯親手把咱們姐妹兩個殺死，以絕後患，無非是怕爹爹日後查出此事，找他算帳。他一身武功雖然高強絕倫，但對咱們鬼王谷還忌憚幾分，所以才不肯親自動手，想用移仇嫁禍的辦法，擺脫自身干係。他第一次點我穴道的手法並不很重，我雖不能掙動，但神志並未昏迷過去，看他點燃的火香，足有半尺長短，能燃燒一個時辰左右，當然，我心中還笑他過於小覷於我，以他點我穴道的輕微手法，我在半個時辰之內就可自行運氣解開，所以雖處極險之境，我心中並不害怕，哪知金老怪老謀深算，陰險無比，佈置好了枯草火種之後，又點了我

兩處暈穴。」

徐元平輕輕歎息一聲，忖道：江湖之上真個是險惡重重，一步失錯，就招致殺身之禍。

但聽那黑衣女冷冷地笑道：「有什麼好歎氣的，我所經歷的凶險之事，較此更有過之，哼！這也值得大驚小怪。」

徐元平聽得一怔，暗道：此女性情如是冷怪，實難相處……，心中大生厭惡之感，但因正需人幫助謀奪那古銅劍匣之時，只得忍受著熱諷冷刺，一語不發。

黑衣女略一停頓之後，接道：「智者千慮，必有一失，我料那火起之後，金老怪必將暗中返回查看，你們兩個仍去躺在原處，裝做還未清醒過來，我隱身在你們附近暗影之中，等他伏身下手之時，妹妹可用彈指迷魂粉出其不意地把他迷倒，既可收回劍匣，又可省去一場激烈拚鬥，萬一此計不成，我再躍出助戰，合咱三人之力，雖未必定能勝他，但總自保得住，只是這一來，那奪回劍匣的希望，只怕不大了。」

說完之後，也不問徐元平和那白衣少女是否同意，立時催著兩人快去。徐元平雖感此舉有欠光明，但想到那古銅劍匣的重要，心中急於早些收回，當下隨在那白衣少女身後出了室門。

四 戮情之謎

天色已三更過後，這荒涼的郊野，又恢復了它原有的恐怖，林木蕭蕭聲中，不時傳來了夜梟長鳴。徐元平微微抬頭望去，只見正東方燎原野火，愈發猛烈，飛焰騰空，火舌亂竄，聲勢十分驚人。正自看得入神，忽覺一粒沙石，輕輕擊在手上，轉臉望去，只見正南方一條人影，閃電流星般，疾奔而來，趕快屏息凝神，微張雙目，暗中監視來人。

來人身法似迅快至極，倏忽之間，已到了兩人倒臥之處。

他低頭望了望徐元平和那白衣少女，冷笑了兩聲，抬起頭來，望著烈焰彌空的火勢。

徐元平暗中打量著來人，只見他空著雙手，穿一件青色長衫，顎下留著半尺長短的花白鬍子，身軀修偉，微現駝背，他仔細地看了他全身的每一地方，但卻始終未發現他的古銅劍匣。

他茫然瞥了那白衣少女一眼，想從她神情之中，測度來人是不是取走自己劍匣的金老二。

哪知白衣少女亦似茫無所知，醜怪的臉上眼珠流動，不時偷覷那微現駝背的老人，顯然，她亦不認識來人。

那隱身暗處的少女，亦不見有絲毫動靜。

這情景使徐元平大感迷惑，既然確定了對方並非取走自己劍匣的金老二，勢不能這樣長時地躺在地上，裝出昏迷的樣子，但又不便陡然間挺身躍起。

正感爲難之際，突見那修偉駝背老人仰面一聲清嘯，嘯如龍吟，直沖雲霄，劃破了夜空向四外傳播開去。

徐元平只覺心頭一震，暗道：「此人內功這等精深，武功定是不弱……」

心念初動，遙聞四下長嘯應和，連續傳入耳際，此起彼落，人數似是不少。

徐元平暗中睜眼望去，只見四個黑衣勁裝的中年大漢，由四面八方擁到，在相距駝背老人丈餘左右之處站好，八道眼神微一掃掠橫臥在地上兩人，立時垂手靜立，形態之間，似對那駝背老人甚是恭敬。

忽見駝背老人右腳一伸一挑，徐元平放在身側的「戮情劍」，突然離地飛起。

徐元平心頭一急，顧不得裝昏之事，忽的挺腰而起，右手迅疾向劍把抓去。

兩個人的動作，都快得異乎尋常，徐元平右手指尖觸及劍柄時，那駝背老人的手指亦到，他由搶握劍把，忽的變成施襲之勢，食中二指一駢，逕向徐元平搶劍右腕脈門穴點去。

這一招不但迅快絕倫，而且應變突然，徐元平武功再高，也不能不先護脈門要穴，只得一翻右掌，橫向駝背老人手腕上切去。

兩人這一變招相搏，誰也沒抓到劍柄，寒光奪目的戮情劍，又向地上掉去。

這駝背老人的武功，的確是有驚人之處，右腕疾縮，讓開了徐元平一掌橫切，驀地欺身而上，指戳肘撞，兩招並出，右腳也同時飛起，疾向戮情劍把上面踢去。

徐元平側身讓開了駝背老人一肘橫擊，不退反進，也往前欺了一步，右手「金剪斷梅」，

食中二指疾出，合擊駝背老人點來一指，右腿一抬，腳尖突向駝背老人踢劍的右腳「沖陽穴」上點去。駝背老人似是想不到對方一個年輕的娃兒，竟然身具這等上乘武功，驚駭得向後疾退了兩步。

徐元平怕那駝背老人把寶刃踢飛出去，好讓同伴撿取，是以那攻出一腿，用力極猛，駝背老人突然收腿疾退，徐元平一腳點空，他究竟是欠缺搏鬥經驗之人，力道收發之間，難以控制得恰到好處，不自禁身軀向前一傾。待他右腿著地，回身取劍之時，突覺寒光耀目，兩柄長劍一上一下攻到。

原來那站在周圍的四個黑衣大漢，有兩人已拔出背上長劍攻到。

徐元平對失去劍匣一事，已痛心疾首，豈肯讓這戮情劍再被別人搶去，當下大喝一聲，側身避開兩劍，揮掄左手，呼的一掌，向右面一個黑衣大漢劈去，右手施展十二擒龍手中一招「鎖龍東嶽」，硬搶左側大漢手中長劍。

他在情急之下劈出掌力極強，勁風似輪，直撞過去，把右面黑衣大漢逼得直向後跌退，右手卻奇快絕倫，搭上左側大漢右腕，一轉一震，已把長劍奪到手中。

徐元平初試絕技，得心應手，不禁精神大振，揮劍一封，架開了另兩柄急襲而來的長劍。

原來另外兩個大漢目睹徐元平一出手，就把一名同伴擊退，奪了另一人手中兵刃，驚震之下，雙劍一齊出鞘，振腕刺去。

徐元平封架開兩人長劍，左腳踏進半步，左掌潛運真刀，劈出一把掌風，右臂一探，長劍疾出，挑起了地上的戮情劍。

哪知這長劍一和寶刀相觸，卻如朽木遇上利斧，斷了一截。

四個黑衣大漢武功均非弱手，領教了徐元平厲害之後，出手更是不敢大意，三劍各站一個方向，彼此呼應，徐元平揮舞半截斷劍，力敵三人聯攻，又要保護地上的劉情劍，一時之間只有招架的局面。

激鬥之間，忽聽一聲厲喝：「住手！」三個大漢一齊收劍而退，徐元平正待伏身取劍，驀聞啊的一聲嬌呼。

轉頭望去，只見那駝背老人左手扣住那白衣女右腕脈門，右手卻放在她背後「命門穴」上，冷冷地說道：「你如敢探臂取劍，我就一掌震碎她五臟六腑。」

徐元平心頭一凜，暗道：這白衣少女雖非正人，卻對我總算不錯，我豈能害她一命。當下挺胸一站，怒道：「哼！一把年紀之人，欺侮一個女流之輩，算什麼英雄人物。」

駝背老人哈哈一笑，道：「老夫如要傷害於她，易如折枝反掌，只不過借她要閣下答應老夫一件事情而已。」

徐元平聽得呆了一呆，道：「你要以她生死之事，威脅我獻上寶刀，哼哼！……」

駝背老人突然怒道：「老夫是何等之人，豈肯爲這等不屑之事？」

徐元平道：「那你要什麼？請明言相告，在下力所能及，決不推辭就是。」

駝背老人面色轉趨緩和，微微一笑，道：「老夫已數十年未逢過敵手，今日目睹閣下武功，心中大感佩服，想和閣下一較身手，不知是否見允？」

徐元平環顧四個大漢一眼，還未開口，駝背老人又搶先說道：「閣下但請放心，這場比

試，只以我們兩人爲限，單打獨鬥，彼此不准有人相助，如果閣下勝得，老夫回頭就走，如果老夫僥倖得勝，那就請閣下留下這柄短劍。」

只聽那白衣少女叫道：「不要上他的當，快些拾起短劍。」

駝背老人一揚雙眉，怒道：「此乃各憑武功，以分輸贏，有什麼上當之處？」

白衣女道：「那寶劍原是我們之物，你贏了可以拿走，你輸了也不要賠償什麼，世界上哪有這等便宜事情。」

駝背老人突然哈哈大笑道：「這等千古難遇寶刃，哪有一定的物主，如是武功不足以佩此劍之人，帶此寶刃，足以致殺身之禍……老夫不願強取豪奪，無非是看閣下適才出手幾招不凡，年紀輕輕便有此身手，實在難能可貴，因而動了惜愛之心，才提出各以武功決定此刃誰屬，舉世滔滔，像老夫這點武功之人，經常可見，如果你連我也打不過，攜帶此劍，無疑是招致死亡的標誌，即使老夫勝得閣下，也不能擅用此物，我要把它贈送於我們那位武功舉世無二的主人，使此神物利器得遇良主，也好爲武林之中放一耀目異彩。」

他說到主人二字之時，突轉莊嚴，神態言詞之間，大是恭敬。

徐元平當下答道：「此劍是晚輩一位大恩人贈予我的，我如不能保得此劍，還有何顏見天下英雄，老前輩提議甚好，在下如不能勝得，也好讓我早死去洗雪沉冤之心……」他在情急之下，不覺失言。

駝背老人微微一笑，道：「此劍這等鋒利，自是大有來歷之物，懷劍之人，亦當有一番離奇動人的遇合，老夫以數十年江湖閱歷推斷，此言大概不會離譜……」話至此處，突然目光凝聚在短劍之上，神情隨著一變，厲聲喝道：「這短劍可是『戮情劍』嗎？劍匣哪裡去了？」目光炯炯，轉投在徐元平身上，上下打轉，似欲找出劍匣所在。

徐元平心頭一凜，暗道：此劍有關慧空大師一生清譽，豈能隨便洩漏。當下大喝道：「老前輩既有以武功奪劍之心，怎的還不出手？」縱身一躍，左手呼的一掌劈去，右腳順勢一勾劍把，挑起寶刃，右手迅快地操在手中。

駝背老人身軀倒轉，讓過擊來一掌，手上突一加勁，驟聞一聲嬌呼。

徐元平怒道：「既然相約比武決定寶劍誰屬，何以又暗下辣手，加諸一個女流之輩，哼！你如妄圖以人作質，逼我交劍，可莫怪在下出手狠毒了。」

駝背老人冷笑一聲，道：「你既答應以武功決定寶劍誰屬，何以又先把寶劍搶到手中？」

徐元平道：「你們人手眾多，我如不先把寶劍拿到手中，在下勢難兼顧比武護劍兩面，不過，你儘管放心，只要你真能勝我，在下決不推賴。」

駝背老人冷笑一聲，道：「老夫也不怕你撒賴。」鬆手放了白衣少女玉腕，忽的踏步搶攻，左掌「推波助瀾」，右手「橫斷雲山」，一攻之中，兩掌齊出，直劈橫打，用出兩種大不相同的力道。

徐元平看對方出手一擊的威勢甚強，絲毫不敢大意，左掌一引對方直劈掌勢，身軀斜跌五尺，讓開橫裡一擊，雙腿連環踢出。只聽駝背老人冷哼一聲，振臂搶攻過去，雙掌連番劈出，著著逼攻。

徐元平氣運左臂，右手握劍不動，單用一隻左掌拒敵。使出十八招羅漢掌法，和駝背老人搶攻。

這套以剛猛見稱的武林絕學，威勢極大，但如功力不到火候之人，最忌施展這套掌法，因爲這種至剛極猛的掌法，威力雖然驚人，但卻最耗內力，每一掌拍擊出手，都帶著劃空的嘯風之聲，力能碎石開碑。

徐元平見那駝背老人出掌威猛，靈機一動，想起了慧空傳授自己武功口訣之中，有這套剛猛的掌法，糊糊塗塗就施了出來。

這駝背老人本以陽剛之力見長，掌勢雄渾而馳名江湖，想不到今宵遇上了徐元平，竟以其人之長，還治其人，硬以剛猛的掌勢和他力拚，這在徐元平本是無意，而那駝背老人卻誤會他是有心，陡的一提真氣，全力出手，雙掌威勢陡然加強，掌掌如巨斧開山一般。

徐元平見對方越打越是英勇，掌力也愈來愈是強猛，不禁心頭大駭，暗道：此老究竟有多大氣力，怎的精神愈鬥愈長。當下一提真氣，掌勢也加強了幾成。

兩人又鬥了一陣，駝背老人偷眼向徐元平瞧去，只看他氣定神閒，毫無睏倦容色，心下暗自忖道：這娃兒只不過十八、九歲的年紀，就算他一出娘胎就開始習練內功，也難有這等深厚綿長的內力，和我硬拚這麼長時間，難道他也和我那主人一般的天生奇才得到天助不成……

他心有所思，精神一分，忽覺一股勁力逼著他的掌勢，直劈過來，心頭一震，急忙向旁側一躍。

就在這一讓之勢，已被徐元平搶得先機，欺身追擊，連續劈出三掌。雙方皆以極強猛的掌力相搏，絲毫不能予人以可乘之機，一著失神，立落下風，駝背老人這一失機，幾乎敗在了徐

元平的掌下，幸虧他對敵經驗豐富，臨危不亂，當下雙掌平胸推出一招「移山塡海」，全身勁力，盡凝兩掌，徐元平只有一隻左手對敵，一招硬拚之下，當場被震退三步。駝背老人借此一緩之機，才把劣勢扳回。

兩人重又相鬥，心情卻大不相同，徐元平雄心勃勃，精神大振，對自己身負武功，又增強幾分信心，一面揮掌對敵，一面用心思索制勝之道。駝背老人卻是越打心中越感驚恐，既驚駭於對方武功，又佩服他小小年紀有這等曠絕的成就。

忽聽一個蒼老的聲音起自身側，道：「歐駝子，快些住手……」聲音剛起，忽覺一股綿柔之力，直向兩人之間撞來，把兩人的勁猛掌力盡皆消去。

駝背老人借勢收掌，向後躍退，徐元平也收掌不攻。

轉頭望去，只見一個身著黑綢長衫，枯瘦如柴，滿頭白髮，長鬚垂胸的短小老人，靜靜地站在兩人數尺之處，不知何時，他已欺近兩人身側。

駝背老人一瞪雙目怒道：「胡矮子，你搗什麼蛋，不服氣你來試試。」

那黑衣矮人冷笑一聲，道：「難道胡老兒還怕你不成，不過眼下沒有工夫和你動手，主人有令，限你在明日午時，趕到洛陽萬盛客棧聽候差道，過時依法治罪。」

駝背老人道：「哼！矮鬼膽子不小，竟敢假傳聖旨，只可惜騙不過老夫一雙神目。」

黑衣矮人冷笑一聲，探手入懷摸出一面繡著白鳳的三角小旗一揮，駝背老人和四個黑衣大漢立時躬身垂首，向那白鳳令旗致敬，黑衣矮人冷諷熱刺地說道：「歐駝子，你見了主人的白鳳令旗，還不跪下聽候令諭，大模大樣的擺給老夫看嗎？」

說著話，突然把令旗高高舉起。駝背老人一見令旗高舉，竟然依言跪拜下去。黑衣矮人微微一笑，道：「歐駝子，咱們洛陽見啦！」忽的收了令旗，轉身飛奔而去。

駝背老人站起身，高聲罵道：「胡矮子，這筆帳咱們總有清算之日。」左手一揮，當先疾奔而去。

四個黑衣勁裝大漢緊隨那駝背老人身後急追，幾人身法均快，去如驚霆迅雷，轉瞬間身影已杳。

徐元平望著那駝背老人的背影，心底泛起一陣莫名的感慨，他覺出那駝背老人的武功，似乎不輸於慧果大師，其掌勁剛猛之處，似還過之，少林寺慧字輩的高僧，已是老成凋謝，所餘無幾，碩果僅存的只不過三數人而已，其成就之高，威望之重，被武林中尊奉為泰山北斗，而這從未聽聞過的駝背老人，武功竟似和少林寺慧字輩高僧的武功相去在伯仲之間，難道這駝背老人是一位極具威望的武林名宿不成……

他又想到那身材矮小的黑衣老叟，他雖未正式和那黑衣老叟動手相搏，但已肯定那分開他和駝背老人相搏的破空力道，是他發出無疑，而且，他已感覺那一股潛力是一種極為陰柔之力，彈震之勁極強，但來得卻無聲無息，和那駝背老人掌勁帶起破空嘯風的剛猛之勢，大不相同，想來那黑衣老叟的武功，縱然不比駝背老人高些，但也不會相差太遠，以這兩人功力之高，竟然自甘卑賤，為人僕役。果真如此，那黑衣老者口中的主人，不知是個什麼樣人物了。

他想到駝背老人對那面繡著白鳳的小旗畢恭畢敬的神情，此事似無置疑之處，一個好奇的

念頭，閃電般在他腦際掠過，暗道：「我何不趕到洛陽去瞧瞧那人是什麼樣子？」

忽然間身側響起了一個嬌柔的聲音，道：「你在想什麼心事，這樣入神？」

徐元平回頭望了站在他身側的白衣少女一眼，微笑道：「我在想那駝背老人的事。」

白衣女道：「那駝背老人的武功很好，但他比起你來，還是差了一些。」

徐元平並沒有因白衣女的稱頌，而感覺歡愉，道：「令姐不知哪裡去了……」

他話還未完，一側暗影處響起了一個女子口音道：「我哪裡也沒有去，一直就守在此地看你們和人動手。」聲音雖甚好聽，但語音冷峭，聽來甚不受用。

徐元平仰臉望望天色，問道：「現下已四更過後，想來那金老二是不會來了。」

只聽腳步細碎，暗影裡緩緩走出來那黑衣少女，纖手一舉，揭下了臉上的人皮面具，道：「誰說他沒有來？」

徐元平聽得一呆，道：「來了？」

黑衣女道：「哼！來了很久啦……」

徐元平舉目向四外張望了一下，急道：「在什麼地方？」

黑衣女冷冷地接道：「早就跑啦！你還瞧什麼呢？」

徐元平心頭一急，道：「那劍匣對我至關重要，他既然來了，你爲什麼不告訴我？」

黑衣女緩緩舉起右手，閒情逸致地理理鬢邊散髮，冷漠一笑，道：「你正和人家打得難解難分，告訴了你，你也沒有辦法和他動手，有什麼用？」

徐元平氣得一跺腳，道：「唉！這麼說來，是沒法再找到他了？」

黑衣女道：「又不是我的劍匣，我幹嘛要急著找他。」

徐元平略一沉忖，道：「不錯，那劍匣乃我徐某之物，姑娘既不願多管閒事，在下自是不敢勉強。」說完，轉身緩步而去。

白衣女望了姐姐一眼，低聲問道：「姐姐，你真的不管了嗎？」

黑衣女不理妹妹的問話，冷笑一聲，故意提高了聲音，道：「遺失了長輩賜贈之物，要是找不回來，不知還有何顏在江湖之上走動，哼！我看你趁早回家去吧！別在外面現眼了！」

徐元平已走到了丈餘之外，聽得那黑衣少女之言，不由心中一動，停下了腳步。

只聽那黑衣少女繼續說道：「妹妹，咱們走吧，金老怪決不會走得太遠，他看你沒有死掉，心中定然怕你把諸般經過之情，說給爹爹知道，如果爹爹知道他暗算我們姐妹之事，決計是不會放過他的，不用咱們去找他，他自會來找咱們。可惜咱們姐妹打他不過，要是遇上了他，必死無疑，我看咱們別在這裡停留了，早些返回鬼王谷去，也免落得冤死的下場。」

她這幾句話明著雖是對白衣少女講，事實上無疑是講給徐元平聽，只是他乃生性高傲之人，雖聽出弦外之音，但卻不願再返身回去相求二女。可是那古銅劍匣對他又是那樣重要，取捨之間，大感爲難，一時進退不得，局面十分尷尬。

正感委決不下之際，忽聽黑衣少女冷冷地接道：「快些找地方隱伏起來，三叔父來找咱們啦！」說話之間，人已當先隱入暗影之中。

那白衣少女本已向左側奔了數步，回頭見徐元平仍然站在原處不動，翻身一躍，到了徐元平身側，右手一探，抓住了徐元平的左腕，急道：「快些躲起來，如果被三叔父看到我們和你

站在一起，那你別想活啦……」

直待兩人隱蔽好後，白衣少女才長長地吁一口氣，嗔道：「你這人怎麼搞的，難道你真的沒有聽人說起過我三叔父的大名嗎？」

徐元平道：「你三叔父是什麼人？我見都沒見過，怎麼會知道呢？」

忽覺一隻柔綿滑膩的手掌，迅快地握住了他的右手，耳際響起一個低婉顫抖的聲音，說道：「快些隱好身子，我三叔父就要到了。」

徐元平運足目力望去，正感懷疑當兒，突見一溜綠色火焰劃空而起，升高了十餘丈，突然隱沒，緊接著響起了一聲刺耳的怪嘯之聲，遙遙飄傳過來。

只見一個身著黑色道裝的中年人，背手靜站在夜色之中，瘦骨嶙峋，但卻極高，背上斜揹長劍，右手中握著一柄拂塵，身軀不動，目光卻不停四外打轉，他欲搜尋什麼。

突然見他一轉身，目光望著兩人停身的草叢之處，左手一揚，一道綠色火焰隨手而出，觸地有聲，成一團綠色光輝，平添了幾分森森鬼氣。

幸得那白衣女選擇兩人隱身的草叢極深，雖在一團綠陰磷火照射之下，仍可藏得住身子。

大約過了半盞熱茶工夫，那團綠陰磷火已燃燒淨盡，火焰一閃而熄，那道裝怪人，忽然捏唇長嘯，兩臂一抖，拔身兩丈多高，懸空斜飛，腳落地已到四丈開外，但聞嘯聲破空而去，轉瞬間身影俱杳。

徐元平一挺身坐了起來，長長噓一口氣，道：「那黑衣道人，可就是你的三叔父嗎？」

白衣女點點頭笑道：「不錯，他就是江湖黑白兩道上聞名喪膽的索魂羽士，傷亡在他手下的綠林中人，已不知有多少個了……」

徐元平歎道：「一個人惡名卓著，兩手血腥，人見人怕，固然不好，但比起那外貌和藹，欺世盜名，僞善行惡的人，也算高上一等了。」他心懷父母、恩師沉冤，不自禁地一舒愁懷，有感而發。

白衣女臉上恐懼之情早已一掃而空，道：「像你這般多愁善感之人，要是在江湖上闖蕩，愁也得把你愁死了，須知江湖之大，無奇不有，什麼樣的怪人怪事都有，以後你如碰上了千毒谷中的人，你就知道我說的一字不假了。」

徐元平道：「千毒谷？這名字好生難聽！」

忽聽草叢外面一個冷冷的聲音接道：「有什麼難聽的，我們鬼王谷的名字好聽嗎？哼！少見多怪。」

白衣女忽的由草叢一躍而起，道：「姐姐，三叔父這一走，可不會再來找咱們啦！」

黑衣少女冷笑一聲，答道：「那不一定，咱們和他一起出來，他要不把咱們帶回去，爹爹問起他來，他拿何言答對。」

徐元平由草叢中緩步走出，接道：「他既是你們叔長之輩，找到你們又有什麼關係……」

黑衣女冷冷地打斷了徐元平未完之言，接道：「我們鬼王谷中的一切隱秘，遍天下也沒有幾個人能夠知道，何況像你這樣毫無江湖閱歷之人，豈可隨口斷言。」

徐元平被對方幾句話，頂撞得呆在當地，俊臉通紅，半晌作聲不得。

黑衣女看他楞怔神態，忍不住嗤地一笑，道：「十八、九歲的人了，怎生這般面嫩？」

徐元平只覺對方言詞犀利，句句使人難以忍受，忽而言笑盈盈，忽而冷若冰霜，喜怒難測，不禁心生厭惡之感，但因需人相助追尋劍匣，只得勉強忍耐下胸中厭惡之氣。

白衣少女款步走到徐元平身側，低聲笑道：「我姐姐生性如此，你千萬不要放在心裡。」

徐元平淡然一笑，未答一言，心中卻暗道：你們鬼王谷中的人，行事說話，無不大背常情，我徐元平豈能和你們混在一起，只待一追回我古銅劍匣，立時就和你們分手……

忽然另一個念頭閃電般掠過腦際，當今武林中正派高人，大都和殺死父母的仇人交誼深厚，我要和他作對，勢非要和江湖上邪惡之人同流合污不可。想到此處，心中大感矛盾，不覺仰臉一聲長歎。

忽聽那黑衣少女冷笑一聲，說道：「有什麼好歎氣的，哼！沒有一點丈夫氣概。」

徐元平怒道：「你罵哪個？」忽的一躍，落在那黑衣少女身前。

黑衣女格格一笑道：「你要幹什麼？」

徐元平道：「你再要這般出言無狀，在下寧可不要那古銅劍匣，也要教訓你一頓。」

黑衣女冷冷地說道：「哼！我不信你真敢打我。」

徐元平道：「我有什麼不敢。」揚手一掌拍擊。

但聞呼的一聲，黑衣女嬌艷的粉臉上，登時一片紅腫，泛現出五個清晰的指痕，鮮血順著嘴角淌出。

黑衣女舉手輕撫著臉上傷痕，微微一笑道：「打得很好，要是你出手再重上一點，我的牙

齒也要被你打落了。」言來不徐不疾，毫無慍怒之色。

白衣女素知姐姐生性冷傲，一言不合，出手就要傷人，徐元平打她一個耳光，豈肯善罷干休，不禁愕然相顧，哪知事情大大出乎她意料之外，黑衣女不但毫無慍意，反而盈盈言笑，若無其事一般，心頭大感奇怪。

徐元平不想對方竟是不閃不架，硬生生挺受一掌，心中急生不安之感，歉然一笑，道：「在下一時急怒失手，姑娘傷得可重嗎？」

黑衣女笑道：「不輕不重，恰到好處，咱們走吧！」

白衣女道：「姐姐要到哪裡？」

黑衣女盈盈一笑，道：「幫他去找金老怪，要劍匣啊！」

白衣女對姐姐的突然轉變，心中十分害怕，姐姐一向手辣心狠，從不肯吃一次虧，怎生這次大背她平時為人，莫非她自知不是徐相公的敵手，故作歡顏相對，好趁他不備之時，暗施迷藥，把他迷倒，然後再出手報復，果真如此，徐相公和我們走在一起，那可是防不勝防，凶多吉少……

黑衣女目光一掃妹妹，笑道：「妹妹，你在想什麼？」

白衣女道：「我在想……咱們……」她一時之間想不出適當之話回答。

黑衣女忽然輕輕歎息一聲，道：「唉！你不說我也知道你心裡擔心什麼。」

白衣女臉一紅，黯然垂下頭去。

徐元平雖然是聰明絕頂之人，但因毫無江湖閱歷，故不知她們兩姊妹在鬧什麼鬼？但見白

衣女窘迫之態，立時開口接道：「兩位既願相助在下追尋劍匣，徐元平感激莫名，我這裡先領盛情了。」他經一陣沉思後，決定先和二女一起，待追回劍匣之後再說，遂對二女抱拳一禮。

黑衣女側身一讓，舉手掩口笑道：「你在哪裡學得這多規矩。」

白衣女卻慌忙還了一禮，閃到姐姐身後，格格直笑。

黑衣女回頭望著妹妹問道：「你告訴過他咱們姓名沒有？」

白衣女道：「沒有，姐姐對他說吧！」

黑衣女指著妹妹，對徐元平道：「她叫丁鳳，在家時，我們都喊她二丫頭。」

白衣女笑接道：「我姐姐名叫丁玲。」

徐元平微微一笑，道：「兩位人如其名，風華絕俗……」

白衣女笑接道：「看不出你還有頌讚人的本領，別說啦，咱們還得快些趕路。」說完一笑，扭轉嬌軀，拉著丁玲，聯袂向前奔去。

三人腳程均極迅快，趁天還未明，各展輕功趕路，待天色大亮時，到了一處城鎮所在。丁玲探手入懷摸出一副人皮面具，迅快地在臉上一套，一個花容月貌的少女，瞬息間變成了一個面容黝黑的中年少婦。面具製作精巧，套上臉天衣無縫，宛如生成一般。徐元平看得揚眉一笑，轉頭看丁鳳時，面目也已大變，嫩紅的臉色，被一個微帶蒼白的面具遮去，二女相視一笑，緩步向鎮中走去。

旭日初升，時光還早，市鎮中大部商店都尚未開門營業，二女似是很熟悉此鎮道路，穿過

幾條巷子，到一間客棧前面。店小二似是剛剛起身，睡眼惺忪地抹著桌子，二女一語不發直向後面闖去，店小二愕然地望了二女一眼，但並未攔阻。

徐元平默然跟在二女身後，穿過兩進院子，到一處幽靜的跨院中。

丁玲推開房門，取下面具，說道：「你昨夜和那駝背老頭打了半夜架，想來一定很累，暫請坐息一陣，調養一下精神，咱們吃些東西，再去找金老怪不遲。你只管安心休息一下，五日之內，我保證替你找到金老怪就是。」大改冷漠口吻。

徐元平有生以來，從未有一個女子對他如此關懷愛惜，慈母早喪，使他連媽媽的面貌亦毫無印象記憶，慘痛的遭遇，使他性格中有著極端的衝突，他天性善良，但卻潛伏了強烈的復仇怒火，他雖感覺到眼前兩個少女出身不正，但二女對他的關注情意，他又不能毅然擺脫，這也許和他幼小失去母愛有關，總之，他的悲慘身世，使他性格上有了善、惡兩種極端的衝突……

這時，丁鳳也除去了面具，盈盈一笑，道：「我姐姐心思縝密，料事從來沒錯，她說五日以內能找到金老怪，決錯不了，你只管安心休息一下吧！」說著話，輕移蓮步，替他倒送上一杯香茗。

徐元平在二女款款勸說下，難卻盛情，只得依言靜坐調息。

丁玲目光凝注在徐元平臉上，望了一陣，歎息一聲，說道：「妹妹，你好好守護他，此人武功雖高，卻毫無江湖閱歷，唉！我們如有害他之心，此刻只要隨手一擊，就可要他的命。」

說完輕輕退出房門，緩步而去。丁鳳素知姐姐機智絕倫，心狠手辣，看她目光盯注徐元平時一顆心怦怦亂跳，怕她報復一記耳光之恨，突然下手施襲，徐元平武功雖高，但正在行功調

息之時，自是難以閃避還擊，不自覺暗中凝神戒備。哪知丁玲囑咐她幾句話後，竟退出房去。

這大出丁鳳意外的變化，反而使丁鳳有著更大的驚異之感，她呆呆地望著姐姐的背影，芳心中疑慮不安，不知生性冷酷的姐姐，何以會陡然間性格大變……

徐元平自得慧空大師授予佛門禪坐導引之法後，還是第一次用來調息，真氣運行一周，半宵苦戰耗消的真力盡復，精神大感充沛。睜眼望去，只見了丁鳳雙手抱膝，坐在榻邊，翠眉輕顰，仰臉望著屋頂出神，眉宇間微現憂慮，似正在思解著一件極大的難題。

忽聽丁鳳自言自語道：「難道我這位素來冷若冰霜的姐姐，也會爲他動了真情不成……」

徐元平聽得心頭一凜，輕輕咳了一聲，丁鳳霍然一驚，星目流轉，望了徐元平一眼，笑道：「你這人壞死了，怎麼醒過來也不叫喊人家一聲。」

突然房門呀然，丁玲一閃而入，伸手除下面具，說道：「不知這洛陽附近發生了什麼震盪江湖的重大之事，很多極有聲望的黑道人物，都到了這裡。」

丁鳳忽道：「這麼說來，三叔定然不會離開這附近了？」

丁玲微一沉忖道：「昨夜三叔不惜連放綠磷火焰召喚我們，如今想來，其間定大有文章……」

徐元平急急接道：「不知那金老怪會不會離開這裡？」他心中一直掛念著劍匣之事，聽得丁玲之言，大感不安。

丁玲道：「我剛才易容出去，本想查看一下金老二是否也落腳堰師城中，哪知出店之後，忽然發現了金陵三雄，快馬疾馳而過，這三人經常出沒江南一帶，很少涉足中原，此次竟然結

伴來此，決非無因，不由心中動了懷疑，但因三人馬行極快，在眾目睽睽之下，我又無法施展提縱身法追趕，只得盡量放快腳步，想看出三人的去向，但追到西關之時，已失去三人蹤跡，依據幾人去向判斷，八成是到洛陽城去。」

丁鳳道：「除了金陵三雄之外，姐姐可見到別的人嗎？」

丁玲道：「如只是發現金陵三雄，也不至於使我緊張起來，就在金陵三雄失去蹤跡之時，我發現了千毒谷中的人和冀東查家堡少堡主、閃電手查玉。千毒谷中的人，經常在江湖走動，遊蹤到此，還有可說，查家堡少堡主如非有重大之事，決不會風塵僕僕趕來中原，我雖未發現千毒谷中的重要人物，但卻看到他人數相當眾多，三五成群，總在二十個人以上，這等情形，乃從未有過之事，依我推斷，千毒谷一定也有重要人物到此，更奇怪的是，這些人去向都是向西邊走……」，話至此處，陡然停住，仰臉沉思起來。

丁鳳素知姐姐爲人，一遇上重大難解之事，常常仰臉沉思，趕忙以目示意徐元平，不讓他出言驚擾。

丁玲思索一陣，突然望著徐元平，道：「金老怪約請我們姐妹騙奪你古銅劍匣，想來亦非偶然之事，這其間定然有著什麼大隱秘，只是一時之間，難以推測出來……」

她微微一頓之後，又道：「以金老怪在江湖的身分地位，如非稀世珍貴之物，他決不會下手搶奪，不要你那削鐵如泥、武林人見人愛的寶刃，卻單單取了你的劍匣，自然那劍匣的珍貴要在寶刃之上，他爲了要謀你劍匣，不惜把我們姐妹置於死地，自然是怕我們把秘密洩露出去，唉！他和我父親本是極要好朋友，對我鬼王谷的威名還有幾分忌憚，但他竟敢加害我們姐

妹，顯然你那劍匣不是牽纏著武林中重大恩怨、仇殺，就定然有著無與倫比的珍貴。」

徐元平聽得暗暗心驚，想不到一個十八、九歲的女孩子，竟有這般機智見解，不禁油然而生佩服之感。

丁玲面色嚴肅，接道：「如果我想得不錯，二谷三堡，恐怕都有重要人物到此，這確是江湖上罕有的事，三、五日內，定然有震盪武林人心的事變發生。這是一場凶險好瞧的熱鬧，咱們既然趕上了，自然得去看看，徐相公身懷的寶刃，光華奪目，難免招人眼紅，必須設法把它藏好，才不致熱鬧尚未看到，先替自己找來了麻煩。咱們三人，也得想法子改裝一下，掩人耳目才好。」

丁鳳沉忖一陣，笑道：「咱們姐妹經常在江湖上走動，雖有人皮面具，只怕也難以瞞過查家堡和千毒谷中的人，不如這次改著男裝，再以人皮面具易容，或可瞞得別人耳目。」

丁玲搖頭說道：「不管咱們扮成什麼樣人，也只可隱瞞一下常人耳目，如若想欺騙這些頂尖高手，那無疑自我相欺……」她微微一頓後，望著徐元平笑道：「我倒是有一個辦法，只是太委屈你啦！」

徐元平道：「什麼方法，但請說出，只要不是太礙難的事，在下自當會答應。」

丁玲道：「就是只許我們看別人，不許別人看到我們。」只見她微微一笑，探手入懷摸出一副人皮面具，款移蓮步，走近徐元平身側，替他戴好，婉然說道：「我要你扮裝我們姐妹兩人的車伕。」

丁鳳嫣然一笑，接道：「姐姐想的辦法，當真是好，咱們把車上垂簾留幾個細微小縫，就可看到車外情形了。」

丁玲點頭笑道：「你這一年來見識增長不少，我已準備好了車輛，徐相公如果不反對扮裝我們姐妹的車伕，咱們立時就走。」

徐元平道：「姑娘智計絕人，在下十分佩服，只不知我扮裝形象，能否瞞得別人耳目？」

丁玲探手入懷，摸出一面銅鏡，道：「你自己看看像是不像？」

徐元平對鏡望去，果然容貌大變，一個英俊絕世的少年，霎時間變成了一個四旬左右，眼角間堆滿皺紋的中年村夫，不禁啞然一笑，道：「看來倒是有幾分相像。」

丁玲道：「我隨身所帶的人皮面具，副副製作精巧，極難看出破綻，眼下最為重要一事，是你眼睛裡威稜的神光，必須要斂藏不露，才能瞞得過人，你內功精湛，只要能稍微留心，不難隱去。事不宜遲，咱們要早走一步才好。」

丁玲叫店家送上吃喝之物，三人匆匆用過。丁玲取出一頂氈帽，親手替徐元平戴上，又取出一件藍布長衫，要他換過，才和妹妹收拾攜帶之物，出了客棧。

這時，店門外早停了一輛四面布幕垂遮的騾車，兩匹高大的健騾，已然上套。丁玲、丁鳳相扶登車，放下車前垂簾，徐元平躍上車前就座，長鞭一揮，兩匹健騾，立時放腿前奔，車輪滾滾，揚起兩道塵煙，出了偃師，逕奔偃洛宮道。

八月秋風，飄飛著片片黃葉，偃洛道上，不時奔馳過幾匹快馬，馬上人大都是勁裝疾服、攜帶兵刃的武林道上人物，每個人都似有著火急事情一般，搖鞭縱騎，馬快如飛，間有人勒馬

回顧騾車兩眼，但立時縱騎而去，顯然，這輛騾車並未引人生疑。

驀聞蹄聲得得，一匹快馬，風馳電掣而來，馬掠車身之際，忽見馬上人一探右臂，手中長鞭疾出，直挑車前垂簾。

徐元平心頭大怒，正等出手，忽然心中一動，故作驚慌的身子向旁一傾。車前的垂簾，被那飛來長鞭挑開時，快馬已超越車前五、六尺處，只聽馬上人哈哈一陣大笑，道：「好標緻的兩個姐兒，只可惜大爺有急事要辦……」

徐元平定神看去，只見那馬上大漢，年約三十七、八，面如灰炭，在頰上有一塊寸許長短刀疤，回顧車上二女一眼後，大笑縱馬而去。

丁玲望著那大漢背影，冷笑一聲，伸手拉下車前的垂簾，低聲對徐元平道：「徐相公表演得很好，裝龍就像龍，裝虎就像虎。」

徐元平笑道：「慚愧得很，我幾乎忍不住要出手了。」長鞭一揮，騾車突然加快，直向洛陽奔去。

沿途之上，徐元平盡可能把騾車偏向路側，讓開大道，暗中卻留神觀察絡繹馳過騾車的人物，他發現有不少精神充沛、眼光炯炯的高手，他們似是互不相識，但卻彼此暗中監視。

驀然間，騾車一側響起一聲低沉的笑聲道：「借問一聲，這輛騾車可是往洛陽去的？」

徐元平吃了一驚，轉頭望去，只見一個身穿百綻大褂、足著草履、一頭蓬亂短髮、滿臉油污、身後揹著一個紅漆大葫蘆的老叫化子，不緊不慢地跟在騾車一側，此人雖然衣服褸襤，滿

是污垢，但一口牙卻是細小雪白，看上去並不會使人生厭惡之感，略一思忖，答道：「不錯，在下這騾車正是馳往洛陽。」

老叫化子笑道：「不知這騾車，是不是你掌櫃的？」

徐元平被他問得心頭一跳，道：「不敢，不敢，在下一家五口人，就靠這輛騾車吃飯。」

老叫化道：「那就好商量啦，老叫化子想借你掌櫃的一個便車，到洛陽趕一場大喪事，不知掌櫃的肯是不肯？」

徐元平搖搖頭道：「不巧，在下這輛車已經被客包啦。」

老叫化突然仰臉哈哈大笑，道：「有道是和尚吃四方，老叫化子吃和尚，出門人和氣生財，像我要飯的這一行，全仗大義君子布施點剩菜冷飯充饑，如果都像你掌櫃的這樣冷板，老叫化子早就餓掉了大牙，哪裡還能活到現在！你既然做不了主，老叫化子只好求求包騾車的客人發發善心，反正我又不坐車裡面，你掌櫃坐的轅上，還有空處，加上我老叫化子一個人，也壓不壞你的騾車……」說著話，一探臂就要挑車前垂簾。

徐元平揮手一擋，急道：「慢來，慢來，車裡面是女眷。」

老叫化子微微一笑，肩頭微晃，人已躍上車轅和徐元平並肩坐在一起，道：「你們趕車的人也算是一行生意，講究的是現錢交易，可是老叫化子又沒有銀子又沒錢，但我也不能白坐你騾車，想當年老叫化子在北京要飯的時候，撿到了一粒水晶彈子，這十幾年一直帶在身邊，我忍饑挨餓就沒捨得用它換碗冷飯，今日事非得已，只好咬著牙做車資用啦。」

說完探手入懷，摸出一粒龍眼大小的珍珠，日光下，熠熠生輝，往徐元平手裡一放，倒頭

靠在車攔邊睡去，瞬息間鼾聲大作。

徐元平用力推他一把，哪知對方鼾聲愈大，無法可想，只得由他。大半天急急趕路，到申時左右，已到了洛陽城外，抬頭望去，城堡巍峨，氣象萬千，不禁仔細看了兩眼，就一眨眼間，車轅沉睡的老叫化子，已然不見。徐元平心頭大是凜駭，這老叫化子好高的輕功，就憑自己耳目，和他並肩而坐，竟不知他何時離去。忽見珠光閃爍，那粒龍眼大小的珍珠，竟端放在車轅一角。原來徐元平在老叫化沉睡之時，已把那粒珍珠，放入他衣袋之中，想不到他在離開騾車之時，竟又把這粒價值萬金的明珠放在騾車上。

忽聽悠悠輕歎，垂簾後傳出丁玲的聲音道：「快些把騾車趕入城中，找一處客棧住下，我再詳細告訴你那老叫化子的來歷。」徐元平右手揚鞭一揮，左手卻趁勢把珍珠送入車簾。

五　豪會古都

萬盛客棧乃洛陽首屈一指的大店，又兼營酒飯生意，前後佔地數畝，房舍連綿百間，此時雖非用飯時分，但仍有不少酒客對坐小飲，數十道眼光，都被二女艷光吸引，一齊轉頭注視。

兩姐妹裝出了一副弱不禁風之態，彼此相挽而行，款移蓮步，輕擺柳腰，低垂臻首，微現靦腆，只看得幾十個酒客，一個個目瞪口呆。

店小二帶著二女和徐元平穿過兩重庭院，到一處跨院邊的小圓門前，回頭對二女笑道：「這是敝棧中三所最好跨院之一，鬧中取靜，布設雅麗……」說著推開兩扇木門，當先而入。

徐元平仔細打量這所跨院，果然十分幽靜，四周用青磚砌成了一牆圍牆，獨成一所院落，院中擺著十盆盛放秋菊，淡淡花氣，幽幽清香，三明五暗的高大廳房，右側還有兩間低舍。

丁玲緩步進房，看室中布設甚是清雅，明窗淨几，纖塵不染，微微一笑，探手入懷摸出一錠黃金，交給店小二道：「這點錢暫存櫃上，過幾天再一起算帳。」

店小二接過黃金一掂，暗道：這錠黃金少說些也有十兩。趕忙陪笑道：「二位姑娘可要吃點什麼？請吩咐下來，小的叫他們馬上做好送上來。」

丁玲一插手道：「不用啦！有事情我們自會叫你。」

店小二一走，丁鳳迅快地關好跨院木門，拉著徐元平奔入上房。

只見丁玲坐在紅漆木椅上，一手支額，微顰黛眉，不知在想的什麼心事，一見徐元平，道：「唉，想不到連久已不在江湖露面的神丐宗濤，竟也趕來洛陽，以眼下情景看來，這洛陽古都當真是要掀起一場驚天動地的大風波了！」

徐元平愕然驚道：「什麼？咱們途中遇上的那個滿身污垢的怪叫化子，就是名震天下的神丐宗濤？」他忽然想起師父在彌留之際，告訴過他一句話說，「遍天下俠義道中人物，只有神丐宗濤一人和你那仇人結有樑子，不相往來……」

突然一陣急促的敲門之聲，徐元平出房打開兩扇木門。

只見門外站著一個身著藍綢長衫，年約二十三、四，文質彬彬的英俊少年，那少年身後並肩站著四個健壯大漢。那藍衣少年兩道冷電般的眼神，掃掠了徐元平一眼，拱手笑道：「借問一聲，兄台可是由雲夢山來的嗎？」

徐元平看對方氣度不凡，當下也抱拳還禮，道：「在下乃趕車之人，並非由雲夢山來。」

藍衫少年微微一笑道：「雲夢山鬼王谷製作的人皮面具，天下武林誰人不知，兄台不願以真像示人，在下不能相強，煩請通報一聲，就說冀東查家堡查玉求見兩位姑娘。」

這情景，使徐元平大感為難，因對方單刀直入的說法，似已確定了丁氏姐妹在內，既不便出言否認，又不便作主迎客，一時之間，呆在當地，答不上話。正感為難之際，忽見丁鳳白衣飄飄，慢步而出，望著那藍衣少年微一笑道：「我姐姐正卸塵裝，不便迎客，特派小妹迎駕，

恭請少堡主室內待茶。」

藍衫少年拱手笑道：「怎敢勞二姑娘勞駕親迎……」話至此處，突然回頭對隨來大漢說道：「你們先回去吧。」四個大漢一齊垂首躬身，長揖而退，神態之間，萬分恭謹。

徐元平看得一皺眉頭，向旁退讓了一步。丁鳳忍不住盈盈一笑，帶著查玉向房中走去。

兩人剛到門口，丁玲已迎了出來，輕啓櫻唇，嫣然一笑，道：「少堡主一向坐鎮冀東，日理萬機，怎得有暇到洛陽小遊？」

查玉道：「查家堡只不過荒山小村，怎比得鬼王谷天下皆知，不敢當姑娘過獎。」丁玲一面欠身讓客，一面笑道：「江湖道上人物，有誰不知查少堡主大名。」

查玉微微一笑，緩步入室，丁玲讓座之後，問道：「少堡主難得有暇涉足江湖，這次破例遠來中原道上，想必有重大事故，不知能否見告？」

查玉含笑答道：「不敢相欺兩位，兄弟這次卻是有爲而來，查家堡和鬼王谷素來交誼深重，故而斗膽造訪，想借重賢姐妹一臂相助。」

丁玲道：「查少堡之命，愚姐妹自是不敢推拒，但請說明來意，也讓愚姐妹斟酌一下，只要是力所能及，自當全力以赴。」

查玉呵呵一陣輕笑，道：「大小姐客氣了，兄弟之意，是想合鬼王谷、查家堡雙方之力，共謀其事，成則雙方有份。兄弟來時，實未想到事情這等棘手，黑白兩道中有名人物，竟然大部參與其事，看來這古都洛陽，勢將掀起一場風波，兄弟行色匆急，未能多帶人手，就目前所見而論，實力已嫌單薄，兄弟有感爲難。」

丁玲秀目一轉，道：「少堡主所見極多，不知是否已見過神丐宗濤……」
查玉臉色一變，道：「什麼？那老叫化子也趕來了？」
丁玲微微一笑，道：「我和妹妹親眼所見，自然是錯不了。」
查玉微一沉忖，緩緩說道：「老叫化子的武功、為人，賢姊妹定然早有所聞，如他真的趕來……」話至此處，倏然住口，冷笑一聲，反臂揚腕，三縷細若游絲的銀線，疾向窗外飛去，雙足微一用力，只見他晃肩作勢，人已由座椅凌空而起，直向後窗飛去。
這陡然的大變，使素來機智的丁玲，也不禁為之一呆。
查玉突躍飛撲之勢，迅如雷奔電閃一般，一驚之下，已至後窗，探手向外一攫，立時冷哼一聲，暴退室內，卻聽窗外不遠處飄傳來一聲極輕的冷笑。
丁玲轉頭看時，只見查玉手中握著一條二尺多長、全身金黃的蛇，蛇頭已然被他捏碎，腥臭的蛇血，順著他掌緣不停滴下，蛇身仍然在不停地擺動。
丁氏姐妹自小在山中長大，時常見蛇，一望之下，已看出那是一條極毒的蛇，丁鳳忍不住叫道：「少堡主快些放手，是毒蛇。」
查玉望了手中緊握的毒蛇一眼，笑道：「千毒谷中的人，果然狡猾，事先已備了毒蛇，我一伸手，他立時便把毒蛇給送了上來，哈哈……」
丁玲笑讚道：「查少堡主不愧閃電手的雅號，出手之快，果如電閃，愚姐妹佩服至極。」
查玉恢復鎮靜之色，揚手把死蛇拋向窗外，笑道：「眼下這洛陽故都，已然是殺機瀰漫，步步凶危，千毒谷中人敢在青天白日之下，派人暗中施襲，想必有恃無恐，兄弟得出去查看一

下，剛才和兩位所談之事，敬請兩位姑娘三思，兄弟今晚再來討教。」說完，長揖告別，辭出靜室。

丁玲送到房口，笑道：「少堡主慢走，恕我們姐妹不送了，今宵二更時分，愚姐妹仍在此室候駕。」

查玉拱手一笑，道：「兄弟自當按時造訪。」一句話完，人已到跨院外面。

徐元平一直站在旁邊，冷眼旁觀，直待查玉出了跨院，才望了丁氏姐妹一眼，道：「此人身手不凡，出手疾如迅雷，看來不在昨宵所遇那駝背老人之下。」

丁玲忽的斂去臉上笑容，道：「妹妹去把院門關上，徐相公請入室中，我有事和你商量。」翻身一躍，落到窗邊，探頭向外面張望一陣，然後關好窗子，低聲說道：「此刻咱們已陷入步步凶危之境，千毒谷中的人無孔不入，一不小心，就有性命之憂……」

忽見門簾一掀，丁鳳當先而入，她身後緊跟著一個店小二，氈帽低垂，手捧茶盤，替三人各斟上了一杯，躬身而退。

丁鳳望了姐姐一眼，又跟在那小二身後出去。

丁玲雙目神凝，仔細地查看了杯中茶色，嘴角泛現一絲冷笑，但卻一語不發，直待丁鳳重返室內，才低聲問道：「院門上好了嗎？」

丁鳳點點頭道：「上好啦。」

丁玲緩緩伸手端起一杯香茗，低聲問道：「徐相公請看這杯中茶色，是否有可疑之處？」

徐元平低頭看去，只見茶色碧澄，清香撲鼻，絲毫看不出異樣之處，不禁問道：「怎麼？難道這茶中有什麼古怪不成？」

丁玲一歎道：「江湖上的險惡陰詐，說起來，實使人心驚膽顫，徐相公也許覺得我們姐妹爲人太過狡詐，處處都用心機，其實不如此，就難免遭人暗算。就以這杯香茗來說，碧澄清香，很難看出可疑，其實這杯茶中，早已暗下奇毒……」

徐元平心頭一震，接道：「這麼說來，那店小二也是……」

丁玲微笑接道：「那店小二如不是千毒谷中的人僞裝，亦必是受著千毒谷中的人奴役，」說至此處，倏然住口，仰臉沉思一陣，突然冷哼一聲，道：「咱們索性將計就計，看看他們究竟有什麼陰謀。」

當下把三杯藥茶一起取過，盡皆潑入床下，然後又把空杯分給徐元平和丁鳳每人一個，道：「咱們僞裝服下毒茶，我和妹妹分臥這茶几兩側，徐相公請側躺門後，以便監視後窗……」她微微一頓後，又道：「不入虎穴，焉得虎子，如非萬不得已，且勿出手，最好能聽我命令行事。」說到命令二字，她覺不妥，星目流轉，凝睇著徐元平嫣然一笑。

徐元平心中半信半疑，依言側躺門後，丁鳳卻因素對姐姐信賴，毫不猶豫地閉上雙目，仰臥在一張紅漆木椅上面裝作中毒樣子。

丁玲看兩人躺臥好後，又故意把案上茶壺移動了位置，微閉雙目，伏在案上。

大約過了有一刻工夫，忽聞一陣敲門之聲，徐元平忍不住要挺身起來，卻被丁玲搖手阻止。敲門聲響過一陣後，倏然而住，跨院內恢復了一片死寂，夕陽餘暉已盡，天色逐漸地暗淡下來，一頓飯的時光過去了，仍不見有什麼異事發生。

徐元平躺了一會兒大感不耐，疑惑地望了丁玲一眼，丁玲卻點頭微笑，示意他再等一陣工夫。突然一陣極微的響聲，遙遙地飄傳過來，響聲入耳不久，緊接著又響起了一陣沙沙之聲，徐元平微啓雙眼一看，幾乎嚇得他挺身跳了起來。

只見兩條茶杯粗細的蝮蛇，由後窗漫遊而入，全身花紋斑斕，不時昂首吐信，由頭到尾，足足有三尺多長。徐元平不自禁地一提真氣，正想施展百步神拳，或劈空掌力，把兩條蝮蛇擊斃，但見丁玲、丁鳳依然僞睡如故，似是根本未把那兩條蛇放在心上，當下散去提聚的真氣，微啓一目，暗中監視那兩條蝮蛇行動。

但見兩條蝮蛇游到了丁玲身側，當先一條猛然向上一竄，張口咬去。丁玲似是早已有備，右手迅如石火般疾探而出，抓住蝮蛇七寸要害，右腳同時向第二條蝮蛇要害上點去。

但聞兩蛇咕的一聲輕叫，七寸要害同被擊中。地上一條傷得較重，略一掙動，立時死去。竄起的一條雖被丁玲拿住七寸要害，無法張口反噬，但卻輪動蛇身，緊纏在丁玲右臂之上。

徐元平霍然坐起，意欲出手相助，丁玲卻搖搖頭示意他仍然躺下。右手暗中加力，右臂微曲，一伸一抖，纏在臂上的蛇身，突然鬆開。她面不改色地站起身子，迅快地把兩條死蛇移置窗下放好，仍然回歸原位，伏案閉目，假若暈迷。

夜色漸濃，室內一片黝暗，除了兩條蝮蛇侵擾之外，再也不見別的動靜。

徐元平和丁鳳都已有些忍耐不住幾度站起身子，但丁玲卻有著無比的耐性，每次都示意阻止了兩人的行動。

又過了一刻工夫之久，突聞後窗輕輕一響，窗簾微一啓動，迅捷地閃入一條人影。

徐元平藉著衣袖掩遮，微啓雙目望去，只見一個身材矮小、身著長衫、黑紗蒙面的怪人，緩步向室中走來。那怪人沉著至極，私入了別人房間，有如回到了自己家中一般，漫步行來若無其事，直至走到了丁氏姐妹之間，突然一個翻身，雙手齊出向丁玲丁鳳穴道點去。

徐元平看他翻身出手的部位，剛好可及兩人。心中恍然大悟，原來那怪人在室中漫步，看上去無所事事，其實暗中在選擇適當的下手都位。他出手奇快，選擇的地勢部位，又極恰當，丁玲丁鳳竟都未及還手，已被點中了穴道。

那怪人伸手拉下蒙面的黑紗，露出一張瘦長的馬臉，呵呵一陣輕笑道：「任你們鬼谷二嬌詭計多端，也休想騙得老夫。」

徐元平實未想到，來人出手竟快得使早已有備的丁氏姐妹措手不及，不禁心頭大感凜駭。忽見火光一閃，那長臉怪人竟然晃燃了手中的火折子，點起案上燭火，照得滿室通明。長臉怪人側臉望望窗下的兩條蛇和壺中藥茶，微微一笑，道：「這兩個丫頭果然是仔細，我要是早到一步，只怕反著了這兩個鬼丫頭道兒了。」

這當兒，徐元平暗中提聚真氣，正待躍起施襲，那長臉怪人突然轉過臉來望著他冷笑一聲說道：「起來，你兩個主人已被我點中了穴，你還在裝什麼樣？」言下之意，似是根本未把徐元平看在眼裡。

徐元平心中一動，緩緩散去了提聚真氣，站起身子。

長臉怪人兩道冷電般的目光，很仔細地從頭到腳的把徐元平望了一遍，冷冷地問道：「你可是從雲夢山來的嗎？」

徐元平道：「小的是趕騾車的，這兩位姑娘在偃師才包下了小的騾車……」

長臉怪人略一沉吟，道：「你把她們兩人抱入室內，放在榻上。」徐元平聽得微微一怔，心中著實大感爲難，暗自忖道：這兩人都是黃花少女身分，我徐元平豈能隨便抱得……，一時之間，趔趄不前。

只聽那長臉怪人冷哼一聲，道：「你猶豫什麼？是不是不想活了？」徐元平看那長臉怪人，相距二女甚近，舉手之間，就可遍及二女要害大穴，如果自己出手一擊不中，二女性命大是危險，只得依言抱起丁鳳，向室內走去。

徐元平在那長臉怪人監視之下，放好丁鳳，不待那長臉怪人吩咐，自動又把丁玲抱入內室放好。

長臉怪人手舉燭火，望著二女冷笑一聲，道：「暫容你們兩個鬼丫頭憨睡一會兒吧！」說完，緩步轉過身子，右手突然一撞，點了徐元平「期門穴」。

徐元平正在考慮是否立時出手，萬沒想到對方竟然借轉身的機會，搶了先機，待他驚覺，已然遲了一步，只覺「期門穴」上一麻，全身一軟，跌在地上。

他內功精深，雖被人一肘撞上要穴，人並未昏迷過去，心中暗暗盤算，此人武功奇高，我全力和他相拚，也毫無致勝的把握，眼下穴道被點，自是更難和他動手，如若被他看出破綻，只怕性命難保，當下一閉氣，合上雙眼，裝出暈迷之態。

果然那長臉人回肘一撞之後，立時警覺，口中冷哼一聲，道：「好小子，內功不弱，老夫幾乎被你瞞過。」飛起一腳，把徐元平踢飛起四、五尺高，撞在牆上，又摔了下來。

徐元平穴道被點，又在閉氣裝暈，不能運功護身，這一下摔得著實不輕，但也正因他沒有運氣護身，消滅了那長臉人不少疑心，他緩步到徐元平身側，用燭光照望了一陣，吹熄燭火，悄然退去。

室中恢復了一片黑暗，但徐元平仍不放心，凝神靜聽了良久，才緩緩啓開雙目，仔細搜望室內各處，待他完全確定那長臉怪人退走之後，才敢挺身坐了起來，暗中試行運氣。

忽聞窗外一陣響動之聲，接著火光一閃，兩個全身勁裝的大漢，魚貫進入內室。

只聽前面一人低聲笑道：「久聞鬼王谷的兩個丫頭，貌美如花，今宵咱們可得仔細瞧瞧。」

後面一人笑接道：「聽說谷主兩位公子極傾心鬼王谷這兩個女娃兒，曾經派人去鬼王谷中求親，但卻被人家婉言回絕了。」

前面之人一舉手中火折子，點起案上燭火，照著榻上並臥二女，笑道：「果然是一對美人胚子，難怪兩位少谷主一見傾心。」

後面一人呼的一口氣，吹熄了燭火，低聲責道：「你好大的膽子，二谷主說不定就在這室外屋面上隱著，你竟敢燃起燭火，還想不想要腦袋？」

徐元平從兩人對答之言中，已聽出是派來監視自己和丁氏姐妹之人，心中暗自發愁，忖道：兩人如此守在室中，可是大大地妨礙我運氣活血……

只聽那後面一人輕笑一聲，接道：「你既然愛瞧人家，就請守在室內，我到外面房間去，不過，我警告你不能毛手毛腳的不規矩，出了事，可不是鬧著玩的。」

當先入室一人答道：「你放心，決錯不了。」屁股一抬，竟然就榻沿坐下。

後來那人冷笑一聲道：「只看你這種舉動，我就放不下心。」霍的從背上抽出單刀，坐在榻邊一個木椅上面，是要監視當先入室那人行動。

徐元平在兩人入室之時，急中生智，頭一歪，靠在牆壁上面，這兩人只顧要看鬼谷雙嬌，也沒有兼顧到他，雖然被他逃過了兩人耳目，可是人家坐守在室中不動，卻又給了徐元平一個絕大的難題。

這間室內，只不過有五、六尺方圓大小，只要輕微有點聲息，都無法逃過兩人的耳目。

他自慧空大師口授了《達摩易筋經》經文之後，一直就沒有心推想過經文中的含意，現下穴道被人點閉，情急之下，不自覺地默念起慧空大師口授的《達摩易筋經》經文來，想從經文之中，尋求出自解穴道的辦法。

哪知這一用心推想，默記在心底的真經要訣一一在腦際閃過，字字句句，無不含蘊玄機，博大精奧，難解難懂，但是把慧空口授的實用法門，和經文一對，登時心中瞭然，變化窮通，不自覺全神貫注，只感腦際如江河堤潰一般，難遏難止，神遊其間，渾然忘我。

突然間，由院中飄傳來一聲低喝道：「兩位姑娘都已入睡了嗎？」徐元平聽聲辨音，已知來人是查家堡的少堡主閃電手查玉，心念一動，思潮攸然中斷，由渾返清。

微啓雙目望去，只見坐守在房中的兩人，都已拔出兵刃，悄無聲息地站起身子，一個輕移

著腳步，走到外面一間房門後面，另一個卻藏身複室門後，兩人都舉著兵刃戒備，看樣子只要對方一推門，立時突施暗襲。

這時，徐元平已由思解經文之中，悟得了自解穴道之法，趁兩人全神戒備門外來人之時，暗中運氣，打通了被點穴道。

查玉亦似是警覺到有了變故，喝問一聲之後，再也聽不到聲息。

徐元平緩緩伸動一下手腳，覺著身體已經復常，正待起身去解丁氏姐妹穴道，忽聞呀然一聲，兩扇門突然大開。

那藏在門後的大漢，似是有著極豐富的江湖經驗，並未因房門突然大開而貿然出手，仍然提著兵刃，蓄勢以待。

但見複室門後隱身的一人，突然放下手中兵刃，探手由懷中摸出兩支銀鏢，尖頭之上，隱隱泛現起藍色光芒，分執雙手，蓄勢待發。

忽然紅光一閃，一團熊熊燃燒的火焰，飛落廳中，全室突然一亮。

隱藏門後大漢，微一怔神，正待設法撲熄廳中火光，忽見人影一閃，穿門而入，迅快絕倫地飛落到廳房一角。

忽聽一陣朗朗的大笑之聲，道：「我還認爲這跨院靜室之中是什麼三頭六臂的老毒物，原來竟是幾個不像東西的毒子毒孫，早知是你們這等人物，也用不著費我一番手腳了……」

只聽那朗朗笑聲，逐漸向房門移動，熊熊火光之下，查玉赤手漫步而來，似乎根本未把那執刀隱在門後的大漢看在眼中，步履從容，行若無事。

那執刀大漢目光轉動，微微一瞥複室，忽然疾躍而起，刀光電奔，猛向查玉撲去。

查玉似是毫無所覺一般，對那迎面疾劈而下的刀光望也不望一眼，卻倒臉注視著複室門口。直待刀距頭頂尺許左右光景，才突然向右一讓，左手閃電而出，迅快無比地抓住那疾撲而來的大漢右腕。

只聽喀的一聲輕響，那提刀大漢右腿骨已被扭斷，怪叫尚未出口，查玉左腳已飛踢在他小腹上面，耳目口鼻，鮮血齊出，悶哼一聲，氣絕而死。

那隱藏在複室門後大漢，似是被查玉出手擊斃他同伴的迅辣手法震住，直待查玉衝進複室門口，他才把雙手扣握的兩支毒鏢，抖腕一齊打出。

查玉看似無備，其實早已暗中留心，那大漢毒鏢剛一出手，查玉已然警覺，左手掄動手中屍體擊落兩支毒鏢，右手凌空一拳，直向那發源處擊去。

但聞撲通一響，隱藏在複室門後的大漢，吃查玉以家傳武功，百步神拳擊中前胸，仰身栽倒地上。

擊鏢發拳，一齊動作，在兩支毒鏢擊落的同時，查玉已衝入複室，左手橫屍作盾，防敵施襲，右手探懷摸出火折子一晃，複室中火光閃動，亮起一點微弱的火焰。

查玉先將兩個大漢的屍體，放在複室壁角，然後走到二女並臥的木榻之前，很仔細地低頭查看了一陣，微一搖頭，雙手並出，在二女被點的穴道上推拿一陣，然後又輕輕在二女「天靈蓋」上各擊一掌。

但聞二女同時長吁一口氣，挺身坐了起來。

查玉在推活二女穴道之後，迅忙地向後退了幾步，滿臉微笑，靜靜地站在一側。丁玲目光流動，環掃了室中景物一眼，緩緩下了木榻，舉手理理鬢邊散髮，笑道：「愚姐妹不慎受了老毒物的暗算，有勞查少堡主援手相救，我這裡謝謝啦。」說罷，欠身一禮。

查玉臉色微微一變，但瞬即恢復鎭靜，笑道：「千毒谷中三名老毒物，老大、老二兩個，近年已很少在江湖上走動，暗算賢姐妹的，想來必是那三毒冷公霄了。」

丁玲微微一笑道：「老毒物暗算我們姐妹之時，臉上蒙著黑紗，說來慚愧得很，我們兩姐妹被人點中了穴道，還未看清對方究竟是三毒中的哪一個。」

丁鳳表面上雖在聽著姐姐和查玉說話，其實心中卻在想念著徐元平的安危，兩道眼神，不時轉投向側臥在壁角的徐元平身上。

丁玲瞄了妹妹一眼，緩步向徐元平走去，心中卻甚感困惑，她已親眼看過徐元平的武功，其身法之奇奧，掌勢之雄渾，實可列爲武林中第一流高手，縱非千毒谷中幾個老毒物的敵手，但至少可和他們去拚個百、八十招，不能勝人，亦可自保，何況，那入室怪人又是先對自己姐妹下手，徐元平有著足夠時機準備迎敵，何以會未經搏鬥，就被人點了穴道，莫不是他被什麼毒器所傷不成？

忖思之間，人已走到了徐元平的身側，柳腰微躬，回頭望著查玉笑道：「千毒谷中之人，果是個個心狠手辣，連這趕車之人，竟也不肯放過。」右手卻借身子隱遮之勢，迅快地觸按在徐元平的胸口上面。她本意只想觸摸一下徐元平心肌是否在跳動，哪知道事情大大地出了她意料之外，只聽徐元平長吁一口氣，雙臂一伸，緩緩地站起身子。

丁玲微一怔神，立時恍然大悟：他是在故意裝作，不禁秀眉微揚，望著徐元平嫣然一笑，柳腰一扭，霍然轉過身子，就在這一轉身間，臉上已變成肅然之色。

查玉看她一抖手間，就解了隨帶下人的被點穴道，心中甚感驚異，但臉上卻是笑意迎人地讚道：「鬼王谷的武學，果然不凡，就連大小姐這解穴手法，兄弟就得甘拜下風。」

要知閃電手查玉，不但武功奇高，而且機警絕倫，他早已看出了徐元平不是趕騾車的車伕，但他卻誤認徐元平是鬼王谷中的門下弟子，被選爲隨護二女出遊的高手，改扮車伕，掩人耳目。

丁玲淡淡一笑，道：「少堡主過獎了，誰不知一宮、二谷、三大堡，在江湖上威望並重，難分軒輊，不過，我們兩姐妹比起少堡主來，那就相差難以道里計了。」

查玉道：「好說，好說，賢姐妹聲威卓著，名播大江南北，不是兄弟奉承，南七北六一十三省，誰不知鬼谷雙嬌的大名。」

丁鳳插口接道：「少堡主救了我們姐妹一場，依據武林中規矩，我們也該奉還一報，少堡主有什麼賜教之言，但請說出，只要我們姐妹力所能及，定當全力以赴。」

閃電手查玉望了徐元平一眼，對丁玲說：「這位兄台可是令尊大人的門下弟子麼?」

但見丁玲略一沉吟，微微笑道：「少堡主果然目光過人，他正是家父最寵愛的弟子，論將起來，愚姐妹都得聽受遣派，尊稱師兄。」

查玉一聽對方竟是鬼王門下最寵愛的弟子，立時拱手一禮，笑道：「失敬，失敬，尚未請教兄台高名大姓?」

徐元平道：「不敢，兄弟徐元平。」

查玉微微一笑，道：「幸會，幸會。」又轉向丁玲姐妹道：「兄弟斗膽再問一句，不知賢姐妹是否已決定和我們查家堡合作？」

丁玲點頭笑道：「千毒谷中的人，已經下手對付我們姐妹，形勢相迫，愚姐妹已無選擇餘地，少堡主如出誠意，我們歡迎還來不及呢！」

查玉略一思忖笑道：「說起此事，不知賢姐妹是否聽得令尊談過十年前南海一奇，攪亂衡山英雄大會之事？」

丁鳳道：「此事彷似聽得家父談過，但不知和眼下洛陽之事，有什麼關聯之處？」

查玉輕輕歎息一聲，接道：「十年前，衡山那場英雄大會，實為武林罕見盛事，不但一宮、二谷、三堡中有人參與，就是譽滿黑白兩道的神州一君易天行，也親身臨會，黑白兩道中的主要精英人物，大都是親自出席，因為易天行發起的這一場英雄大會，旨在消解黑白兩道中的宿怨，以少林、武當兩派的掌門之尊，竟也應邀赴會，這固然是神州一君的威望所致，但主要的還是那場英雄大會對今後江湖間黑白兩道的紛爭仇殺，將有一個極重大的決定，各門各派中人，無不關心這場英雄大會的後果。

「哪知盛宴初開不久，突然有一位白髯老叟，帶著一個頭梳雙辮的小姑娘，闖入會場，自稱來自南海，當著數百位武林中一流高手，侃侃而談，大駁中原武學。初時都還認此老叟是個瘋狂之人，也無人和他計較，但在聽得幾句之後，全場立時鴉雀無聲，因那老叟在駁斥武學言詞之中，確實句句中的，字字秘奧。

「那老叟在目睹全場筷住杯停，竟也突然住口不說，緩緩從懷中摸出一本黃皮書冊，高舉手中，笑道：『老朽這本書上，不但記載了破解中原武功的手法，而且還有我們南海本門無上內功心法，只要能有人接得老朽十招，我就把這本書奉送於他。』」

說至此處，忽聽一聲悶哼，聲音極是微弱，如非耳目靈敏之人，決難聽得出來。

閃電手倏然住口，躬身探臂，抓起存放在門後的一具屍體，丁玲卻一個轉身，呼的一聲，吹熄了室中燭火。

複室中陡然間黑了下來，但卻個個運功戒備，夜暗的斗室中充滿了緊張。

忽聞窗外，響起了一聲冷笑，道：「老夫一念仁慈，不想竟留了禍患，快些燃起燭火，拜接老夫入室，只要你們沒有傷我派來監守之人，老夫看在老鬼面上，決不和你們兩個丫頭為難，如果圖逞詭謀，妄想以暗算手法對待老夫，哼哼，可別怪我手辣心狠了。」室中之人，都有超人的靈敏耳目，但卻不知人家何以能不被發覺地落到了窗外。

查玉突然揚起右手一揮，一蓬細如髮絲的銀芒，直向窗外飛去。這等細小的暗器，發時毫無破空之聲，夜暗中更是難閃難避，查家堡的蜂尾針馳名天下，查玉藝得家傳，更是打得出神入化，雙手能同時發出二十餘枚，而且能連續不斷地變手齊發，此刻，他左手雖抓著一具屍體，無法運用雙手，但右手銀針出手之後，立時又探懷摸出一把。

只見一蓬銀芒，破窗而出，但卻如流海砂石一般，聞不到半點回聲。

窗外又傳來一聲冷笑，道：「我還道是兩個鬼丫頭手眼通天，自行活了穴道，原來竟是有人相救，查家堡的蜂尾針雖然歹毒，可是豈能奈何老夫……」話至此處，聲音倏然中斷，卻微

聞衣袂飄風之聲，來人似是又突然退走。

大約過了有一盞熱茶之久，仍不見窗外來人有何動靜。

徐元平久等不耐，忽的一躍，飛落窗前，身隱壁後，正待打開窗門，突聽查玉低聲喝道：「徐兄且慢，江湖宵小，詭計多端，要防人突然下手。」他微微一頓之後，故意提高嗓音又道：「查家堡少堡主查玉在此，窗外是哪位高人，竟識得本堡中的蜂尾針。」

在閃電手查玉想來，對方乃譽滿綠林的三毒之一，定然要自重身分，報出姓名，哪知過了一刻工夫之久，仍然不聞回音。

徐元平望了三人一眼，忽的一掌推開窗門，左掌護胸，右手蓄勢，歡足微一用力，人已躍穿窗外。

鬼谷二嬌擔心徐元平的安危，不約而同雙雙躍飛窗外。

查玉目睹三人先後躍出，放下手中屍體，緊隨二女身後躍落院中。夜風拂面，晚菊飄香，跨院中一片靜寂，敵蹤早已杳如黃鶴。

查玉暗叫了一聲：慚愧。縱身躍上屋面，四下張望。

丁鳳一顰眉頭，道：「奇怪呀！以老毒物身分之尊，決不會怯敵遁走……」

忽見查玉雙手齊舉，互擊三掌。

三掌響過，四周暗影中立時躍出來三個勁裝佩刀的大漢，飛落查玉身側，躬身作禮。

閃電手顧不得和三人談話，雙臂一振，穿空斜飛，直向跨院外面落去，瞬息間，重又躍上屋面，手中橫抱著一具屍體，跳落院中，那三個佩刀大漢，緊隨著查玉跌下，神色肅然，一語不發。

丁玲輕啓櫻唇，低聲問道：「還有救嗎？」

查玉淡淡一笑，道：「我擊斃了他們兩個人，他打死我們一個，二換一，本利俱有了。」身子一轉，把手中的屍體，交給左面的佩刀大漢，低聲問道：「來人哪裡去了？」

徐元平看那死去之屍體，嘴角間仍有鮮血溢出，分明遭人毒手的時間不久。

只聽中間一個佩刀大漢答道：「來人身法飄忽，穿著長衫，頭包黑紗，異常矮小……」

查玉搖頭接道：「我是問你們，他到哪裡去了？」

佩刀大漢接道：「少堡主吩咐我們非聽召喚，不得擅自行動，是以不敢現身追查來人行蹤，他本來停身跨院窗外，但卻不知何故，突然躍上屋面而去。」

查玉道：「來人的身手，自非你們能望其項背，他向哪個方向走的？」

最右一個大漢接道：「那人去勢如風，小的一瞥之下，看他似是向西北而去。」

查玉冷笑一聲，還未說話，三個佩刀大漢已嚇得一齊拜倒地上，說道：「小的等武功不濟，致有辱少堡主之命，願領責罰。」

徐元平看查玉喜怒之間，竟有這等權威，心中甚感驚異。丁氏姐妹卻是素知一宮、二谷、三堡的森嚴門規，只要門下弟子們一有違誤，立時處死，是以毫無奇怪之感，仍然淺笑盈盈地站在一側，看著查玉如何處置。

閃電手查玉是故意要在徐元平和鬼谷二嬌面前現示一下查家堡的森嚴戒律，淡然道：「你

們三個人六隻眼睛，竟未能看準了人家的去向，實在死有餘辜，本應依律處死，姑念眼下正值用人之際，暫准各自削去一指，日後再論功抵罪。」

幾句話說得不徐不疾，輕描淡寫，毫無慍意，但三個黑衣大漢卻如奉到聖旨一般，一齊伸手拔出單刀，寒光閃動，各自削去左手小指，鮮血淋漓，落地有聲。

查玉望了徐元平和丁氏姐妹一眼，微微一笑，道：「慚愧得很，敝堡中門人誤事，致未能看準來人去向，兄弟已略施薄懲，聊表歉疚。」

丁玲道：「貴堡門規如此森嚴，佩服，佩服。」

查玉淡淡一笑，回頭又吩咐三個黑衣大漢道：「快去把房內兩具屍體取出，連同王中，一併運到荒野埋好，回到店中等我去吧，此地已用你們不著，也免得給我現眼。」

三個黑衣大漢齊聲說道：「多謝堡主法外施恩。」一個抱起王中，另兩人躍入複室抱出兩具屍體，三個人抱著三具屍體，縱身躍上屋面而去。

查玉待三人去後，笑道：「兄弟本想把這次群雄聚集洛陽之事詳盡奉告三位，再行出手，但經此一變，只怕時機無多，兄弟以適才來人口氣判斷，可能是千毒谷中三個老毒物之一親身趕到，以三個老毒物在江湖身分地位而論，決不會臨敵遁走，定然發現什麼重要之人，才突然追蹤而去，說不定也就是咱們追尋之人，三位暫請悶上一會兒，先行追查出事情真相，兄弟再行詳盡奉告，有徐兄和賢姐妹同行，縱然遇上老毒物，咱們也可以和他硬拚上一陣。」

丁玲笑道：「少堡主高見，事不宜遲，咱們現在就走。」說完，當先躍上屋脊。

一片夜色，毫無一點可資追查敵蹤的痕跡。查玉道：「只怕敝堡中弟子所言有誤，徒勞幾位往返。」

徐元平躍上屋脊之後，就留神向四外查看，忽然瞥見數丈以外屋面上一影凌空而起，直升兩丈多高，才斜向東北方落去，沉入夜色中不見，不禁心頭一驚。

只聽查玉笑道：「千毒谷三個老毒物久已享譽江湖，輕功自有超人之處，追之恐已不及，我們眼下要緊之事，是先要找出……」

徐元平低聲接道：「有人來啦，快些隱起身子。」當先一伏身，隱在屋脊後面。查玉和丁氏姐妹緊隨著伏下身子。查玉似是不信徐元平的耳目靈敏能在自己之上，伏下身子後仍然抬頭向四外搜望，果然見兩條人影，迅如流矢而來，轉眼間已到對面屋頂，略一張望，縱身躍起，閃電手暗叫了一聲慚愧，低聲對徐元平道：「徐兄是否有興致和兄弟一起查看一下，想不到這座萬盛客棧，竟成了藏龍臥虎之地。」

徐元平微微一笑，道：「少堡主如有興致，兄弟當得奉陪。」

查玉回頭又對丁氏姐妹笑道：「賢姐妹請替令師兄和兄弟掠陣。」說完，一挺身，當先躍起，人升八尺，突然挫腰蜷腿，懸空一個觔斗，倒翻出一丈多遠，疾沉而下。

徐元平暗讚一聲：好俊的身法！緊隨著一提真氣，原臥姿勢不變，身軀倏忽而起，雙臂掄動，盤空疾轉如輪，橫越過一層屋面，落入屋後。

丁氏姐妹目睹兩人奇絕的輕功身法，不禁暗自讚佩。丁鳳忍不住低聲問道：「姐姐，查玉那懸空翻身的身法，雖然奇妙，但如輕功到了上乘境界，不難辦到，徐相公身法，卻是聞所未

聞，見所未見之學，不知是哪門哪派的功夫？」

丁玲道：「此人確使人難測高深，我這幾日暗中留神觀察，發覺他武功時時刻刻都在突飛猛進之中，單說他和駝背老人動手一件事，初交手時，他似乎有些手忙腳亂，哪知愈打愈是沉穩，招數越來越奇，掌力也愈打愈是雄渾、強勁，這等事情實在使人百思難解。總之，此人胸博武學，浩瀚如海，咱們要好好籠絡住他……」

話至此處倏然住口，沉吟一陣，又道：「妹妹，據姐姐日來冷眼旁觀，你似是已對徐相公動了真情，不過，人家卻是毫無半絲情意於你，此事必須要善於處理。一個不好，不但會弄巧成拙，而且還會使人小覷於你。」

丁鳳粉臉一紅，辯道：「姐姐一向傲氣凌人，從不肯受人半點閒氣，為什麼……」

丁玲微微一笑道：「你現在膽子是越來越大了，竟敢和我頂起嘴來，我說的都是好意，你要不肯聽，以後出了事，可別來找我。」

丁鳳急道：「我哪裡敢和姐姐頂嘴，不過，我看徐相公實是個很好的人，他武功雖然使人莫測高深，但心地卻很老實，不像是個狡詐之人。」

丁玲抿嘴一笑，道：「我也未說他狡詐呀，我看你是迷了心竅啦。」

丁鳳嬌靨上又泛起一片紅霞，緩緩地問道：「姐姐，我心中有一句話，也不知是不是該問姐姐？」

丁玲看她臉上神色，大異往昔，羞赧之中，微帶憂慮，心中油生憐惜，微微一笑，道：「咱們是親生姐妹，難道還有隔閡不成，什麼話儘管對姐姐說吧。」

丁鳳沉吟一陣，道：「如果徐相公桀驁難馴，不肯受我們姐妹籠貉，姐姐要用什麼法子對付他？」

丁玲微微一怔，抬頭望著天上閃爍的寒星，說道：「非友即敵，他如不肯受我們姐妹籠絡，只有想法子把他殺掉。」

丁鳳只聽得心頭一震，臉上卻故意裝出笑意，道：「那也好，免得留著他爲人所用。」

丁玲低聲笑道：「妹妹，你這話可是由衷之言嗎？」不待丁鳳回答，忽的振袂而起，躍落對面屋頂之上。

丁鳳素知姐姐料事如神，如若和她爭論，於事有害無益，心念一轉，智計忽生，暗道：我今後再不和她談起此事，先給她個難測高深，然後俟機暗示徐相公留心戒備就是。謀定心安，霍然起身，振臂躍起，飛落對面屋上。

抬頭望去，只見徐元平伏身在一株大樹之後，凝神向對面室中注視，查玉卻隱身在幾盆秋菊後面，向室中探看。

原來這一房之隔的對面，竟也是一所幽靜的跨院，一株高大的白果樹，依壁挺立，紅磚砌的花架上，擺滿了盛放秋菊，夜風拂面，花香淡淡，三明五暗的廳房，坐東面西，最右一面房中，燭火輝煌，只見兩個人影由窗中反映出來，隱隱可辨，正是在偃師郊外和徐元平動手的駝背老人和那出示自鳳令旗，傳示主人令諭的矮子，不由心中一動，暗道：這駝背老人和那矮子，頗似武林中傳說駝矮二叟，但這兩人近十年來，已未在江湖上露面，難道天下英雄群集洛陽一事，和這兩人有關不成。

但見那駝矮兩個老人反映在窗上的人影，一齊躬身肅立，似在聽受教命，只因那窗門關閉甚嚴，聽不到室中聲息。

忽見室中燭光晃動，逐漸暗去，應是室中人站起進入複室，窗中反映出駝矮二叟的人影，亦逐漸模糊不清。

忽然，正中一室的兩扇房門大開，四個勁裝疾服的佩劍大漢，魚貫而出。最後兩個人並肩出門，正是那駝矮兩個老人。

只聽那駝老人道：「胡矮子，眼下已經有不少武林人物聚集洛陽，看樣子是衝著咱們而來，如果明爭硬拚，咱們不一定怕，但江湖上的陰詐詭謀，可是防不勝防，小主人雖然才博六藝，但她乃千金之軀，豈能親身和敵人照面，余婆婆年登古稀，也不能勞她老人家親自出手，說來說去一句話，這副千金重擔，完全落在咱們兩人肩上。那人既自稱是老主人的門下，而且又顯出了本門幾種獨特的武功，但也只能信他五成，你此行固然看看他住處是否確如其言，幽美如畫，適合小主人安住，但最重要的還是查看他是否有詐……」

那矮子似已聽得不耐，截住了駝背老人之言，接道：「歐駝子，你少嘮叨幾句吧！」霍然轉身，微一挫腰，人已凌空而起，直升起兩丈六、七，腳落屋面，已到了三丈開外，去勢如電，眨眼間人蹤已杳。

這分超絕的輕功，不但看得丁氏姐妹大感凜駭，就是分隱在樹後和花架下面的徐元平和查玉，也看得暗暗驚心。

駝背老人目睹那矮子身形消失之後，突然揚起右手一揮，四個佩劍大漢突然一齊拔出背上

長劍，各自散開，每人相距約四、五步遠。只聽那駝背老人冷笑一聲，道：「深夜之中承蒙各位大駕光臨相探，我歐駝子甚感榮幸，怠慢之處，還望各位包涵一點。」

徐元平只道自己和查玉被人發覺，正待現身接話，突聞頭頂樹叉之上，嗤的一聲冷笑，道：「好說，好說，駝兄已十餘年不在江湖露面，兄弟只當駝兄早已駕返西天，或是隱修於深山大澤之中，想不到十年前馳譽武林的駝、矮二叟，竟然自甘卑賤，以中原武林名手之尊，投身南海，為人奴僕，兄弟實在為你們駝、矮二叟的俠名惋惜。」

駝背老人受人譏諷，不怒反笑，其聲低沉，冷如萬丈冰窖中吹出來的寒風，聽得人驚心動魄、油生寒意。

那長笑足足有半盞茶工夫之久，才停下說道：「想不到竟然是你，很好，很好，咱們那筆舊帳，也該借這次重見之緣，作一次結算了，明夜三更，我歐駝子在城北五里亂墳崗候教，死約會不見不散。」

樹上隱身之人冷笑一聲，飄然而下。竟和那駝背老人對面而立。

徐元平看那現身之人身材矮小，面罩黑紗，正是點中了丁氏姐妹穴道的怪人。

只見他緩緩舉手，摘下蒙面黑紗，目光流動，向四外打量了一陣，道：「十年不見，駝兄仍能聽出是兄弟的口音，佩服、佩服。」

駝背老人冷冷接道：「別說你還能開口說話，就是你屍骨化灰，我也能認你出來。」

現身之人淡淡一笑，道：「今宵來人不少，駝兄小主人所居這跨院四周，只怕已有不下十位以上的武林高手了。」

突聽正北屋脊後響起一陣呵呵笑聲，接道：「老毒物，你別想藉故推托，人家歐駝子已經認定了你，老叫化明晚三更時分，定當到場觀賞一番。」最後一句話出口之時，人已凌空而起，去勢奇絕，話說完人蹤已杳。

只聽那現身矮人冷笑一聲，道：「老叫化不必賣狂，我冷公霄不吃這個，屆時你老叫化如若有興，老夫亦當奉陪。」

但聞那駝背老人冷冷說道：「冷兄最好少放馬後炮，宗兄已然去遠，咱們明晚三更再見。」話至此處雙手抱拳，四下一揮，道：「歐駝子已十年未履中原，今宵承蒙各位英雄趕來這萬盛客棧探望，兄弟十分感激，只是深夜之中，不便驚擾在下小主人玉駕，歉難接待各位，兄弟這裡謝罪了。」說完，緩步退入室中。四個手執長劍的大漢，卻各自揮動手中長劍，夜色中銀光閃動，迅快地交叉穿走，排成了一個方形陣勢，擋守在門口。

冷公霄眼看著那四扇房門慢慢的關好，才冷笑一聲，轉過身子，緩步對著那白果樹走去。

忽聽查玉叫道：「徐兄小心……」他話剛出口，突見冷公霄微一挫腰，左手迅如電光石火，疾向隱身在樹後的徐元平抓去，認位奇準，一閃而至。

徐元平在這短短兩日夜中，連番目睹了江湖險詐，心中早生警惕，留神戒備，查玉縱然不示警於他，他也看出冷公霄是衝他而來，早已提聚真氣蓄勢以待。只待冷公霄左手相距他數寸之時，突然跨步閃身，繞樹一轉，讓開對方來勢，右手呼的一招「神龍出雲」，猛劈過去。

他自得慧空大師傳授了數十年禪坐精修的真元之氣後，雖覺內力大為增強，但究竟一掌能劈出多少勁力，連他自己也不知道，又因聽出對方是譽滿武林的三毒之一，心中不免有點緊

張，這一掌用足了九成真力。但覺掌出風生，威勢如巨浪排空一般，直撞過去。

冷公霄根本就未把徐元平看在眼中，心想還不是隨手擒來。掌勢出手，忽然想到了剛才目睹對方飛越屋面而來，迅轉如輪的奇異身法，暗中又加了兩成真力。哪知仍然難以抓住對方，不禁心中一驚，立時一提丹田真氣，暗運功力準備施展劈空掌力，一掌把對方擊斃。就這一轉瞬間，徐元平勁猛的掌風已自近身。

冷公霄究竟是久歷江湖之人，享譽武林數十年，自非等閒，一看對方掌勢奇猛，立時把運集右掌的勁道，迎著來勢劈出。

兩股強勁的掌力一接，激盪氣流，迴旋成風，吹起一片塵土。冷公霄雖在急促之間未能運集全力，但全身勁道已用出了五成，哪知掌力一接之下，竟被震退了三步，不禁微微一怔。

徐元平實未想到自己一掌竟能把譽滿武林的三毒之一，震退了三步，驚喜之下，也不禁呆了一呆。

查玉似是極關心徐元平的安危，在兩人對拚一掌之後，立時凌空躍飛過來。冷公霄豈是等閒人物，聞得身後衣袂飄風之聲，頭也不回地揮臂向後劈出一掌。別看他未回頭看，但劈出掌力，卻是認位極準，一股排空勁氣，直向查玉迎撞過去。

閃電手江湖閱歷豐富，人在躍起之時，早已暗中戒備，一看冷公霄打出劈空掌力，立時一張雙臂，陡然又向上升高五尺，一股強風，掠足而過。冷公霄一擊未中，倏然向左閃開五尺，查玉在冷公霄閃開同時，也輕飄飄地落著實地。

查玉自目睹徐元平和冷公霄對拚一掌之後，不由暗暗佩服徐元平的功力深厚，且對譽滿

武林的冷公霄，也減少了畏懼之心，落地後朗朗一笑，道：「久聞冷老前輩之名，恨無拜見之緣，今宵能得一見，足慰晚輩生平渴慕。」

冷公霄兩道冷電般的眼神，從頭到腳地把查玉打量了一遍，陰側側的一笑，道：「老夫久聞查子清有子如龍，敢情就是你嗎？」

查玉笑道：「不敢！不敢！晚輩名叫查玉，江湖傳言，老前輩豈可認真……」

忽聽室中傳出一個女子口音，接道：「深更半夜之間，擾人清夢，如再留戀不去，吵鬧不休，可別怪我出手狠辣，要你們全都死無葬身之地。」口氣托大，咄咄迫人。

冷公霄冷笑一聲，正待發作，心中忽然一動，眼下已有鬼王谷、查家堡兩處強敵，如再加上歐駝子，和那接言女人，我就多生上兩隻手，只怕也抵敵不住。心念一轉，勉強忍下一口怨氣，縱身一躍，上了屋面，笑道：「天下武林高人，都已陸續趕來洛陽，準備圍殲你們南海一派，老夫不便擅自先行出手，暫讓你們多活幾日，我要失陪了。」說完，不待室中人答話，騰身而起，消失在夜色中。

查玉目睹冷公霄去遠，低聲對徐元平道：「千毒谷中老毒物，一個個氣焰萬丈，今宵竟然自找台階逸走，咱們似不必替他攔下這場是非。」說完輕輕一扯徐元平衣角，當先飛躍上屋。

徐元平人極聰明，已聽出查玉弦外之音是示意自己退走，當下振袂而起，緊隨躍上房去。

丁氏姐妹雙雙迎上，笑意盈盈地擁著徐元平回到跨院室中。

查玉摸出千里火筒晃燃，點起燭光，笑道：「徐兄武功精深，兄弟十分敬服，能擋三個老

毒物一掌之人，江湖上屈指可數，兄弟今天算開了一次眼界。」

徐元平笑道：「查少堡主威震江北，名傳遐邇，兄弟不過是個無名小卒，怎敢當此褒獎。」

丁鳳插嘴笑道：「師兄剛和老毒物硬拚一掌，是否覺著有什麼不適之感？」徐元平微微一怔，道：「怎麼？」

丁玲道：「三個老毒物渾身都是劇毒，只怕他練有什麼歹毒的內功掌力，你運氣調息一下試試，別著了他的道兒。」

徐元平依言運氣調息了一陣，搖搖頭，笑道：「沒有。」

丁鳳嫣然一笑，道：「那我和姐姐就放心了。」

丁玲溜了妹妹一眼，笑道：「查少堡主剛才談起南海一奇攪亂衡山英雄大會一事，正值入神之際，卻被老毒物攪散談興，不知現下是否還有興致，我們願洗耳恭聽下文。」

查玉微微一笑，道：「適才老毒物臨去之際，借一句謊言遮羞，想來賢姐妹和徐兄聽到了？」

丁玲道：「那歐駝子口中的小主人，一定是和南海一奇有著極深的淵源，也許就是南海一奇的後輩，這一點我已明白，不解之處是，何以此事能轟動整個武林，平日極難在江湖上露面的高手，竟然都趕來洛陽，難道果真如老毒物所言，是準備圍殲南海一派嗎？」

查玉道：「大小姐的聰明機智，實使兄弟拜服，不過，老毒物那句話，只是用來遮羞而已，試想這次趕來洛陽，大都是在武林中極有身分之人，事先未經磋商，如何能聯合起來，縱

然有人出面，只怕也難選出個主持其事的首腦人來，除非神州一君易天行親身駕臨，也許會有一線希望……」

忽聽丁鳳啊呀一聲，縱身躍落徐元平身側，道：「師兄可是感覺到不舒服嗎？」

徐元平搖搖頭，道：「沒有。」聲音微帶顫抖，顯示他心情十分激動。

查玉微微一皺眉頭，道：「老毒物陰毒無比，徐兄如果覺著有什麼不適之處，千萬不要隱諱不言。」

徐元平道：「多謝查兄盛情，我確無不適之感。」

丁玲眼珠一轉，笑道：「我師兄素有顫抖宿疾，少堡主不必擔心，請往下說罷。」

查玉心中雖然懷疑，但卻不便追問，微一思忖，接道：「其實群雄趕來洛陽，只是不謀而合，說穿了，大家都是為私利而來……」

丁鳳奇道：「為私利而來，難道他們帶有什麼價值連城的珍貴寶物？」

查玉道：「如若他們帶的是價值難計的珠寶，別說千毒谷中老毒物不會親身趕來，就是兄弟也不致奔波千里，趕來中原了。」

徐元平道：「這麼說來，他們定然帶有什麼武林奇珍、寶劍、拳譜之物，才引得各地武林人物如瘋如狂的趕來中原。」

查玉道：「徐兄猜得不錯，當今江湖之上，雖然門派分立，各門各派都有其獨門武功，但如講精博深奧，仍屬少林一派，可惜的是人才難得，少林寺雖有舉世難望項背的拳譜，及七十二種絕技，但卻無人能在短短數十年人生的旅程之中，把各種武學兼通。

「少林寺中有一部曠絕千古的武學大成奇書，卻是天下武林公認的武學寶典，說來徐兄和賢姐妹定然知道，那就是流傳千百年的《達摩易筋經》了。這部書數百年來一直瘋魔著武林人心，也曾有不少江湖人物企圖偷竊，但卻從沒一人得手，一則那藏此奇書之地，隱秘難找，除了寺中幾個有地位長老之外，連寺中僧侶，都不知存放何處，二則少林寺僧侶眾多，其武功成就各有不同，不乏某一種武功登峰造極之人，如果單打獨鬥，他們未必就比人強，但如以幾種登峰造極的武功，配合運用，卻是凌厲無比，數百年來不少武功成就極高之人，爲盜取那《達摩易施經》，葬身或挫敗在少林寺中……但南海門的『武學真經』，論實用其實並不在《達摩易筋經》之下……」

話至此處，突聞窗外一聲輕笑，道：「難得，難得，少堡主年紀不大，見識卻是不少，老夫實在羨慕查子清生了你這麼一個好兒子！」

查玉霍然起身，面窗一揖道：「老前輩大駕才到，晚輩已恭候多時了。」

丁玲、丁鳳在聞得那笑聲之後，臉色同時微變，一齊起身，望了徐元平一眼，並肩迎到窗口。

只聽窗門微微一響，複室中多了個身披道袍、瘦骨嶙峋、背插長劍的人。

徐元平仔細看去，正是在偃師郊外和丁氏姐妹所見索魂羽士丁炎山，不禁心頭微微一震。

丁炎山兩道冷森森的目光，先望了丁氏姐妹一眼，又緩緩移到查玉身上，最後才把兩道眼神，盯注在徐元平的臉上。

徐元平只覺他眼神如電，他似要看穿人的內腑，不禁心中一動，當下提聚其氣，蓄勁掌

中，只要對方一施襲擊，立時還擊。

他這數日夜之中，連番目睹江湖裡的險詐，心中提高了不少戒心。

丁氏姐妹雖看出叔父臉上神色不善，但卻不敢出言相勸，只有暗裡提心吊膽，以丁玲的聰明機智，一時間，竟也想不出妥當的辦法，來處置眼下劍拔弩張的形勢。

只聽索魂羽士丁炎山嘿嘿兩聲驚心蕩魄的冷笑，丁玲、丁鳳知他即將陡然出手，驚急之間，不覺叫了一聲「叔父！」

眼下敵友難辨的詭異情景，只看得閃電手暗暗納悶，饒是他機警過人，也猜不透是怎麼回事。

但見丁炎山兩道濃長聳立的怪眉一皺，望了丁氏姐妹一眼，霍然回頭望著查玉問道：「查家堡只有一個人來嗎？」

查玉躬身答道：「家父因事未親身趕來，特派晚輩帶了幾個門下來趕赴熱鬧。」

丁炎山微微一笑，道：「江湖綠林道上，常常傳誦你的事跡，想不到你二十二、三的年紀，竟然已成名武林了。」

查玉笑笑道：「晚輩才智愚蠢，難及家父萬一，怎敢當老前輩的過獎之譽，此次勉擔大任，心中惶惶不安，尙望老前輩多多指示機宜。」

丁炎山笑道：「此事關係極大，很多難得在江湖上露面的高人，都參與了這場紛爭，何況還有駝、矮二叟相隨保護，想奪經文，談何容易，就算搶到手中，雲集在中原道上的高手，也決不會袖手旁觀，勢非出手搶奪不可，那時搶得經文之人，反要成爲眾矢之的了。」

查玉道：「老前輩高見，使晚輩茅塞頓開，但不知老前輩有何高明打算？晚輩極願恭候差遣，略效微勞。鬼王谷和我們查家堡相交素篤，晚輩也應該為老前輩一盡心力。」

只聽索魂羽士丁炎山呵呵一陣大笑，道：「老夫已耗費數日夜的心血，想出了一個主意。不過……」他話至此處，倏然臉色一沉，陰森森地一笑，又道：「不過此事關係非小，恕老夫不便相告。」

徐元平聽他說了半天，全是些不關痛癢之言，暗暗忖道：此人當真是老奸巨猾。

只見查玉微微一笑，道：「晚輩也想到了一個辦法，只不知是否適用？」

丁炎山微微一怔，道：「怎麼，你也想到了謀經之策，那倒不錯，不知是否可說給老夫聽聽？」忽然想到自己隱謀不談的事，不覺臉上一熱。

查玉道：「老前輩既有興致一聆晚輩愚見，晚輩豈敢隱諱不言，只是出我之口，入人之耳，恐有洩露之意……」說話之間，移步案邊伸出右手，用茶水在案上寫了幾個字。

丁炎山看完之後，呵呵一陣大笑道：「難得，難得，小小年紀，幹練如是，和老夫所見略同。」

丁玲微一探頭，向案上望去，只見案上寫著：「挑起殘殺，坐收漁利」八個字，不禁冷笑一聲道：「謀略雖然不錯，只是幾近紙上談兵。」

查玉微一怔神，笑道：「久聞大小姐智計過人——想來定有智珠在握，敢請示教？」

丁炎山一皺眉頭，道：「難道你真有什麼高明的計謀不成？」

丁玲道：「我雖未想出辦法。但卻敢斷言查少堡主的辦法，行之不易。」

查玉道：「願聞其詳？」

丁玲道：「少堡主不是說過，此次集聚洛陽之人，大都是江湖上極負盛名的人物？試問極負盛名之人，哪一個不是智計百出，想挑起人家自相殘殺，談何容易？」

查玉點點頭，笑道：「不錯，不錯。」

丁玲微微一笑，又道：「少堡主也許看到今夜之中歐駝子約戰老毒物冷公霄一事，啓動了挑起殘殺之謀，不過這辦法必須要雙方彼此結有深仇大恨，才有望促起鷸蚌之爭，如果彼此都是在謀奪經文，此法實難行通。不錯，咱們可以故佈疑陣，助弱滅強，但這只能對付初出茅廬的人，才發生效用，如果對方是老謀深算，久歷江湖之人，不但難生效用，說不定反而弄巧成拙，真正成眾矢之的了。」

查玉道：「高明！高明！幾句話頓開兄弟茅塞，大小姐機智之名，果不虛傳。」

丁玲淡淡一笑，道：「少堡主客氣了，我雖能指出此謀行之不易，但卻想不出更好之策，還得少堡主多多用點心機了。」

查玉道：「別說兄弟已才盡智竭，縱然尚有餘才，也不敢班門弄斧了。」

丁炎山微一咧嘴，皮笑肉不笑地接道：「此事自非易謀，不必急在一時，咱們明日再談不遲。」

這兩句話，無疑下令逐客。查玉絕頂聰明之人，哪還會聽不出弦外之音，起身笑道：「天色已快四更，晚輩不便再擾幾位，先行告辭，明天再來討教。」說完，躬身對丁炎山一個長揖，轉身向室外走去。

丁炎山呵呵一笑，道：「少堡主慢走，恕老夫不送了。」

查玉回頭抱拳，微微一笑，道：「不敢當。」縱身一躍，人去如煙。

丁炎山目睹查玉去後，突然臉色一沉，望著徐元平道：「你是什麼人？」說話之間，人也緩步向徐元平逼去。

丁玲素知叔父生性，歹毒無比，出手就要殺人，立時橫跨兩步，擋在徐元平面前，道：「叔叔。」

丁炎山怒道：「閃開，你們這兩個鬼丫頭膽子不小。」

丁玲道：「叔叔暫請息怒，玲兒有下情稟告。」

丁炎山陰森一笑，突然一轉身，呼的一掌，直劈過去。

徐元平早已忍不住，因見丁玲相護情切，沒有發作，丁炎山這一出手，他再也忍耐不住，暗提真氣，正等硬接一掌，忽見丁鳳雙肩晃動，嬌軀直飛過來，口中嬌喊一聲：「叔叔。」直對劈向徐元平的強勁掌風上撞去。

丁炎山劈出掌勢，極為強猛，存心一擊把徐元平毀在掌下，萬萬沒有想到丁鳳竟然會捨身相救，一時之間哪裡還能收住掌勢。

只聽丁鳳口中啊喲一聲，嬌小玲瓏的身子已然撞在強猛掌風之上。丁炎山雖然歹毒，但要他親手把平時極為喜愛的侄女兒一掌擊斃，心中究竟是不忍，趕忙一吸小腹，想把擊出力道收回來。忽覺一股極強的暗勁，在他收回擊出掌力之時，趁勢反擊過來，而且來勢勁猛，凌厲無比。不禁心頭一驚，一咬牙，又把收回力道，反擊過去。

他在驚急之下，又把其力反擊過去，只是一種潛在的本能意識，待他掌勢出手，才看到又擊向丁鳳，但已難再控制那擊出真力。哪知那強猛的排空勁力，擊中在丁鳳身上之後，竟被一股暗勁化去。

但見丁鳳愁眉苦臉，盈盈欲泣地喊了聲：「叔叔。」緩緩地跪拜下去。

丁炎山目睹丁鳳連續兩番被自己掌力擊中，竟是安然無恙，這一駭非同小可，呆了一呆問道：「你這個丫頭沒有傷著嗎？」

丁鳳剛才撞向叔父劈出的掌風上，只是本能地失聲驚叫，其實她毫無損傷，聽得叔叔相問，立時幽幽答道：「叔叔手下留情，鳳兒幸未受傷。」丁炎山一皺眉，轉臉望了丁玲一眼。

丁玲輕啓櫻唇，說道：「我和鳳妹，都被千毒谷中的老毒物點了穴道，多虧這位徐相公仗義援手，趕走老毒物，解了我們穴道……」

丁炎山驚道：「什麼？老毒物武功是何等深厚，他豈能是敵手！」

丁玲道：「玲兒怎敢欺騙叔父，確實是此人救了我和鳳妹。」

丁鳳幽幽接道：「如不是這位徐相公仗義援手，只怕叔叔再也見不到鳳兒和姐姐了。」

丁炎山聽她說得幽婉如泣，不禁信了五成，鼻孔裡冷冷地哼了一聲，目光又轉投在徐元平臉上，凝注了半晌，道：「脫下你臉上面具。」

徐元平冷笑一聲，橫跨一步，讓開丁鳳，大踏步向室外走去。

丁炎山右手疾伸而出，快如電光石火一般，猛向徐元平左肩抓去，口中厲聲喝道：「想走嗎？只怕沒有這麼容易。」

徐元平微一側身，左手一招「推窗閉月」，反向丁炎山右腕掃擊過去，口中應道：「未必見得。」

丁炎山目睹徐元平反擊之勢，不但迅快絕倫，而且掌指所擊，又是攻人必救的脈門要穴，不禁暗暗吃驚，硬把擊出的右手收回，出手快，收手更快，徐元平疾如電奔的掃擊之勢，竟未能觸及對方衣袖。

這不過一剎之間，丁玲剛喊一聲「叔叔」，丁炎山左手拂塵振腕而出，刷的一聲，直擊而下。

徐元平雙足釘地如樁，上半身卻忽的向後一仰，讓過拂塵，右掌平推而出，直向丁炎山前胸擊去。

丁炎山冷哼一聲，左掌橫擋前胸，用了七成真力硬接徐元平擊來掌勢。

雙方掌力一接，丁炎山驟覺右腿一麻，身軀晃動，幾乎站不住樁，心頭大生凜駭。

徐元平卻借勢一躍而起，凌空穿窗，丁炎山眼看對方去時身法，矯健迅捷，似是毫無傷損，心中更是驚異，轉眼望去，只見丁玲、丁鳳雙雙輕顰秀眉，望著窗口出神，不覺冷冷地哼了一聲。

丁玲輕輕一歎，道：「叔叔逼走此人，無疑開柵縱虎，他如被別人籠絡，收爲己用，不但咱們鬼王谷少去一臂助力，且將多樹一強敵。」

丁炎山本想責罵二女一頓，但被丁玲先發制人，拿話一扣，登時覺著啞口無言。

丁鳳打蛇順棍上，盈盈站起，接著說道：「叔叔把他迫走，不但白費了姐姐一番心血，而

且對奪取經文之事，影響亦甚巨大……」

丁炎山被兩個侄女一陣埋怨，不禁微微一皺眉頭，冷然說道：「你們如何和他相識？他又為什麼要救你們？」

丁鳳只聽得心頭一跳，丁玲卻微微一笑，說道：「我和鳳妹雖然膽大，但也不敢忘去咱們鬼王谷中戒律，此人不但武功高強，而且身懷傳誦武林的奇寶『戮情劍』……」

丁炎山急道；「什麼？『戮情劍』！你們這兩個鬼丫頭為什麼不早告訴我……」，話說至此，人也到了窗口。

丁玲急道：「叔叔且慢，別說他人已去遠，縱然被你追上，叔叔也未必一定能勝得了他，此事只宜智取，不宜逞強。」

丁炎山想到剛才和對方硬拚一掌，震得手腕發麻一事，不禁心生猶豫，回頭望了丁玲一眼問道：「難道以叔叔之能，當真就不能勝他嗎？」

丁玲道：「以玲兒所見，叔叔殊少制勝把握，再說一擊不中，無疑打草驚蛇，不如暫時讓他去吧，好在他身懷戮情寶劍一事，除了我和鳳妹，再也無人知道，急也不在一時，緩緩計圖，或可一謀成功。」

要知丁玲在鬼王谷中，乃是出了名善謀之人，只要鬼王谷遇上了什麼大事，必有丁玲參與其間，一謀一策，無不中的，不但深受鬼王谷門下弟子們信仰，就是鬼王谷中三老，亦對她寵信異常。

丁炎山萬丈氣焰，被她幾句話說得煙消雲散，不再執意追尋。

六　神秘莊園

徐元平穿窗躍出之後，疾向正西奔去，他心中滿懷憤怒，奔行極是迅快，不過一盞熱茶之後，人已出城。

夜色茫茫，郊野寒風吹得人油生寒意。

人被冷風一吹，腦際中陡然清醒過來，忽然想到慧空大師賜的戮情劍匣尚在金老怪手中，未取回來，自己這一怒而走，豈不正中了丁氏姐妹下懷，如要憑仗自己之力，去尋那劍匣，只怕心願難償，不禁大感失策後悔。

但他乃天生傲骨之人，又不願重返萬盛客棧，再找丁氏姐妹，詢問金老怪像貌神態，但又不願讓慧空大師賜贈之物，落入別人手中，一時之間，六神無主，茫然地向前信步而行。

他本是孤苦無依之人，亦無一定的行止去處，心中念念不忘的只有兩件大事，一是早日追回失去的戮情劍匣，以免連累到慧空大師的清白聲譽，一是找處清靜之處，安心練成慧空大師所授的各種武功，然後查出父母死因，洗雪血海沉冤。天下高手群集之事雖然震盪著武林人心，但在徐元平的心目之中，卻和他毫不相關。眼下縈繞心頭的緊要之事，是如何找出金老怪的下落，逼他交還劍匣。

他茫然地信步走著，用盡了心智，仍然想不出適當之策……抬頭看去，霞光耀目，原來天色已亮，旭日初升，滿地陽光，一片金黃世界，他心神集中索思追回劍匣之策，竟不知何時天亮。朝霞中一隻奇大的鬈毛黑狗，正向他躍撲過來，白牙森森，來勢極猛。

徐元平微感一驚，右手疾沉，左手突然施出「捕風捉影」，在手伸動之間，抓住巨犬前腿，借勢一掄，蕩起一陣呼嘯風聲，正等拋擲出手，忽聞一聲呵呵大笑，道：「好一招『捕風捉影』。」聽來口音甚熟，心中一動，掌心用力，向外一推，把手中巨犬，輕拋在四、五尺外。

抬頭望去，只見丈餘外站著一個身穿百綻大褂，足著革履，一頭蓬亂頭髮，滿臉油污的老叫化子，背後的紅漆大葫蘆，在太陽照耀之下，閃閃生光，正是他昨日騾車上所遇的那位老叫化子。

只見他微一啓動雙唇，立時響起了一聲震耳的長嘯，那隻鬈毛黑犬，聞得嘯聲之後，立時汪的一聲大叫，放腿疾奔而去，迅如電奔，眨眼不見。

徐元平忽然想到那老叫化子，趕快轉身一揖，道：「老前輩……」但聞革履拖地之聲，那老叫化子已轉身走到兩丈開外，不禁心頭一急，高聲說道：「老前輩請留步片刻，晚輩有事討教。」

但聞那革履觸地的答答之聲，愈響愈急，原來徐元平拔步一追，那老叫化子也放腿奔跑起來。

徐元平一提真氣，施展「蜻蜓點水」輕功，一連三個縱躍，追到了老叫化子身後，笑道：

「老前輩可是人稱神丐的宗老前輩嗎？」

老叫化子頭也不回地冷笑一聲，道：「好小子，你要跟老叫化子比腳程嗎？」雙肩晃動，突然向前一躍，起落之間，人已到兩丈開外。

徐元平一皺眉頭，暗道：我追到你前面去，回頭攔住你的去路，看你理我不理我。腳下加勁，施展開上乘輕功，身形如破空流矢一般，衣袂飄飄帶起呼呼嘯風。

兩人這一較量腳程，當真是快如出塵飛隼，陽光照射之下，只見一前一後兩團黑影，翻滾而去，根本就無法分辨得出是兩個人在向前奔跑。

片刻之間，已跑了五、六里路，兩人仍然相距有兩丈左右的距離，徐元平沒有追近一步，那老叫化也沒有多拉長一步距離。

忽見那老叫化雙臂一抖，凌空升起了一丈多高，飛越過一個丈許高低的土丘，消失不見。

徐元平停步望去，只見土嶺起伏，一片荒涼，原來兩人這一陣奔走，已到了洛陽郊外邙山。

他微一猶豫，緩步上了土嶺，一陣山風送過來撲鼻的酒肉香氣。低頭望去，只見那土丘下面，有一間兩座房子大小的小廟，縷縷炊煙，由廟中飄飛而出。

他本是極爲聰明之人，略一沉忖，恍然大悟，暗道：沿途之上，他一直和我保持著兩丈左右的距離，不遠不近，分明是想激起我好勝之心，引我來此。當下不再猶豫，大步向那小廟中走去，只見那老叫化子和一個衣著華貴的少年盤膝對面而坐，在兩人之間，矗立三塊青磚，上面架著鐵鍋，下面火焰熊熊，鍋中熱氣騰騰，不知煮的什麼東西。

那衣著華貴的少年，神態十分拘謹，手中握著一段竹枝，輕輕地撥著鍋下的火焰，不時加些乾枯的樹枝進去。而老叫化子卻是左手拿著一隻雞腿，右手抱著紅漆大葫蘆，吃一口雞，喝一口酒，一派旁若無人的神態。

徐元平站在廟門口停了有一刻工夫之久，兩人始終沒轉頭看他一眼。

忽聽那老叫化子冷笑一聲，道：「榮兒，快去瞧瞧，哪來的一股鬼氣。」呼的一聲，把左手中一根啃得點肉不存的雞骨，向徐元平面上拋來。手法勁急，雞骨相距還有一、兩尺遠，已覺著疾風撲面。

徐元平微一側頭，雞骨掠耳打過。

只見那華衣少年轉過臉打量了徐元平一眼，躬身道：「師父，是一個無名的小鬼，要不要把他捉來？」

徐元平只聽得一股怒火直沖上來，正想發作，忽然心念一轉，暗道：是啦，我和鬼谷二嬌混在一起，自難免人家把我當成鬼王谷中之人看待。念轉氣平，便緩步直走了過去，躬身對那老叫化子一揖，說道：「承蒙老前輩連番指點迷律，晚輩已經……」

只聽那老叫化子冷笑一聲，截住了徐元平的話道：「我老人家最討厭和身上有鬼氣的人談話，你先把全身鬼氣除盡，再來不遲。」徐元平陡然大悟，返身出了廟門，把臉上人皮面具和一身僞裝車伕的衣物，盡皆拋去，重入廟門之時，已近他本來面目，劍眉星目，玉面朱唇，猿臂蜂腰，英俊動人。只見那老叫化子仰臉呵呵一陣大笑，道：「孺子可教。」

徐元平恭恭敬敬地行了一禮，答道：「晚輩叫徐元平，初入江湖，見識淺陋，想請老前輩

指示一條明路，久仰老前輩俠名，故而不揣冒昧，犯駕求教。」

老叫化子一皺眉頭，道：「想和老叫化子講話，趁早別咬文嚼字。」

徐元平微感臉上一熱，道：「老前輩可是名動武林的神丐宗濤，宗老前輩嗎？」

那華衣少年突然抬頭，瞪了徐元平一眼，道：「當今武林之人，縱未見過我師父，亦必聽人講過他老人家的那紅漆葫蘆，你難道瞎了眼嗎？不識他老人家，怎麼連那紅漆葫蘆也看不出。」

徐元平側目打量那華衣少年一眼，只見他雙眉如劍，星目射光，輪廓俊秀，英氣勃勃，只是皮膚黑了一點。

但聞那老叫化咕咕嘟嘟一口氣喝了三、四口酒，呵呵一笑，道：「不錯，老叫化子就是宗濤，你覺著有點不服氣嗎？」

徐元平道：「晚輩不敢。」

神丐宗濤哈哈一笑，道：「老叫化親眼看到你和老毒物對了一掌，剛才又見你露了一手『捕風捉影』的絕傳手法，看來你倒像有點來歷的娃兒，怎麼會和兩個鬼女混在一起，你既然迷途知返，我老人家也不和你一般見識，想和我老叫化交朋友，先得把你三代祖宗說出來給我聽聽，先說你師父是誰？看看我老人家聽得順耳不順耳。」說完，舉起手中紅漆大葫蘆，咕咕嘟嘟，又是幾大口酒。

徐元平聽他說話顛三倒四，心中暗覺奇怪，忖道：神丐宗濤，乃一派武學大宗師的身分，此老說話沒輕沒重，別要是遇上假冒之人？」心中在想，嘴裡卻淡淡一笑，道：「這個請恕晚輩難以遵命。」

那華衣少年霍然站起身子，一揚手中撥火的竹枝，滿臉憤怒之色，正待發作，忽聽那老叫化子哈哈一笑，道：「榮兒，快坐下，你打不過他。」

徐元平急道：「晚輩確實有難言苦衷，並非故意隱諱不言。」

宗濤微微一笑，道：「很好，你不願把身世說給老叫化子聽，那就別想從老叫化子口裡掏一句話出來。」

徐元平正待辯說，忽聞衣袂飄風之聲，但見人影一閃，眼前突然多出一個年約十八、九歲的小叫化子出來。此人衣著裝扮，無一不和神丐宗濤相同，只是背上缺少一個紅漆葫蘆。

那小叫化子轉臉望了徐元平一眼，低聲說道：「他們已邁出萬盛客棧，群集洛陽的武林人物，亦都紛紛盯梢追蹤，馬車就要到邙山腳下了。」

神丐宗濤突然一整臉色，雙目神光如電，盯在徐元平臉上，問道：「你這娃兒是現在就走呢?還是給老叫化子幫忙?」

徐元平急道：「晚輩願意聽老前輩的差遣。」

宗濤微微一笑道：「那你就隨著小叫化子去吧，不過，要一切都聽小叫化子的吩咐，願意就去，不願意老叫化子也不勉強，咱們瞧屁股蹬一腳，你東我西。」

那華衣少年急道：「師父，此人來得太過突兀，只怕其中有詐。」

宗濤笑道：「老叫化子生平還未看走過眼，這次倒是想上一次當瞧瞧是什麼味道。」說完話，一揮手，徐元平突覺衣角被人一扯，轉頭望去，那小叫化子已到了廟外丈餘之處，不禁暗

讚一聲，好快的身法。當下一提真氣，縱身追了出去。

那小叫化子微微一笑，露出一口雪白細小的牙齒，和他那滿臉油污，一頭蓬髮，百綻破衣相映之下，倒是別有一番風致。

但聞衣袂飄風之聲，由身側疾掠而過，神丐宗濤和那華衣少年一先一後疾飛而過，轉瞬間過了土丘，消失不見。

小叫化子望著兩人的背影，若有所思般地呆呆的站著不動。

徐元平站在一側卻看得大惑不解，暗道：這人剛才急如星火般地躍出廟來，現下怎麼又站著不動？

忽聽那小叫化子輕輕歎息一聲，回頭望了徐元平一眼，滿臉愁苦之容，欲言又止。沉吟良久，才低聲說道：「你認識我師父嗎？」

徐元平搖搖頭，道：「不認識。」

小叫化道：「那你又為什麼要聽他老人家的吩咐呢？」

徐元平呆了一呆，道：「我雖然不識令師，但對他的俠名，卻是心慕已久。」

小叫化子忽的淒涼一笑，道：「可是他老人家，已難再活過半月了。」徐元平吃了一驚，道：「什麼？」

小叫化子仰臉望著天上一片浮動的白雲，兩行熱淚，奪眶而出，自言自語地說道：「我師父一生行事，仰不愧天，俯不怍地，不知道教了多少賢臣孝子，做了多少善事，半生勞碌，為人辛忙，別人有困難，有他老人家挺身相救，可是當他老人家危難臨頭之時，又有什麼人能幫

他呢……？」幾句話低沉、淒涼，聽得令人肝腸寸斷。

徐元平忽覺一股熱血，由胸臆直衝上來，毫不思索地衝口說道：「什麼人要加害令師，兄弟不才，但卻極願挺身助他一臂。」

小叫化子忽的轉臉瞪了徐元平一眼，道：「我師父神功絕世天下，又有什麼人能加害於他。」

徐元平聽得大感迷惑，舉手拍拍腦袋，道：「這個，真叫兄弟難以聽懂了。」

小叫化子歎道：「除非他老人家甘願讓人殺害……」

徐元平奇道：「世上竟有這等怪事，兄弟是越聽越糊塗了。」

忽聞啪的一聲清脆鞭聲，飄入耳際，小叫化子忽的飛躍而起，直向土丘上面奔去。

徐元平看他身法快捷，四、五個縱躍已躍上土丘，當下一提其氣，使出「燕子穿雲」的輕功身法，人如流矢穿空，眨眼間追上土丘。

放眼望去，只見一輛翠稜幪遮、金轅紅輪、四馬曳牽的豪華篷車，飛一般地奔馳在黃土道上，煙塵滾滾，向西北而去。

馬車前面數丈處，有四匹快馬開道，車後面十幾匹快馬擁隨，隱隱可辨那駝、矮二叟亦在其中。

車後十幾匹健馬之中，最爲突出的有一匹奇大的白馬，玉鞍金鐙，映日生輝，馬上坐著一個錦緞長衫的中年人，雖因相距過遠，無法看出他面貌年歲，但因他衣著耀目，座馬神駿，日光下長髯飄飄，由飄蕩的長髯上推斷，已可知他大約年歲。

忽見那小叫化子黯然一笑，對徐元平道：「天下英雄都在摩拳擦掌，準備參與這場爭奪真經的紛爭，可是，我卻是爲著恩師的生死，必須要取得天下英雄志在必得的經文，這希望太渺茫了。別說群集洛陽的武林人物不會袖手讓我們捷足先得，單是駝、矮二叟和他隨行的護駕之人，也夠我小叫化子全力對付的了。」言下神情淒然，一副垂頭喪氣的樣子。

徐元平運足眼力望去，但見那馬車極遠之處，左、右、後方，點點黑影蠕動，都似追蹤這馬車之人，忍不住問道：「這馬車之中，究竟是什麼人物，竟引得這麼多武林高人追集洛陽而來？」

那小叫化子道：「此事說來話長，恕我現下沒有時間詳細的告訴你，咱們現在分成兩路，追蹤那輛馬車，如非必要，最好不要和人動手。」說完話，身軀一晃，人已到丈餘處，兩、三個縱躍，消失不見。

徐元平看那小叫化子對自己冷漠之情，分明是極瞧不起自己，不禁激起好勝之心，當下雙臂一振，躍下土丘，直向那華麗馬車追去。

他乃毫無江湖閱歷之人，又動了爭勝樹譽之念，也不掩遮身形，一股勁明目張膽地放腿趕路。他這時的輕功，已達上乘境界，單是疾走，已是快逾奔馬，再加他繞捷徑而行，不過頓飯工夫，已到了那華麗馬車數丈之後，不緊不慢，大搖大擺地跟在那馬車後面。

在他想來，那車後隨行護駕之人，定然會藉故干涉，阻他追蹤，那就索性借機鬧他一場，哪知人家竟然毫不理會，根本就沒有人回頭望他一眼。馬車行約四、五里路，突然向一道山谷

中折轉行去。

徐元平略一沉思，竟然隨後追去，他有心惹事生非，毫無避忌顧慮，挺胸昂首，坦然而行。

忽然峰迴路轉，馬車拐了幾個彎後，眼前景物大變。

抬頭望去，但見一片翠竹環繞著一座巍然矗立的高大莊院，紫瓦紅牆，輝煌壯麗。只因那環繞在莊院外面的翠竹，濃密異常，縱有銳利的目光，也很難看清那莊院全景。

松竹搖動之間，隱現出幢幢人影，只見那華麗的馬車，繞著濃密的翠竹轉了幾轉，突然消失不見，但耳際中卻可聞得得車聲。

那隨護馬車的大漢和駝、矮二叟，都同時消失了身影，只有那位白馬錦衣的中年男士，獨個留在林外。

這時，兩人相距不過三、四丈的距離，彼此都可很清楚地看清對方面貌。

只見那錦衣中年男士，生得方面大耳，濃眉環目，長髯垂胸，氣度雍容，顧盼之間，神威凜凜。

忽聽他朗朗一笑，道：「閣下這等盯梢追蹤之法，不覺得太扎眼嗎？」

徐元平冷哼一聲，道：「朗朗乾坤，陽關大道，難道只有你們走得，在下就走不得嗎？」

錦衣男士似是被徐元平豪壯的言詞震住了，突然仰臉大笑道：「好，年紀輕輕，竟有這等豪俠氣概，佩服，佩服，比起那些藏頭露尾，暗弄玄虛的鼠輩們，舉止倒不失正大光明。」說完話，突然一帶馬韁，轉入密茂的翠竹林中不見。

徐元平雖是存心惹事，但因對方始終未和他正面衝突，找不出打鬧藉口，要他蠻不講理硬往人家莊院衝去，又覺得做不出來，眼看著自己追蹤的車馬人群，盡都轉入那翠竹林中，不禁呆在當地，一時間不知如何是好。

正感進退難決的當兒，忽聞身後傳來一聲輕笑，道：「閣下可是徐兄嗎？」

徐元平轉臉望去，只見身後丈餘外處，站個頭戴氈笠，身穿藍布褲褂，足著平口布鞋，顎垂花白山羊短鬚的老人，面目陌生，素不相識，不禁一怔。

只見那人微微一笑，道：「兄弟查玉，半宵之隔，徐兄就不認識了嗎？」

徐元平自受那小叫化子冷落之後，心中對好人壞人之分，又生了一重疑慮。爲什麼俠名卓著，使自己極爲欽慕之人，反對自己熱嘲冷諷？而自己心中厭惡之人，卻對自己畢恭畢敬，曲意相交？一時之間，思潮洶湧，只覺是非難辨，善惡難分，想來想去，找不出自解道理。

忽聽查玉聲音起自身側說道：「徐兄在想什麼心事，這等入神，令師妹亦雙雙來此，兄弟願爲徐兄帶路……」

徐元平如夢初醒般，口中啊了一聲，道：「多謝查兄盛情，不敢有勞大駕。」

查玉微微一笑，道：「此地非談話之處，如果徐兄不覺兄弟討厭的話，請到左側山峰之上，一敘如何？」

說話之間，人已轉身向山壁走去。徐元平相度一下山勢，笑道：「咱們上了這山峰，不但可俯瞰莊院全景，且可眼觀四路。」

查玉道：「徐兄只怕登上這山峰之後，要大失所望。」說完話，當先向峰上攀去。

徐元平目睹查玉攀登身法，暗自忖道：此人十分狡詐冷傲，不知何以竟對我這般熱情。心念一動，故意放慢腳步，和查玉保持了兩丈多遠的距離，裝出一副力不從心的模樣。

查玉原想在這攀登峭壁的機會，一試徐元平的武功，是以全力施為，人如點水蜻蜓，片刻間已登上峰頂。

轉頭望去，只見徐元平尚在三丈以下的峰腰之間，正手足並用地向上攀登，不禁一皺眉頭，暗道：此人能接下老毒物冷公霄一記劈空掌力，何以輕身之術這般低劣。

心中忖思之間，徐元平已爬上了峰頂，只聽他氣喘吁吁，似是爬得很累。

查玉是何等精明之人，一聞徐元平故作喘息之聲，心中恍然大悟，當下左手一伸，取下頭上氈笠，右手在臉上一抹，除了假鬚，笑道：「兄弟自見徐兄之後，不知何故，心中即生傾慕之感，腦際已深印了徐兄的印象，故而一見徐兄背影，立時就辨識出來，今承徐兄不棄，紆貴下交，實兄弟生平之一大快事。」說來情意殷切，滿臉歡愉之容。

徐元平欲蓋彌彰，故作喘息，弄巧成拙，尚不自覺，聽得人一番頌讚之詞，不覺大減心中惡感，當下微微一笑道：「查兄這麼看得起兄弟，兄弟甚感榮幸……」

忽聽身後傳來一個冷冷的聲音，道：「哼！你怎麼會和這些人走在一起？」

查玉聽得那聲音後，臉色一變，但瞬即恢復鎮靜，流目四顧，眺望山下景色。

徐元平轉臉望去，只見丈餘外處，站著和自己分手不久的小叫化子，不知何時他已到兩人身後，臉上微現慍怒之色，冷冷地望了徐元平一眼，緩緩別過頭去。

他本想出言招呼，但見那小叫化子冷漠之態，不禁心頭冒火，當下冷哼一聲，轉過身去，笑對查玉說道：「這莊院修築得這等堂皇富麗，不輸王侯府第，想那在院中的主人，不是權貴，當是坐地分贓的綠林人物。」

徐元平本是幾句無心之言，但查玉卻聽得心頭一動，但他乃心機深沉之人，喜怒控制得宜，極不易看得出來，微微一笑，扭轉話題，說道：「徐兄請仔細看那莊院，可有什麼特別之處嗎？」

忽聞身後那小叫化子冷哼一聲，道：「不求上進的東西。」

徐元平聽他出口傷人，不覺大怒，霍然轉身，厲聲喝道：「站住，你罵什麼人？」

小叫化子本已轉身而去，聽得徐元平喝問之言，倏然停住腳步，道：「罵哪個你管不著，怎麼樣？」

徐元平怒道：「你憑什麼出口傷人，難道我還怕你這個臭叫化子不成？」忽然想到神丐宗濤亦是叫化裝扮，不禁暗悔失言。那小叫化子看他大踏步向前衝了兩步後，忽然停步不前，冷笑一聲，慢慢轉過身子，緩步而去。

查玉笑道：「在江湖之上行走難免要惹上是非紛爭，事情既然過去，就不必放在心上了。」

徐元平望著那小叫化子的背影，說不出心中是一番什麼滋味，呆呆地站在當地出神。

查玉看他若有所思，心中頓生疑慮，眉宇間突然閃掠過一抹殺機，笑道：「怎麼？徐兄認識那小叫化子？」

徐元平點點頭，道：「彼此有過一面之緣，談不上什麼認識。」

查玉笑道：「既有一面之緣，徐兄就該忍受一點閒氣，不必再爲這等小事煩惱了。」

徐元平聽他這般關懷自己，心中大是感動，微微一笑，道：「多謝查兄勸慰。」

轉臉望去，只見峰下翠竹掩映中一座高樓上，緊閉的窗門，忽然大開，繡簾起處，現出一張秀麗無比的美麗面孔。

查玉一拉徐元平，向一棵松樹後面隱去。

徐元平、查玉的目光均異常人，雖然這山峰相距那高樓很遠，但兩人仍可看清楚樓上景物，和那秀艷少女的面孔。

只見她髮挽宮髻，微向右偏，輪廓秀美，丁玲、丁鳳生得不算不美，但如果拿來和此女相比，立覺黯然失色，當真如小謫人間的月宮仙子，如非是親自所睹，實使人難信塵寰之上，竟會有這等無與倫比的玉人。

徐元平生性端重，但也看得怦然心動，暗自讚道：好一個天生佳麗，絕代尤物……

一陣山風吹來，松枝搖動，遮去那秀色如畫的美麗面孔。

查玉輕輕歎息一聲，道：「徐兄，你看那樓上少女如何？」

她似是很怕山風，舉手放下繡簾。

待風停松住之時，已難再見玉人。

徐元平腦際中仍在盤旋著那秀麗玉人的倩影，聞得查玉問話，忽覺心頭一凜，暗自責道：

徐元平啊徐元平，你身負血海沉冤，尚未洗雪，來日凶險正多，豈可惑迷美色，消磨壯志。當

下一挺胸，長長吁一口氣，盡濾胸中雜念，笑道：「不錯，生得很美。」

查玉幼承父藝，生活豪華，家中養有美婢無數，不是重金選購而來，就是綠林道上人物作晉獻，北地胭脂，江南佳麗，西域美人，東瀛歌姬，無不齊全，而且個個秀艷如花，都是一時上選，但查玉爲人志博遠大，雖然千百麗人獻媚送情，他尙可潔身自守，不爲美色所迷，他生平引爲自豪之事，亦就是不迷女色。但在他見到樓上少女之後，竟然難止心波，匆匆一瞥，情愫頓生。

在他想來這等絕世玉容，必亦使徐元平心生傾慕之情，哪知對方只淡淡地應了一句，毫不爲那絕世美色所動，不禁心中暗生敬佩。忽然間，由那松竹環繞的莊院中，升起一面巨大的紅旗，旗上寫著斗大的白字：「擅入一步，死莫怨人。」

查玉冷笑一聲，道：「好大的口氣。」

徐元平目睹那紅旗白字，心中陡然想到那小叫化看不起自己的冷漠之態，只覺一股怨氣沖上胸口，道：「走，咱們過去瞧瞧。」

查玉笑道：「要去也不能現在就去，徐兄若有意，兄弟定然捨命奉陪，不過要等天色入夜時，再去不遲，眼下咱們先找一處清靜之地，坐息一陣，也許晚上入莊之時，難免一場大戰。」

徐元平點頭應好，兩人離開山峰，找了一處清靜山谷，食用了乾糧，坐息到天色入夜，重又回到山峰之上。

放眼望去，只見那巨大紅旗，已改換一盞巨大的紅燈，白天所見那高樓，窗門也大開著，

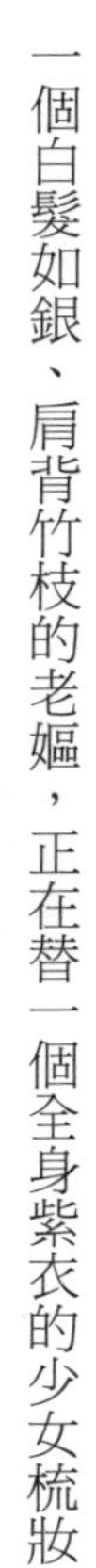
一個白髮如銀、肩背竹枝的老嫗，正在替一個全身紫衣的少女梳妝。

在那少女頭項上面垂掛著一盞流蘇宮燈，四外燭火輝煌，耀如白晝，室中影物，清晰可辨。

查玉心中一動，暗自忖道：這莊院各處，都是一片夜暗，何以單單在那樓上，點起這麼多燈火，顯然是想誘敵到那高樓下面，如非那裡有什麼厲害的機關，定然埋伏著武林高手。」

徐元平卻在運用目力勘查峰下莊院形勢，哪知這一用心勘查，心中立時覺出不對，除了那座燈火輝煌的高樓之外，全莊院所有樓台亭閣，都無法看得全貌，不是被環繞松竹遮去一半，就是被其他樓閣擋住視線，不管如何移動視線的角度，都無法看到任何一座閣樓的全貌。轉頭望時，只見查玉目光凝注在那高樓上出神。徐元平順著他目光看去，不覺暗中一笑。

原來查玉目光凝注不瞬之處，正是那紫衣少女梳妝面對的銅鏡，燭光照耀之下，鏡中反映出一個秀美的面孔。

突聽他輕輕的歎息一聲，緩緩地移開目光。

查玉側目望了徐元平一眼，心中忽然爲之一驚，低聲問道：「這等夜暗之間，徐兄還能看到那莊院景物嗎？」

徐元平道：「叨繁星之光，大致都可看到，只是不如白晝清楚罷了。」

查玉心頭雖大感一駭，但外形卻仍然鎮靜如常地微微一笑，道：「徐兄可看出那莊院有什麼怪異之處嗎？」

徐元平道：「說來慚愧得很，查兄白天已提醒過兄弟，說這莊院建築與眾不同，當時兄弟

尚未覺出，現下仔細看來，果是大有可異，不論如何移動目光角度，均難看得任何一座完整的樓閣，只怕這莊院中，定有著什麼機關埋伏。」

查玉聽他說得一點不錯，心中暗道：此人目光銳利，內功必極深厚，看他年齡，又似比我還小上幾歲，不知何以竟能有這等絕超武學常規的成就，他既肯和鬼谷二嬌混在一起，又和那小叫化子相識，這人來歷，實叫人弄不清楚，但看他言行舉動，又似是初出茅廬，不像走過江湖之人，不如今宵冒險和他同入眼下莊院一探究竟。如果能把他籠絡住，收爲己用更佳，不然便藉機把他除去。

念轉意決，微笑道：「兄弟久聞鬼王谷中神算之學，獨步武林，徐兄追隨令師，想必已得傳授，今宵要借徐兄之力，帶兄弟進這莊院了。」

徐元平聽得怔了怔，道：「查兄對兄弟推心置腹，兄弟豈敢再相欺查兄，實不相瞞，兄弟並非鬼王谷門下弟子，丁氏姐妹隨口胡說，兄弟不便當面否認罷了。」

其實查玉早已看出個中蹊蹺，只是不便點破，故作糊塗而已。聞言裝出驚訝之態，道：「這麼說來，是鬼谷二嬌對兄弟故撒謊言？」

徐元平歉然一笑，道：「不敢再騙查兄，兄弟只是無意間遇得丁氏姐妹……」

但聞身後冷哼一聲，一條人影，疾如凌空巨鶴，由兩人頭頂上面飛過，直向峰下落去。

來人去如離葦驚鴻，一瞥間已沉入峰下夜色之中，夜色黑暗，饒是查玉目光銳利，也未看清來人形象，不禁一皺眉頭，道：「什麼人竟有這等絕佳身手……」

徐元平歎息一聲，道：「是神丐宗濤。」

查玉啊了一聲，道：「什麼？神丐宗濤，徐兄沒有看錯人嗎？」

徐元平道：「錯不了，我看得十分清楚。」

查玉驚歎一聲：「徐兄好佳的眼力，兄弟佩服至極。」心中卻在暗自盤算著，此人行動舉止，分明是一個無江湖閱歷之人，不知怎麼會識得神丐宗濤，莫非他深藏不露，故作拙呆不成？心念及此，又暗中提高了幾分警覺之心。

徐元平目睹宗濤躍下峰去，心中忽然想到了身受他們師徒冷漠之情，登時豪氣迸發，爭雄之心陡生，回頭對查玉道：「咱們也下峰去吧！」不待查玉答話，雙臂一振，緊隨著躍下峰去。

查玉眼看徐元平一躍下峰，心中甚感為難，只怕自己輕功難以勝任，但事情迫到這步田地，只得一提真氣，縱身躍下。

只見徐元平卓立在夜色下，目光凝注著交錯而植的松竹，呆呆出神，順著徐元平眼光望去，只見兩個身著夜行勁裝，身揹兵刃的大漢，正在那松竹之中團團亂轉，似是迷了道路一般，轉來轉去，卻始終轉不出兩丈方圓之地。

他藉機暗中調勻真氣，緩步走到徐元平身側，問道：「徐兄可學過五行奇術嗎？」

徐元平回頭望了查玉一眼，搖搖頭道：「這個兄弟沒有學過，不知查兄是否精通此道。」

查玉道：「兄弟倒是曾聽家父講解八卦、九宮陣式，及破解之法，只可惜兄弟天性愚蠢，只學得一點皮毛。」口中說話，心中卻在默數那松竹相隔距離，暗中推算。

徐元平看他目不轉瞬，口齒啓動，似正在用心計算什麼，不敢出言驚擾，靜靜地站在一側，心中卻在暗暗讚道：此人不但武功高強，而且旁博奇門神算，倒是一個值得結交的朋友。」

大約過有一刻工夫，查玉凝重莊肅的臉上，忽然綻出了笑容，說道：「這莊院中的主人，實非平庸之輩，竟能把人卦、九宮變化，糅合一起，幾乎把兄弟矇騙過去。」

徐元平喜道：「怎麼？兄台已籌思得破解之法了嗎？」

查玉笑道：「這八卦、九宮的變化，如放在家父眼中，實乃雕蟲小技，但兄弟卻不敢誇此海口，只自信尙可爲徐兄識途老馬，但請隨在兄弟身後，照著兄弟出步轉彎的走法，當不致被這區區松竹植成的陣圖所困。」

徐元平道：「查兄多才多藝，兄弟今宵要仰仗大力了。」

查玉微笑道：「好說，好說，兄弟有僭，走前一步帶路了。」突然一提真氣，身軀凌空而起，起落之間，人已到了松竹林邊。

徐元平緊隨查玉身後而行，果然毫無阻礙，片刻之間，穿過了五丈左右的松竹林。停步望去，只見景物大變，滿地寸許長短的青草中，種植著各種花樹，有的盛開怒放，也有的葉落枝禿，也不知從哪裡移植而來。

兩人深入了四、五丈左右，忽聞一聲淒厲刺耳的竹哨之聲，傳入耳際，緊接著前面丈餘處一株高大的花樹上，出現一盞紅燈。

查玉見那燈出現得突兀詭異，心中微生驚駭，大喝一聲，飛身直躍過去，人還未落實地，

已發出家傳武學「百步神拳」，一股強勁的拳風，破空直擊過去。

但聞砰然一聲，那突然出現的紅燈吃查玉擊出的拳風，打得飄空飛去，應手而熄。就這一瞬之間，花樹林中一片紅燈晃動，出現了百盞以上。兩人不覺間被那出現的紅燈分去了心神，流目四顧起來。

但見那出現紅燈忽然交叉移動，片刻間數易其位，因那紅燈一陣交叉移動過後，逐漸由多而少，只剩了十餘盞左右，在相距兩人四、五丈處不停地晃動。

徐元平看得心煩，側臉對查玉說道：「查兄，那紅燈移來移去，分明有人在搗鬼，咱們追過去活捉一、兩個再說。」

查玉雖然覺出這紅燈出現得大是怪異，但一時之間，也想不出是何路數，他自恃通達八卦、九宮陣圖變化之術，不致被困，當下應了一聲好，振袂疾撲過去。

徐元平緊隨追撲過去，哪知兩人剛一躍起，前面十餘盞紅燈突隱，左側卻又陡然現出了三盞紅燈。

查玉冷笑一聲，不待身子落地，猛然一提真氣，硬將向前疾撲的身子收住，右手探懷摸出兩枚制錢，運足腿力忽向左側紅燈打去。

果然鏢不虛發，兩盞紅燈，同時被鐵鏢打熄，餘下的一盞，也自動隱去不見。

花樹林中又恢復一片夜暗之色和原有的寂靜，但兩人卻被紅燈一擾，分去了心神，待想辨認出路之時，才覺出迷了方向。

查玉見聞廣博，心知此刻最是慌亂不得，只要再有失錯，必要遭人暗算，當下低聲說道：

「徐兄且請安心，莫再亂闖，只要我們心神不亂，敵謀決難得逞，這花樹林雖有古怪，不外機關埋伏，咱們最好能先靜坐運功，調息一陣，待心神寧靜時，再思破敵之策。」說完，當先盤膝而坐，閉目運氣行功。

徐元平看查玉沉穩幹練，臨事不亂，心中又增了幾分敬服之感，當下依言靜坐，運氣調息。

他所習佛門禪坐之法，大異一般內功修爲，一經靜坐下來，耳目反而特別靈敏，剛一入定，忽聞嗡嗡之聲，遙遙飄傳入耳。

睜眼望去，只見查玉靜坐如故，似是毫無所覺。他乃毫無江湖閱歷之人，雖聞異聲，但見對方絲毫沒有感覺，反而心疑自己聽錯，故並未出言招呼查玉。

但聞嗡嗡之聲愈來愈是強烈，而且四面八方群起相和，才覺出事情不對，運足目力看去，夜色中隱隱可見千萬黑點，飛撲而來，心中忽然一驚，大聲叫道：「查兄快些站起。」當先挺身而起。查玉聽得徐元平大叫之聲，立時躍起身子，就這刹那工夫，十餘隻奇大毒蜂，已飛近兩人身側。

徐元平大喝一聲，呼的劈出一掌，強猛的劈空掌風到處，十餘隻毒蜂盡遭震斃掌下。

但聞嗡嗡之聲大作，無數毒蜂潮水般分自四方八面飛到，兩人雖都是一身本領之人，但目睹這麼多奇大毒蜂，也不禁心生寒意。

查玉兩手分握自己衣領，嚓的一聲，把身上一件長衫撕成兩半，雙手一掄，但聞風聲呼呼，把飛近蜂群掃退了七、八尺遠。

徐元平如法炮製，也撕下自己長衫，兩人貼背而立，掃打蜂群。兩人功力均甚深厚，雖是手執破衫，但掃出勁力，卻極強猛，揮舞之間，風嘯破空，把蜂群逼擋在七、八尺外，難越雷池一步。

無如毒峰過多，不知有幾千幾萬，而且悍不畏死，被兩人衫風震退之後，立時又振翼飛衝上來，片刻之間，被兩人震斃的不下千隻之多。毒蜂愈來愈多，聲勢也愈來愈大，放眼望去，四周一片濃暗，密密層層，蔽天瀰空，何止千百萬隻。

查玉一面揮衫掃打，一面索想破解毒蜂圍攻之策。

心念一轉，雙手突然加足十成勁力，破衫掃出，威猛備增，把身前群蜂退出一丈開外，說道：「徐兄，咱們這等打法，不知要打到什麼時候才能住手，兄弟之意，與其受蜂所困，倒不如冒險向外衝去，就是遇上什麼機關埋伏，也比被困蜂群好些，不知徐兄意下如何？」

徐元平道：「查兄之意，和兄弟心意相同，與其被困蜂群倒不如衝入莊院之內，和他們拚搏一陣，勝則更佳，敗也死得心甘。」

查玉朗朗一笑，道：「好，就容兄弟替徐兄開路吧。」雙手破衫疾掄，勁風排空呼嘯，毒蜂被迫得紛紛後退。

徐元平目睹查玉掃打蜂群的威勢，豪氣忽發，大喝一聲，凌空躍起，提足真氣，雙手破衫盤空一陣掃打。

這是他自得慧空大師傳授後，第一次運出全力，雙手破衫波動掃出，四外蜂群成千成百地墜落地下，威勢直波及兩丈左右，他破衫掃出的一瞬之間，兩人周圍十步內毒峰，盡被震斃。

徐元平在運力掃出手中破衫之時，因未聞排空的風嘯之聲，只道是自己功力不夠，心中微生驚駭，暗道：我這凌空掃擊，如果不能把蜂群迫退，只怕難免要被毒蜂乘隙飛近身側。心念正轉動間，忽見群蜂紛紛躍落地上，不覺呆了一呆。

驚愕之間，忘記了身懸半空，提聚的真氣一懈，砰的一聲，由空中摔了下來。

查玉亦被徐元平一舉震斃四周數千隻毒蜂之舉，驚駭得愣在當地，聞聲回頭看時，徐元平已由地上站起身子，急促間不明所以，隨口問道：「徐兄，這是怎麼回事？」話出口，忽覺失言，不禁臉上一熱。

徐元平卻毫不在乎地拂著身上塵土，笑道：「我躍起擊打蜂群，不想一口氣沒有提住，由空中摔了下來。」

查玉雖覺駭異，卻仍然鎮靜如常地笑道：「徐兄一舉能震斃十步內千餘毒蜂，功力之深，當今之世只怕也難有幾人，兄弟今宵算又開了一次眼界啦！」心中卻暗暗忖道：此人分明身具上乘內功，不知何以在炫露之後，又故作掩飾，處處欲蓋彌彰，不知是何用心。

就在兩人說話工夫，悍不畏死的毒蜂，又從四面八方擁飛而來。查玉翻身疾掄右手長衫，掃退近身蜂群，說道：「徐兄，咱們索性衝到高樓下去，看看南海門詭異武學，究竟有什麼奇特之處。」

徐元平本有意大試身手，以雪宗濤師徒冷漠自己之辱，聞言大喜，笑道：「好極，好極，咱們最好能鬧它個天翻地覆！」手掄破衫，搶先向前衝去。

忽聞琴聲裊裊，夾雜著尖厲難聽的哨音，遙遙飄傳入耳，四周毒蜂聞得那琴音哨聲後，如

中瘋魔，爭先恐後地硬往兩人身上衝去，有些貼地低飛，有些凌空下襲，四周上下如布彤雲，密密層層，前仆後繼，聲勢驚人至極。

兩人掃出的衫風雖然強烈，但見毒蜂愈來愈多，而且越攻越是猛烈，也不禁心生寒意。

徐元平猛提一口丹田真氣，正待重演故技，震斃蜂群，瞥眼見兩隻毒蜂破空而下，直向查玉頭上飛去，不禁心頭大急，口中喝聲：「查兄小心。」右手破衫交到左手，一掌橫掃過去。

查玉聞聲警覺，全身向前一傾，兩隻毒蜂，盡遭徐元平掌風震斃。但這一緩之間，群蜂已乘隙由空而下，徐元平慌急之間，右掌疾施一招「拱雲托月」，潛運真力，向上一推，強勁的排空勁氣，硬把蜂群震退回去，不禁暗道一聲：好險。忽覺右腕劇疼，右臂頓覺麻木，心頭一驚，趕忙運氣閉住穴道，左手長衫疾掄半周，迫退左右擁來蜂群。

原來查玉身子向前傾讓之時，一隻毒蜂乘隙由左側侵入，徐元平運氣出掌，逼退由上而下的蜂群時，被毒蜂借勢螫中右腕。

這罕見巨峰，一螫之毒極重，徐元平雖然運氣自閉了右臂穴道，但仍覺劇疼刺心，一條右臂，已難再運用，長歎一聲說道：「查兄，我右腕已遭毒蜂螫傷，不能再用，影響所及，全身都有運轉不靈之感，查兄快請衝出蜂群，不必再管兄弟了。」

查玉默運真力，雙手交叉揮舞長衫，帶起強勁嘯風，逼住蜂群，人卻轉頭望了徐元平右臂一眼，登時嚇得心頭一陣亂跳，只見徐元平一條右臂在這片刻之間，已腫脹一倍。

查玉暗自忖道：不知哪裡弄來這種巨蜂，竟有這等強烈之毒，眼下四周圍集毒蜂，不下千百萬隻，如被牠們螫中，只怕當場就要毒發身死，此人功力，比我高出很多，尚難擋毒蜂一

螯，看來今宵是凶多吉少了。略一沉忖，朗朗笑道：「徐兄把兄弟看成什麼樣的人了，咱們雖是萍水相逢，但卻一見投緣，承徐兄不棄，紆貴下交，兄弟至感榮幸，今宵咱們是生則同生，死則同死。」說話間，手中長衫交替搶擊出手，風聲呼呼如嘯。

幾句話說得豪氣奔放，義薄雲天，只聽得徐元平大是感動，仰臉長嘯一聲，強忍右臂的劇疼，運足真氣，左手長衫全力拍擊出手，長衫一陣波動，群峰紛紛墜地。

這正是慧空傳授他佛門中極高的無相神功，發出的般若掌力，他在危急之下，無意中用了出來，不過他自己不知道罷了。毒蜂連吃他兩次發出般若掌力，震斃了數千隻以上，四周所受壓力頓減。

但徐元平卻因第二次發出般若掌力，真氣消耗過大，自閉右臂的穴道突然自開，蜂毒循血攻向內腑，只覺胸口處一陣麻疼，全身真氣忽散，心頭大吃一駭，急道：「查兄，我已經不行了，你快些走吧，何苦陪我死在此地。」

查玉回頭望時，徐元平已感到全身疼麻難支，搖搖欲倒。查玉雙手掄動破衫，震退蜂群，道：「徐兄快請盤坐運氣小息，讓兄弟獨擋蜂群。」

群蜂被徐元平連發兩次股若功力震斃半數以上，已不似之前那般密集洶湧，查玉全力揮舞雙手破衫，丈餘內盡都是激盪的排空勁氣，竟把蜂群擋住。

徐元平眼看查玉擋住蜂群，心中略覺寬慰，他因真氣消耗過多，人已睏倦難支，再加蜂毒內攻，半身已經麻木難動，心知如不早些運氣調息，只怕立刻就難再移動寸步，只好席地而坐，閉目養息。

他自己並不知他此時的內功，已可和當今武林中精修數十年的頂尖高手相比，一經運氣調息，內體陡生強烈反應，只覺一股熱流由丹田沖上內腑，透穴走脈，緩緩向四肢流動，把隨血脈侵入內腑的蜂毒，慢慢地向外逼去。

查玉一面揮衫掃群蜂，一面暗中留神徐元平的舉動，看他閉目靜坐，頭上熱氣蒸蒸上騰，心中大感驚異，暗道：「此人內功怎的如此精深，如再假以十年歲月，其成就實在不可預料，眼下如不把他藉機除去，日後再想殺他可是千難萬難。」

念轉心動，殺機突起，右手破衫交於左手，正待下手，腦際突然又閃掠過一新的念頭，暗忖道：眼下如把此人殺掉，不僅有些可惜，而且自己也少了一個得力幫手，當前環境十分險惡，千毒、鬼王二谷，均有高手在此，神丐宗濤師徒之外，還不知有多少武林高手參與此事，駝、矮二叟，早已是名馳大江南北的高手，還有那錦衣白馬中年大漢，只怕亦非好惹人物，如果把他殺掉，自己更覺人單勢孤，不如暫時不要殺他，藉機施恩，籠絡為用，借他之力，以拒各路強敵，日後再設法殺他不遲。

他心念千迴百轉，也就不過是一轉瞬間的工夫，泛臉殺機起而復消，右手迅快地取回交到左手的半襲長衫，雙手舞動，擊打群蜂，臉上又現笑容，故作關心之情，低聲問道：「徐兄，可覺著好些嗎？」

徐元平睜開雙眼，目光中滿是感激之色，點點頭微微一笑，重又閉上雙目。

忽聞那低沉下去的琴聲哨音突然高拔，既響且急，尤以那鬼哭狼號般的刺耳哨音，更是響震耳際，叮叮琴聲，反被它壓了下去。

查玉乃見聞廣博之人，聽哨聲忽然掩蓋琴聲，心中立時感到不妙，但一時之間，卻無法想到對方又要耍什麼花招，只好聚精會神，眼觀八方。徐元平亦被那刺耳的哨音驚擾，不覺間睜眼向四下瞧去。

他一連兩次分散心神，中止行功，正是運行內功的大忌之事，全身真氣尚未暢及各脈，倏然中止，氣返血聚，那已被迫離內腑的蜂毒，重又隨著行血返回，只因他在靜坐之間，不易感覺到強烈反應罷了。

但聞哨音愈來愈響，隱聞四周響起了一片沙沙之聲，查玉為人機警，見多識廣，聞聲變色，立即驚呼道：「毒蛇。」

徐元平運足目力望去，果見數丈外一片蠕動之物，湧集而來，長歎一聲，道：「不錯，是毒蛇。」

查玉放眼四望，看四周草叢花樹雖多，但卻無一株可容人棲身，心頭暗自發急，但外形卻仍然裝出鎮靜之態，朗朗說道：「上有毒蜂群攻，下有萬蛇圍襲，徐兄，咱們今宵恐怕送命在蜂毒、蛇口之中了。」

徐元平倏然站起身子，道：「查兄為維護兄弟，不肯獨走，兄弟感激不盡，現下兄弟略經調息，已覺好了許多，查兄請退，讓兄弟獨擋蛇群，也許查兄還可出險。」

查玉笑道：「能和徐兄並肩陳屍，死而何憾。」

就在兩人說話的工夫，蛇群已到，徐元平運氣劈出一掌，勁道及處，十幾條當先游到的毒蛇，立被震斃掌下。

掌勢劈出時，突覺胸口一麻，蜂毒重又發作，不禁一皺眉頭，但他怕分散查玉心神，只得勉強忍下，未出一聲。

忽見火光閃動，笑聲震耳，距兩人丈餘之外，一個手執火把的老叫化子，盤坐地上，左手掄動火把，擋住蜂群，右手抱一紅漆大葫蘆，不停飲酒，每飲一口，就噴在周圍，片刻之後，忽然一沉手中火把，登時火焰大作，燃起一個大圈，他卻悠然自得地坐在火圈之中，正是神丐宗濤。

查玉眼光何等銳利，徐元平雖然強忍傷疼，未出呻吟，但他已看出徐元平身受蜂毒極重，如再強行運氣出手，只怕蜂毒發作更快，微一沉思，說道：「徐兄身受蜂毒，恐難再運氣發掌，如再強行出手，只怕對身體損害甚大。」

徐元平聽得查玉之言，已知他看出自己傷勢極重，只好點頭應道：「兄弟已覺蜂毒攻入內腑，查兄還是快些獨自去吧！」

查玉微微一笑道：「眼下咱們只有一條生路，那就是躲入神丐宗濤那火圍之中，毒峰、毒蛇，最是怕火，決難突入火圈，但那老叫化子素和家父不睦，只怕不肯讓咱們容身。」

徐元平如何能鬥得過查玉心機，當下接道：「兄弟久聞宗濤俠名，如若眼看咱們被毒蜂、毒蛇所困，不肯讓咱們躲入他的火圈，定然是欺世盜名之輩，那就索性和他鬧個同歸於盡。」

查玉笑道：「好吧，徐兄就留下一份真力，準備對付那老叫化子，兄弟抱你過去。」

右手長衫盤空疾掄，左手著地一掃，逼開蜂、蛇，暗運真氣，左手抛了長衫，一探手，迅快地抱住徐元平，右手不停揮動長衫，雙足用力一頓，凌空而起。

徐元平看他飛躍出一丈四、五尺後，身子疾往蛇群中落去，不覺大感憂急道：「查兄快些把我放下。」

查玉急道：「徐兄千萬不可掙扎。」暗使千斤墜身之法，降落奇快，雙足著地出聲，腳下毒蛇盡遭踏斃，一借力重又飛起，落入宗濤的火圈之中。

神丐宗濤目睹兩人竄入火圈，既未阻止，也未歡迎，手中火把一探，把查玉竄入火圈時，身帶疾風裂開的空隙封住。

本有幾隻毒蜂借勢飛入，卻被宗濤火把一封，盡皆燒斃。

查玉放下了徐元平，道：「徐兄，快些運氣調息，先把蜂毒聚在一處，再想辦法療治。」

徐元平向宗濤望去，只見他揮動著手中火把，把上面空隙封住，和身外四周燒起的火焰，結成了一道嚴密火網。他本來想說幾句相謝之言，但見宗濤冷漠的神色，直似沒有看見兩人一般，不覺心頭生氣，暗道：我處處都以晚輩身分，對你執禮甚恭，尊你敬你，你對我卻冷若冰霜一般。當下一轉頭，盤膝坐下，閉目運氣調息。

查玉卻素知宗濤爲人冷傲，也不和他搭訕，暗中運氣戒備，但見火圈外面毒蛇，越聚越多，那奇大的毒蜂，也因兩人躲入火圈，盡追過來，繞飛在火圈外面，嗡嗡之聲，不絕於耳。但三人四周的火勢，卻是逐漸微弱下來，原來火圈是用葫蘆中的烈酒噴在四周花樹上面引燃起來，酒燒完，火勢就微弱下來。

忽見宗濤伸手拿過放在身側的紅漆葫蘆，喝了一大口酒，呼的一聲噴了出去。他這紅漆葫蘆中藏酒似是異常劇烈，一遇火立時爆閃一大片藍色火焰，相距較近的毒蛇、毒蜂都被波及。

忽聽啾啾蛇叫之聲，前面的蛇群紛紛向後退去。

原來幾人周圍花樹，被火勢燻烤一陣之後，枝葉乾枯，紛紛被燃，因蛇群太過擁擠，前面毒蛇被波延的火勢燒得向後面退，後面蛇群卻向前衝，以致前面蛇群退避不及，被延展火勢燒得啾啾亂叫。

忽聞宗濤一陣大笑，高聲說道：「毒蜂、毒蛇，都已經領教，不過如此而已，還有什麼古怪的走獸、飛禽，快請放出來讓老叫化見識見識，如果黔驢技窮，那就快些把毒蛇、毒蜂召回，來幾個能說人話的，讓老叫化看看南海的詭異武功，究竟有什麼驚人之處，如若仍然仗恃毒蛇、毒蜂胡鬧，惹得老叫化性起，燒光你這臭花臭樹。」

但聞那響起的琴聲哨音突然一變，由急厲刺耳，變成悠揚緩和，蜂群、毒蛇，紛紛開始向後退去，片刻間退得一隻不留，那琴聲哨音也同時倏然而住。

神丐宗濤霍然站起身子，投去手中火把，冷冷地望了查玉一眼，振臂躍起，凌空疾飛，起落之間，就是兩、三丈遠。

查玉侯宗濤走遠，才轉臉向徐元平望去，只見他頂門上汗水隱隱，似是正值緊要關頭，心中暗暗忖道：看他神情，全身真氣似正聚集十二重樓，只要我一掌擊中他身上要害大穴，立時就可以把他震斃掌下，此人不死，只怕終是禍害，但此時殺之又覺可惜，如果白放過這次殺他機會，不知要到何時才能重遇？

一陣忖思之後，突然站起，暗中潛運功力，正待運掌擊襲徐元平背心「命門」要穴，忽聞身後響起一陣銀鈴般的笑聲，道：「少堡主手下留情。」

查玉右手疾從徐元平身後拂過，一股強烈的拳風，擊在數尺外一片向兩人停身處蔓延過來的火焰上，火頭應手而熄。

徐元平聞聲睜眼，查玉拳風已掠身而過，他側臉望望那被查玉舉風擊熄的火頭，相距自己盤坐之處，只餘下兩尺多遠，回頭看著查玉微微一笑，流現滿臉感激之色。

閃電手查玉輕輕歎息一聲，道：「兄弟怕驚醒徐兄用功，不敢起身撲滅火頭，才改用拳風擊熄火勢，想不到仍然把徐兄驚醒。」

一番謊言，說來不慌不忙，絲絲入扣，臉上神色自如，騙得徐元平深信不疑。

但聞嬌笑盈耳，疾風拂動火光，兩條人影捷如掠波燕剪般，穿入火圈之內，並肩落到兩人身側，正是鬼谷二嬌，丁玲、丁鳳。這時，兩人的臉上都套著人皮面具，但衣著仍然如舊，一黑一白。

丁玲緩緩伸手摘下了臉上人皮面具，笑道：「少堡主機詐卓絕，口若懸河，縱是謊言，也說得若有其事，無懈可擊，愚姐妹有幸耳聆，佩服至極。」

查玉微微一笑，道：「賢姐妹不要誤會，兄弟一和徐兄相遇，立時請他去和二位相見，但徐兄執意不肯，叫兄弟有何辦法？」

丁鳳沉不住氣，一伸手取下人皮面具，目光盯在徐元平臉上道：「這話可是真的嗎？」

徐元平點點頭，道：「不錯。」

丁鳳心中大急，冷笑一聲問道：「你爲什麼怕見我們，難道我們會吃了你不成？」

徐元平道：「我看不慣你們三叔父那種冷暴之氣。」

丁玲淡淡一笑，道：「這麼說來，你是很討厭我們兩姐妹的了？」

徐元平雖然不懂她的問話含意，但卻有一種本能的感觸，覺得這兩句問話之中，不是單純的好惡，不禁愣然相顧，沉默了半晌，答道：「那也不是，你們兩姐妹都對我很好。」

只聽丁玲嬌笑一聲，道：「你既然不討厭我們姐妹，那我們可不可以和你們走在一起？」

查玉一皺眉頭，正想開口拒絕，忽然心中一動，趕忙改容笑道：「鬼王谷、查家堡一向不分彼此，賢姐妹肯屈駕和兄弟及徐兄走在一起，我們歡迎還來不及！」

丁鳳冷笑一聲，接道：「才見了幾天面，就稱兄道弟起來，真叫人聽著刺耳。」

查玉微微一笑，一語不發。徐元平卻瞪了丁鳳一眼，皺皺眉頭。

突聞衣袂飄風聲，花樹叢中陡然湧現出八個黑衣大漢，個個手提水桶，自蔓延的火勢上澆去，轉瞬之間，已把燃燒火勢，完全熄去。這突然的變化，使得查玉顧不得再和丁氏姐妹爭論，目注來人，暗暗扣了一把蜂尾針，只要來人一動，立時先發制人。

丁玲、丁鳳同時移動嬌軀，擋在徐元平身前，運功相護。

哪知現身的八個大漢，似是沒有看到幾人一般，熄去火勢之後，立時轉身而去。

丁鳳目睹幾人背影，消失在花樹中後，回頭對丁玲說道：「姐姐，怎麼這般人都似有眼無珠一般，難道他們都沒有看到我們嗎？」

丁玲也覺著有些奇怪，看來人身手似都不弱，何以竟目睹敵人，毫無反應，匆匆撲熄火勢就走。但她生性沉穩，不解之事，從來不肯隨便出口，回頭目注查玉，笑道：「少堡主見聞廣博，想必已洞悉敵情，他們這般來去匆匆，不知何意？」

查玉道：「南海門的武功，素以詭異見稱，想他們為人，亦必是奸詐無比，熄去蔓延的火勢，是怕神丐宗濤這一把火，燒光了他們種植的花樹，見我們視若無睹，無非是想誘我們深入……」

丁玲道：「少堡主高見，使人佩服，但咱們既知敵人用意，不知是否讓他們趁心如願，深入腹地？」

丁鳳站在一側聽得暗暗奇怪，忖道：姐姐做事，一向果決，何以今宵大反常態，事事問查玉意見。

查玉微一沉吟，笑道：「是否深入腹地，兄弟也難作主，這個麼，要請徐兄決定了。」

徐元平霍然站起身子，道：「既然來了，豈能就此而退，不如過去瞧瞧的好。」說完話，大踏步當先走去。

查玉一側身和丁氏姐妹並肩隨在徐元平身後，向前走去。

七　孤傲少年

幾人走了六、七丈後，忽聞四周花樹枝葉，簌簌作響。

徐元平已受過蜂螫之苦，警覺之心，提高不少，聞聲停步，抬頭向四外望去。

查玉側耳一聽，笑道：「徐兄不必多疑，前面有人在動手相搏，花樹枝葉，是被兩人的掌風震動。」

徐元平心中一動，莫不是神丐宗濤在和人動手不成？他雖不滿神丐宗濤對自己的冷漠，但因知他是當今武林正派人物之中，唯一和神州一君不睦之人，心中不覺之間，生出了親切之感，當下加快腳步，向前走去。繞過一片茂密的花樹後，果見兩個人正打得難解難分，兩人功力都極深厚，掌勢雄渾異常，激盪的潛力，震得四周花樹枝葉，一片簌簌之聲。

徐元平定神看去，只見動手兩人，一個是駝、矮二叟中的胡矮子，一個卻是在邙山小廟中和宗濤在一起的華衣少年，兩人拳來足往，打得甚是激烈。

查玉和丁氏姐妹不識那華衣少年來歷，見他能和昔年馳譽武林的駝、矮雙叟之一打個平分秋色，不禁心中駭然。

徐元平忽然想起神丐宗濤與這華衣少年一路，不知此人武功如何。不覺間全神貫注，看兩

人打鬥情形。看了一陣，不覺心中暗自奇怪起來，因他發現眼下的華衣少年身手雖然不凡，但卻難以強過神丐宗濤。

查玉和丁玲、丁鳳，震驚於那華衣少年的武功，徐元平卻奇怪那華衣少年武功，何以如此低劣，四人都看得呆呆深思，但心情卻是大不相同。丁氏姐妹和查玉心念起伏，在推想那華衣少年來歷，徐元平卻是全神貫注，看他出手舉足是否有斂鋒不露之心。

但見兩人打鬥之勢，越來越激烈，出手舉足，無不擊向對方要害大穴，掌風潛力，激盪出數尺之外，震飄起幾人衣袂。

徐元平忽然心中一動，暗道：江湖之上，人心險詐難測，莫非他已然知道宗濤來此，故意裝出堪堪自保之勢，把真實武學，斂藏不露，看來想測出他真實武功，是非我親自出手一試不可了。他乃情感極易衝動之人，又少江湖上的閱歷經驗，心念一動，想到就做，當下大喝一聲：「住手。」

華衣少年和矮叟正打到緊要萬分之時，聽得徐元平大喝之聲，不禁心神微分，就這一分心神，立時露出破綻，吃那黑衣矮叟閃身欺到背後，呼的一掌，疾向他左肩「風府穴」上拍去，同時一抬右股，猛向腰下撞去。

這一腿一掌不但迅快絕倫且勁力奇猛，華衣少年閃避、封擋已全來不及，眼看就要傷在那矮叟手下，忽然右腿一抬，左腳尖向外一滑，身子倒轉，讓開對方迅猛的合擊之勢，右手反臂拍出一掌。這一著用得奇詭至極，避敵反擊，同時發動，一招之下，扭轉劣勢，轉危爲安。

那黑衣矮叟似是未料到對方有此機變，被那反臂一掌，逼得向後疾退三步。

徐元平看得暗暗點頭道：此人果是狡猾，我幾乎被他騙了過去。揚手一掌，向兩人之間打去，口中厲聲喝道：「要你們暫時住手，難道都沒聽見嗎？」

一股強猛的掌風，從兩人之間擊過，迫得兩人互向前欺的身子，又各自退回一步。

查玉和丁氏姐妹雖然驚異他奇怪的舉動，但都未出言勸阻。

那黑衣矮叟側臉望了徐元平一眼，冷笑一聲，道：「原來是你！」

徐元平不理那矮子的話，卻望著那華衣少年說道：「比武動手，生死一髮，如果不全力施展求勝，可是極大的危險之事。」

那華衣少年只道他要出手相助，是以毫無其他疑慮之心，面露微笑，站在一側。聽他言詞之中，又頗有關懷之意，心中暗道：我雖用出全力，和敵相搏，但並無勝得對方之處，他既然替我預留台階，我豈能自甘示弱，說出技不如敵。當下微微一笑，道：「對付這等宵小之輩，豈需全力施展……」

徐元平突然揚腕一掌，直擊過去，口中冷笑一聲，側身隨撲而上。那華服少年想不到徐元平突然間變臉就打，心頭既驚又怒，只覺對方擊來掌勢之中，潛力剛猛，威勢尚在那矮叟之上，他心中毫無戒備，不敢硬接，右腿一抬，身軀斜傾，倏忽間閃開五尺。

那徐元平如影隨形般，一掌擊出後，人亦隨著欺身而上，左手「探驪取珠」，疾點雙目，右手卻施展十二擒龍手中的一招「拂浪縛龍」，疾向那華服少年左腕上扣去。

他事先早已想好了對敵之策，出手迅快至極，十二擒龍手又是武林中罕難一見的奇奧之學，那華服少年武功雖然不凡，但也無法避讓得開，急施一招「大鵬展翼」，架開徐元平左手攻來的一招「探驪取珠」，但卻無法讓開他右手一招「拂浪縛龍」，只覺左腕一麻，已被人扣制住了左胞腕門。徐元平一出手，輕輕易易地把那華服少年制住，反而大出他的意料之外。

忽見那華服少年左腕一揮，摔脫了徐元平的右手，右掌直擊而出，疾向徐元平前胸打去。

徐元平只想一試那少年的武功，根本就未用力扣制那華服少年脈門，直待對方掌勢逼近前胸，他才霍然警覺，但已閃避不及，只好微一轉身，用右肩硬接對方掌勢。

呼的一股掌風，直擊過來，耳際響起查玉的怒喝道：「鼠輩敢爾。」此人機智絕倫，處處防人暗算，一見徐元平在扣制那華服少年脈門之後，竟在呆呆地出起神來，立時運氣行功，留神戒備，華服少年擊出右掌的同時，他也同時施展家傳武學「百步神拳」，向那華服少年打去。

華服少年霍然向後躍退數尺，避開查玉打來拳風，但他因避查玉打出的拳風，不得不同時收回擊向徐元平的右掌。

徐元平一橫身攔住查玉，笑道：「算了，咱們還沒有見識到南海門下武學，豈可先和不相干的人打得你死我活。」

查玉一擊不中，正待欺身相攻，忽被徐元平橫身攔住，心中大感奇怪，問道：「徐兄可識得此華服之人嗎？」

徐元平道：「有過一面之緣，只是彼此尚未交談過一句話。」

那華服少年冷哼一聲，轉身欲去，丁鳳嬌軀一晃，擋住去路，望著徐元平笑道：「可要放他走嗎？」

徐元平道：「人家和咱們無怨無仇，豈可攔人去路。」拱手對那華服少年一揖，他自言自語盡說些心中之事，不但那華服少年心中不解，就是查玉和鬼谷二嬌，也聽得莫名其妙，只覺他言來若有所指，不知是何用心？

忽聞一聲悠長的哨音劃破夜空，那黑衣矮叟忽然冷笑一聲，道：「南海門的武功，乃萃集古今中原、西域武學的大成，奇、正兼具，深奧無比，幾位縱然有點本領，也不過螢火之光，豈足和皓月爭輝，再往前擅進一步，就入『碧蘿山莊』禁地，幾位如果不怕死，不妨深入一試，恕老夫不奉陪了。」說完，轉身一躍，隱入花樹暗影之中不見。

徐元平望著那矮叟背影望去，只見高樓聳立，燭光輝煌，再往前走上十丈，就要到那高樓下面了，回身對那華服少年笑道：「兄台可是和令師同來的嗎？」

華服少年冷冷答道：「怎麼樣？」

徐元平淡淡一笑道：「尙未請教兄台貴姓？」

華服少年抬頭一陣冷笑道：「在下姓何。」

徐元平道：「何兄可是神丐宗濤，宗老前輩的門下嗎？」

華服少年微一沉吟道：「在下和宗老前輩同屬金牌門下，彼此誼屬同門，不過宗老前輩比在下高了一輩。」

查玉望了丁氏姐妹一眼道：「江湖上門派之多，真是難以數計，金牌門兄弟還是第一次聽人說起。」他本是想問丁玲金牌門的來歷，但卻不肯正面相詢，故意繞了一個大圈子。

丁玲微微一笑，道：「少堡主見多識廣，都不知金牌門的來歷，愚姐妹孤陋寡聞，自是亦

……」

華服少年突然冷笑一聲，接道：「金牌門代代只傳兩人，別說兩位不知，哼！就是當今武林之世，又有幾人知道？」

徐元平道：「何兄大名怎麼稱呼，不知能否見告？」

華服少年一皺眉頭，道：「兄弟草字行舟，你這般問來問去，是何用心？」

徐元平笑道：「兄弟覺著何兄氣度不凡，甚想高攀一下，和何兄交個朋友。」

何行舟道：「這個咱們以後再談，兄弟為人素不喜和人一見如故。」

查玉冷笑一聲，道：「好大的架子。」

徐元平別具用心，微微一笑道：「人各有志，何兄既不願和兄弟交往，那也罷了，不過兄弟卻甚傾慕何兄丰儀，兄弟雖不知金牌門的出處來歷，但想來必屬中原武學一脈，南海門藐視中原武學，何兄也該為咱們中原武林同道出一口氣。」

何行舟道：「這個，兄弟倒可勉強應命。」

丁玲知徐元平生性十分高傲，此刻不知何以會這般柔和起來，心中大感奇怪，但她乃一向沉穩之人，心中雖感奇怪，卻並未多問。

丁鳳看不慣何行舟冷傲之氣，悄然一側嬌軀，輕步繞過查玉，到他身後，揚手一掌，劈臉打去。

砰的一聲，打得又脆又響，何行舟正和徐元平談話，萬沒想到會有人突然下手偷襲，這一記耳光打得甚是著實，只覺眼睛一花，面頰上登時浮現五個清晰的手印。

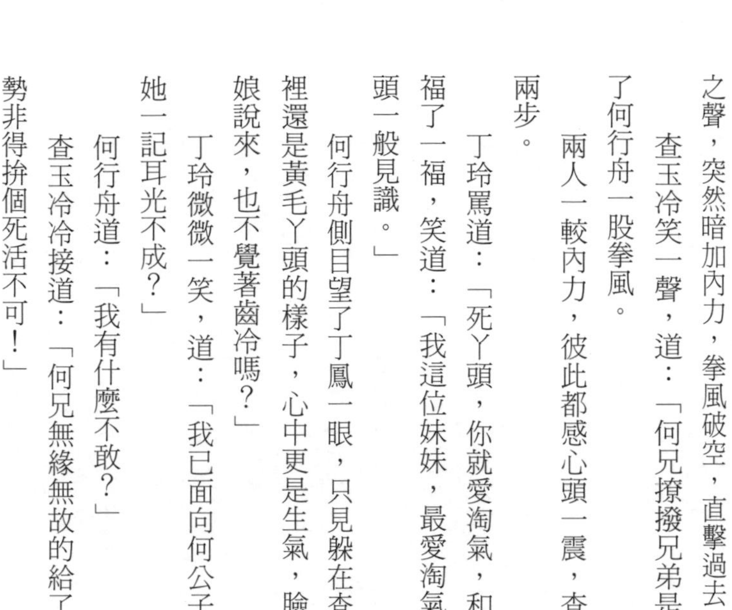

但他究非武功泛泛之人，臉上中掌雖重，神智並未昏亂，冷哼一聲，反臂一拳擊出。

哪知嬌俏頑皮的丁鳳一掌打中之後，立時側身一躍，躲到查玉身後，何行舟聽得衣袂飄風之聲，突然暗加內力，拳風破空，直擊過去。

查玉冷笑一聲，道：「何兄撩撥兄弟是何用心？」右掌橫胸，暗吐內力，向外一推，硬接了何行舟一股拳風。

兩人一較內力，彼此都感心頭一震，查玉雙肩晃動，身軀搖了幾搖，何行舟卻被震得退了兩步。

丁玲罵道：「死丫頭，你就愛淘氣，和人家剛剛認識，怎麼能亂開玩笑？」轉頭對何行舟福了一福，笑道：「我這位妹妹，最愛淘氣，何公子堂堂七尺之軀，千萬不要和她一個黃毛丫頭一般見識。」

何行舟側目望了丁鳳一眼，只見躲在查玉身後，笑得秀肩聳動，白衣飄風，亭亭玉立，哪裡還是黃毛丫頭的樣子，心中更是生氣，臉色一沉道：「令妹今年幾歲了，還是黃毛丫頭，姑娘說來，也不覺著齒冷嗎？」

丁玲微微一笑，道：「我已面向何公子致歉意，有道是好男不和女鬥，難道說，你也要還她一記耳光不成？」

何行舟道：「我有什麼不敢？」

查玉冷冷接道：「何兄無緣無故的給了兄弟一拳，如果兄弟要和何兄一般見識，咱們今宵勢非得拚個死活不可！」

何行舟回道：「縱然你們四人齊上，在下也不放在心上！」

查玉仰天冷笑道：「好大的口氣，何兄已忘了剛才被擒之事了嗎？哼哼！如非徐兄手下留情，只恐何兄早已橫屍我們四人眼下了！」

何行舟想起剛才被徐元平出手就拿住左腕脈門之事，不覺臉上一陣火熱，正要發作，忽見徐元平向前大踏一步。

他已嘗試過徐元平的厲害，見他身子一動，只道他又要對自己出手，立時先發制人，呼的一拳，直劈過去。

徐元平一吸小腹，向前移動的身子，倏然倒退回去三步，拳風掠衣而過，直向丁玲撞去。

丁玲看他剛才和矮叟動手情形，知他內力異常深厚，只怕這一拳非自己能接得住，當下嬌軀一轉，讓了開去，拳風激掠衣襟。

何行舟這一拳波及丁玲，始非其意料所及，並非存心向丁玲挑戰，心中微感歉意，但礙於適才誇口，敢讓查玉等四人齊上也不介意的一句話，不好意思出口道歉，心中猶豫，一時呆呆地望著丁玲臉色。

丁玲生性倔強，從上回挨了徐元平一記耳光，縈迴腦際，無時或釋，每當回想起來，面頰還覺火辣辣的發燒，但是不知怎的卻不曾心恨徐元平，這一口氣正聚在腦中，無處發洩，總覺得好像有一樁心事未了似的，如今何行舟偏偏惹惱了她，一時無名火起，一手護胸，杏眼圓睜地盯著何行舟，兩人沉肩相視，運氣屏息，等待對方先行出手。

丁鳳心中原來希望攪起一場風波，好狠狠地懲戒何行舟一番，方稱快意，而忖度她的姐姐功力恐有不逮，心中又想惹事又怕出事，急中生智，只好利用徐元平做爲後援，縱身一躍，向徐元平身側躍去。

何行舟原不知四人之間的關係，卻看出其間情誼非屬泛泛，此時提神聚氣，狼顧虎視，眼稍驟覺白光一閃，登時宮羽易步，沉著側身，改向丁鳳，攻勢將發。

丁玲遽睹丁鳳身未落實，恐遭何行舟毒手，未遑考慮，揮袖向何行舟疾出一掌，這一擊掌勁疾快異常，眼看以何行舟所處位勢，難得應付，忽聽徐元平大喝一聲：「丁姑娘留情！」話聲未落，一股勁風已側撞到了丁玲掌風之上，使何行舟從容地側身迴避。

丁鳳原想徐元平會出手相援丁玲，沒想到徐元平倒反幫起何行舟來了，一時大感意外，不由發怔。

徐元平縱身飄落丁玲和何行舟之間，說道：「大家均是萍水相逢，原無宿仇舊恨，何苦無端相拚，這豈不是使仇者快親者痛嗎？今宵兄弟作個公道，不知諸位肯同意否？」

何行舟自思今夜成了眾矢之的，場場糾紛，處處誤會，算來盡是自己吃虧，越想越氣，不由摸摸脖後根，自言自語道：「這是怎麼搞的，真是活見鬼……」這一句話稍含自責之意，好打個圓場下台，誰知語出無心，而聽者有意，弄巧成拙，又惹出軒然大波。

首先丁氏姐妹就感得刺耳，而徐元平曾被神丐宗濤當著何行舟面前叱責，自己沾有鬼氣，大大地被奚落一陣，當時心中萬般無奈，強忍下來，如今何物狂奴，竟也依樣對自己嘲哂起來，怎不發火。

只覺一股憤怒之氣，直衝上來，臉色一沉，怒道：「何兄說話，最好要有點分寸，兄弟再三相讓，但卻並非心懼何兄。」

何行舟微微一怔後，突然怒道：「幾位如果想聯手對付兄弟，儘管出手就是，這般無事生非，豈是大丈夫的行徑！」

查玉冷冷地接了一句，道：「禍從口出，何兄如想苟全性命，最好的辦法，就是閉上嘴少說廢話。」

丁玲嗤的一笑，接道：「你如果再隨口亂說，當心我再給你一耳刮子！」

徐元平忽然想起那小叫化子相告之言，心中暗自忖道：如若眼下開罪了此人，讓他拂袖而去，只怕以後再沒有和他攀交機會。忍下胸中一口怨氣，笑道：「何兄不要誤會，因為兄弟和這兩位姑娘，都忌諱人罵鬼字，但何兄不知所以，言出無心，兄弟一時情急，致有開罪之處。」

何行舟猛然想到在邙山小廟之中和他相遇之時，宗濤罵他一身鬼氣之言，知他所言非虛，立時抱拳笑著：「失言，失言，兄弟不知三位有此忌諱，萬望三位原諒。」他已看出眼下情勢，對自己十分不利，再不見機而作，忍一點怨憤之氣，只怕橫禍就在眼前，故而神情一變，忽對徐元平親熱起來。

徐元平微笑道：「何兄不必引咎，既是無心之言，事情就算過去……」，忽然轉過身子，大聲說道：「天色已經不早，咱們既要見識南海門的武功，不宜再拖時間了。」聲如洪鐘，分明有意告訴敵人一般。話說完，大踏步當先走去，昂首挺胸，神威凜凜。

查玉看得一皺眉頭，暗道：此人性情，實叫人難以捉摸，忽而正大光明，一派英雄氣度，

忽而陰沉偏激，一意孤行。

只見丁玲、丁鳳，同時一轉嬌軀，緊隨他身後向前走去，何行舟移步緊隨丁氏姐妹身後，查玉只好跟在何行舟後面。

幾人轉過了幾層花樹，已到那燭火輝煌的高樓前面，忽聞樓下暗影中一陣朗朗大笑，緩步走出那錦衣中年大漢，意態從容，行來若無其事，他是根本未把幾人放在眼中。

忽見他笑容突斂，冷冷地喝道：「念你們高聲傳訊，不失光明風度，我也破例告誡示警，我這翠雲樓方圓三丈之內，滿佈陷阱，一步失錯，屍骨難全，幾位如若不信，不妨一試。」說完目光緩緩掃掠幾人而過，轉身背起雙手，踱回廳堂，隱去不見。

徐元平仔細地打量這高樓四周，毫無異樣之處，短草如茵中，種植著幾株花樹，唯一和別處不同的是，花樹相隔距離甚大，每株間隔大約有十步左右，十幾株特別高聳的白楊樹，散植在花樹叢中。那高樓最高一層，仍然是燭火通明，但樓下廳堂，卻是一片漆黑。

他因不通神算之學，看不出這十幾棵特別高聳的白楊樹有什麼奇怪之處，回頭目注查玉問道：「查兄請看看這些花樹，可有什麼古怪嗎？」

查玉沉吟了一陣，轉過臉對丁玲道：「鬼王谷神算之學，天下聞名，大小姐家學淵源，想必已得承衣缽，兄弟不敢班門弄斧……」他微微一頓後，又對徐元平說道：「這個徐兄請問兩位姑娘，兄弟所知有限，在行家之前不得不藏拙了。」

丁玲望了花樹一眼，心中暗罵查玉狡猾，原來那白楊、花樹，並無依照九宮八卦排列，丁

玲雖然精通九宮八卦等神算之學，但也看不出一點可疑之處，不禁一皺眉頭，道：「這塊草地上白楊花樹，雖然可疑，但並沒有暗含九宮八卦方位，也許在那花樹、白楊之中，另藏著什麼厲害的機關埋伏，查家堡機關密佈，少堡主必定精通其術，請為我們帶路如何？」

查玉輕輕地咳了一聲，道：「承姑娘抬愛，兄弟光榮之至，縱然兄弟不通其術，亦當為幾位涉險開路。」一上步，搶在徐元平前面，心中卻在暗罵丁玲，果然名不虛傳，詭計多端，此番偷雞不得反而蝕上一把米。

原來查玉看不出那白楊、花樹有什麼奇怪之處，故意推到了丁氏姐妹身上，哪知丁玲比他更為狡猾，反口兩句話，迫得查玉不得不挺身冒險。

徐元平忽然一上步，右臂疾伸，攔住了查玉說道：「這深入禁地，乃是兄弟的主意，豈可由查兄涉險，還是由兄弟走前面。」

查玉微微一笑，道：「徐兄和兄弟還有什麼你我之分，兄弟走前面也是一樣。」

丁鳳突然叫道：「你們不要吵啦，我看，不如請這位何大俠走前面好了。」

查玉道：「這要看何大俠有沒有這份豪氣。」

何行舟冷哼一聲，道：「這有什麼不敢？」大踏步向前走去。

徐元平伸手一拉何行舟，道：「何兄且慢，還是讓兄弟替幾位開路吧。」縱身一躍，搶在前面，暗中提聚真氣，雙足微一用力，人已凌空而起，輕飄飄地落在一株花樹下面，左手一伸，向花樹上面抓去。

丁玲高聲叫道：「不要抓那花樹，快向旁邊躍開。」

徐元平微微一怔，倏把左手收回，左腳微一用力，身子疾向旁側躍去。

他身子剛剛飛起，忽見身側花樹枝葉，紛紛折墜，千百股細若線香的水泉，由那折斷的枝葉中噴射出來，灑罩了一丈方圓地方。

徐元平雖不知那噴射出的水泉有什麼厲害之處，但想來定然是毒水之類，當下一提真氣，呼的一掌，通向那噴水花樹上面劈去。他這時的掌力，是何等威猛，但聞喳的一聲，一株一尺粗細的花樹應手而折。他似是想不到自己的功力已達這般深度之境，不禁呆了一呆。就在他一怔神間，那折斷花樹中，疾勁地噴出一股泉水，直沖起兩丈多高，水珠四濺，灑罩而下。

徐元平自受那毒蜂一螫之後，人已學得謹慎了不少，一伏身貼地平飛，退回原地。回頭望去，只見那折斷花樹之中，仍然不停地噴出泉水，足足有一刻工夫之久，才完全停了下來。

鬼谷二嬌、查玉、何行舟，亦似是爲眼下意外的變故所震駭，都呆呆地站在一側。

直待徐元平躍飛出險，那折斷花樹中蓄水噴完，查玉才輕輕歎息一聲，說道：「如果徐兄換了兄弟，只怕早已傷在那折斷噴射出來的毒水之下了。」

丁玲打量了眼前景物，接道：「這花樹既是人工仿製，只怕那白楊和這一片草坪，都是人工製成，其間定然暗藏極厲害的埋伏，看那花樹噴射毒水的情形，應是由人在暗中操縱，今宵咱們要想衝過這一段草坪花樹，只怕是凶多吉少……」話至此處，忽覺眼前一暗，樓上燭光，突然熄去。

徐元平道：「去路雖險，咱們也不能就此退走……」

何行舟忽然插口接道：「在下倒想出一個方法，只不知是否可行？」

查玉冷笑一聲，接道：「看不出何兄竟是位文武兼備，智謀百出之人，不知何兄心想之策，是不是試用火攻？」

何行舟淡淡一笑，道：「不錯，咱們既不願冒險深入，只有用火攻把這座高樓燒去，任他機關絕毒，也不過是枉費一場心機。」

丁玲輕聲一笑，道：「何大俠的高見，只怕行之不易，別說人家早已思慮及此，有著準備，單是環伺強敵，只怕也不容我們得手。」

何行舟道：「請恕在下眼拙，倒是看不出對方有何準備？」

丁玲冷笑一聲，道：「何大俠如果不信我說的話，不妨用火攻試試，只怕還沒有燒著人家的高樓，自己就先把性命送掉。」

何行舟道：「我倒不信，真會有此等怪事。」右手探懷摸出一塊拳頭大的黑色物體，笑道：「我倒要試試看這片人工僞造的草地花樹，爲什麼燒它不得！」

丁玲微微一顰秀眉，叫道：「硝磺彈？」

何行舟微微一怔，道：「不錯，硝磺彈，姑娘見聞廣博，實使在下佩服。」

查玉道：「當今武林道上人物，誰不知鬼王谷擅用火器，只怪何兄少見多怪罷了。」

丁玲眨了眨眼睛，笑道：「少堡主過獎了，這位何大俠既然執意要用火攻，咱們犯不著陪他一起葬身此地，我看咱們還是退後一些的好。」

查玉素知丁玲爲人，持重陰沉，決不肯隨便說話，當下向後退了兩步，道：「徐兄，咱們退後一點看熱鬧吧。」

徐元平微一沉吟道：「這個……」

丁鳳一扯徐元平衣角，道：「我姐姐一向料事如神，她說不能用火攻，決是用它不得……」

何行舟道：「我就不信燒它不得！」左手從懷中摸出千里火筒一晃，立時亮起一道火焰。忽聞衣袂飄風之聲，破空傳過來一個冷冰冰的聲音，道：「師兄快些停手。」聲落人現，一個滿頭亂髮，一身破衣的小叫化子，躍落那華衣少年身側。

何行舟回頭望了那小叫化子一眼，冷笑道：「師父沒有來？他到哪裡去了？」

那小叫化子雖然滿臉憂忿之色，但在舉動神態之間，卻似不敢開罪華衣少年，微一躬身，答道：「師父去看歐駝子和冷公霄比武去了。」

何行舟熄去千里火筒，怒道：「眼看約期即屆，他倒還有心情看人比武，哼！我看他是不想活了。」

此人語無倫次，幾句話聽得全場中人個個臉上變色。

要知武林道上，對師倫最為重視，縱是窮凶極惡的綠林巨盜，也不敢蔑視師倫，何行舟之出口詆罵師父，不僅徐元平聽得心驚肉跳，就是查玉和丁氏姐妹也聽得心中直冒冷氣。

那小叫化子卻淡淡一笑，道：「師父縱有不是之處，師兄也不該當著這多人的面前辱罵於他，何況約期尚未屆滿……」

何行舟怒道：「你竟敢教訓起我來了。」劈臉一個耳光掃去。但聞砰的一聲脆響，小叫化被打得身軀亂晃，向旁側移了兩步，滿口鮮血，順著嘴角淌下。

何行舟冷笑一聲，道：「你還算有點見識，看在你不暗運功力抗拒的份上，就打這一掌算了。」

小叫化道：「師倫大道，豈容忤逆，師兄就是殺了小弟，我也不敢還手。」

何行舟怒道：「好啊！你竟敢諷嘲於我？」反手又是一記耳光，倒抽過去。

徐元平身子一晃，疾如飄風般直搶過去，右手疾出，托住了何行舟手腕，說道：「何兄有話好說，怎麼出手就要打人？」

何行舟已知道徐元平的厲害，如他出面干涉，自己決難再打上一掌，當下放臉笑道：「徐兄可是要替他說情嗎？」

徐元平淡笑道：「你們師門中事，兄弟本不敢妄加干預，但請何兄看在兄弟份上，不要再對令師弟這般……」

小叫化子望了徐元平一眼，冷冷地接道：「小叫化子從來不願領受別人之情，我們師兄弟之間的事，也不願別人多管。」

徐元平怔了一怔，道：「怎麼？難道我勸架也勸得不對了？」

小叫化子冷笑一聲，道：「我師兄打罵於我，乃是應該之事，哪個要你插手多事。」

徐元平一聳劍眉怒道：「看來你倒是很想多挨上幾個耳光了？」

小叫化仰天一陣狂笑，道：「那得要看小叫化願不願挨。」

查玉和丁氏姐妹，是久聞神丐宗濤師徒威名之人，靜靜地站在一側，冷眼旁觀著局勢發展，雖然他們都看出個中必有著一件極大隱秘，但卻不肯輕易介入漩渦，插手過問。

何行舟突然向後退了兩步，站到旁邊，神態之間，大有抽身事外，袖手旁觀之意。

徐元平本是情感極易衝動之人，連受小叫花子冷漠譏諷，不覺心頭火起，冷笑一聲，道：「只怕能打你耳光之人，未必就只你師兄一個！」

小叫化子怒道：「我倒不信，還有什麼人敢打我小叫化子！」

徐元平只覺氣血上衝，突然趨上一步，左手一撩，拂起一股急風，右手疾如電閃般隨勢擊出。

他這一擊之勢，乃《達摩易筋經》中一招絕學「暗風掠影」，出手掌勢，奇快難測，小叫化子只見他左手撩動，疾風撲面襲來，立時右手向上一托，疾向徐元平左腕脈門上面扣去，萬萬沒想到徐元平右手竟然隨在左手後面，同時而出，匆忙之間，仰身向後疾退了五步。

徐元平左腳一抬，緊隨著小叫化子的身子，如影隨形一般追到，小叫化剛剛停住身子，徐元平已然追到，左手封住小叫化子雙臂，右手隨勢一伸，手掌已將觸到小叫化臉上，忽的心念一動，又把右手收回，他雖沒有真個打中，但周圍觀戰之人，無一不是武林高手，都已看出他是故意手下留情，但卻無一人看出他用的什麼手法，只覺他那襲擊之勢，如是攻向自己，亦是難以躲避得開。

小叫化自出道江湖之後，從未受到過今宵之辱，氣急之下，呆在當地，不知如何是好。

徐元平向後躍退了兩步，回頭對丁氏姐妹和查玉道：「咱們總得想個法子，度過這一段險地，難道咱們真的就此退走不成？」

查玉一皺眉頭道：「這等機關埋伏，布設精密異常，要想破它，只有兩個法子……」

徐元平急道：「哪兩個法子，快請說出來，讓兄弟冒險試試？」

查玉道：「據兄弟所知，當今武林之中，只有一個人精通此道，只是此人遠在千里之外……」

丁玲笑接道：「少堡主說的可是金陵楊家堡主神算子楊文堯？」

查玉道：「不錯，除了此人之外，兄弟實難想出第二個精於此道之人。」

丁鳳嗤的一笑，道：「神算子楊文堯名播天下，武林道上，有誰不知他精通機關埋伏之術，難道要咱們先到金陵楊家堡去把他請來，破這機關不成？那你就趁早別說啦。」

查玉笑道：「二姑娘不必太急，兄弟的話還未話完，據區區所知，布設機關埋伏，必須事先經過精細設計，繪製成圖，然後依圖建造，只要咱們能把原圖得到手中，就不難依圖索驥，把它毀去。」

丁鳳笑道：「別說咱們無法知道人家原圖放置何處，縱然知道那圖放在對面樓上，咱們過不去也是枉然，我看這法子也行不通。」

查玉道：「我只是說到破除機關的辦法，並沒有說辦法能行。」

徐元平接道：「這麼說來除了取得原圖之外，是別無辦法可想了。」

查玉道：「還有一個辦法，但是必須先找到它的操縱機關的樞紐所在，用利器把它破壞，全部機關埋伏，立時就失去了效用。」

徐元平喜道：「這辦法倒是可以試試，只不知他們機關的樞紐設在何處？」

查玉道：「以兄弟的推斷，這機關樞紐，可能就設在對面樓中。」

徐元平沉吟了一陣，道：「查兄估計一下咱們停身之處，距那高樓所在，有幾丈距離？」

查玉道：「大約四丈有餘，不足五丈之數。」

丁玲道：「怎麼?你想施展『登岸渡水』的功夫，飛越過去?」

徐元平道：「除此之外，不知還有何策?」

丁玲道：「這附近的機關埋伏，分明是有人在暗中操縱，你縱有草上飛行功夫，能夠腳不借力的飛渡過去，只怕也難逃得凶厄，咱們不妨暫時退回，從長計議，也許能想出破除機關之策，咱們明宵再來不遲。」

徐元平突然豪氣勃發地說道：「咱們如就此而退，豈不留人笑柄，幾位替我掠陣，待我試試再說。」

呆在一側的小叫化子，突然向前上了一步，道：「我陪你去！」

徐元平微一忖思，道：「好吧……」

丁鳳急道：「那怎麼行，人心難測，別要受了人家暗算，不如我和你一起去吧。」

小叫化怒道：「我堂堂大丈夫，豈肯暗算於人，鬼丫頭不要以小人之心度君子之腹。」

丁鳳道：「哼！一個臭要飯的神氣什麼?你罵誰是鬼丫頭?」

忽聞大笑之聲破空傳來，接道：「臭要飯的又有什麼不好，總比那些鬼王、鬼女，聽起來不帶一點活人氣味的名字清雅多了！」話未說完，人已落在小叫化子的身旁。

此人現身之後，全場中人都不禁心頭一跳，驚駭、喜悅，各人心中滋味不同，敢情來人是大名鼎鼎、譽滿武林的神丐宗濤。

何行舟當先躬身一禮，恭恭敬敬地叫了一聲：「師父。」

宗濤淡淡一笑，道：「罷了，現下距約滿之期，還有三日時間，要有勞大駕多等三日了。」

何行舟道：「弟子不敢。」

宗濤目光凝注在小叫化臉上，望了一陣，突然面泛殺機，問道：「什麼人打了你啦？」

何行舟道：「師父息怒，是弟子和師弟開玩笑的。」

宗濤仰面望天，狂笑一聲，道：「很好，很好，你打得很好，哈哈，打得很好……」顯然他心中有著無比的激動，但卻又似發作不出。

但聞那哈哈猛笑之聲，愈來愈是淒厲，響徹夜空，繞耳不絕，聽得人心中油生寒意。

小叫化突然長歎一聲，說道：「師父不必生氣，師兄打我兩下，那也是應該之事。」

宗濤突然停住狂笑之聲，兩道冷電般的眼神，盯在何行舟身上，冷冷問道：「我十幾年沒見你了，想你武功定然又長進不少？」

何行舟在宗濤怒目相視之下，居然毫無恐懼之意，而且神態反而高傲起來，冷笑一聲道：「好說，好說，只怕沒有師弟進展神速。」

宗濤道：「那你們師兄弟不妨比試一下，讓我看看哪個強些。」

何行舟道：「三日之期，轉瞬即屆，師父倒還有心情作耍。」

伸手由懷中摸出一面手掌大小的金牌，高高舉起。

宗濤目光望著金牌，緩緩地屈膝跪下，小叫化緊隨師父拜伏地上。這突然的變化，使全場

中人個個呆在一側，徐元平、查玉和丁氏姐妹，都不自覺地轉頭向何行舟手中金牌望去。

何行舟神態驕傲，冷笑一聲，說道：「咱們金牌門下規矩，你們都還記得嗎？」

宗濤輕輕歎息一聲，道：「弟子等身受金牌師祖慈悲，收歸門下，怎敢欺師滅祖，忘去門下戒規。」

何行舟道：「你們能記得就好。」

查玉突然插嘴，冷冷接道：「何兄說話做事，尚望三思而行，需知何兄手中金牌，只能約束你們金牌門下弟子，對別人卻是毫無作用。」他怕何行舟心中記恨前事，仗手中金牌之威，傳諭讓宗濤師徒向自己下手，那可是大大的麻煩之事。

何行舟仰臉哈哈大笑道：「我們金牌門中，最是重視金牌令諭，如果金牌令諭一下，受金牌令諭遣派之人，必須要完成指派的工作……」

突聞颯然風動，丁玲一錯身由查玉和徐元平兩人之間閃穿而過，一語不發，探臂出手，硬搶何行舟手中金牌。

原來她和查玉一樣的心意，擔心何行舟真的傳下金牌令諭，要宗濤和那小叫化子向自己姐妹出手。宗濤武功，乃當今有數高手之一，眼下之人，只怕無一人能和他對抗，最好的辦法，就是趁他未傳金牌令諭之前，把他手中金牌奪下，縱然不能得手，也逼得他沒有機會傳下金牌令諭。

何行舟猝不及防，被丁玲探臂一攫，幾乎被她搶去了手中金牌，總算他武功不弱，匆忙中驟把高舉金牌的右手，向下一沉，饒是他應變迅快，手腕亦被丁玲指尖掃中，一陣劇疼，金牌

幾乎失手。

丁玲探臂一攫，沒有搶到金牌，第二招連續攻出，左掌一揮「手撥五弦」，右腿一招「魁星踢斗」，分攻「玄機」和「丹田」兩大要穴。

何行舟冷哼一聲，一吸真氣，倏忽間向後退了三步，讓開了丁玲手腳並襲一擊。

查玉早已暗中運氣，蓄勢待發，一見何行舟被丁玲搶制先機的攻勢，迫得後退到那草坪邊緣，立時大喝一聲，呼的一拳遙擊過去。

這一拳打的時機恰當之極，何行舟如再向後躍退，勢必陷入對方機關埋伏之中，如若硬接查玉一擊，急促間無法提聚真氣抗拒，不死亦得重傷，何況丁玲蓄勢一側，決不容他有緩氣的機會。眼看何行舟就要傷在查玉家傳武學「百步神拳」之下，忽聽宗濤怒哼一聲，揮手打出一股掌風，把查玉擊向何行舟的拳風撞偏一側。

查玉這一拳，用了九成以上真力，誠心要把何行舟傷在「百步神拳」之下，吃宗濤斜裡一掌，震偏拳風，不由自主地身子向前一傾。

丁玲一見查玉拳勢擊空，陡然向前一欺，指戳掌劈，連攻三招。

何行舟借宗濤震開查玉一拳的機會，人已緩過了氣，臂擋掌封，把丁玲的三招快攻架開，一晃手中金牌，喝道：「金牌門二十二代弟子宗濤，遵接金牌令諭……」

丁玲嬌喝一聲，呼的一招「旁花拂柳」疾掃過去。

何行舟左掌斜出一招「如封似閉」化開了丁玲掌勢，接道：「快些出手，保護金牌，速殲……」

丁玲左手一招「畫龍點睛」，右手一記「巧打金鈴」，兩招一齊攻出。

但聞神丐宗濤應道：「金牌門一十二代弟子宗濤，敬接金牌令諭。」話出口，人已同時飛躍而起，疾如飄風，一閃之間，已到了何行舟和丁玲之間，左掌輕輕一推，一股潛力勁道直逼過去。

丁玲看他出手極輕，來勢又緩，心中暗自忖道：久聞神丐宗濤之名，卻不知他武功究竟如何？不如硬接他一掌試試。當下一提真氣，雙掌平推而出。

兩股潛力一接，丁玲立時覺出不對，那潛力來勢雖緩，但勁道卻是極強，只感心頭一震，趕忙向後躍退，總算她見機得早，對方又未有傷人之心，才算未被當場震傷。

何行舟冷笑一聲道：「咱們金牌門，最重金牌令諭，執牌之人，受到欺辱，豈可馬虎了事，我限你三招之內，把動手搶奪金牌之人，擊斃掌下，以抵她擅奪金牌之罪。」

宗濤面現難色，回望了何行舟一眼，還未開口，何行舟一舉金牌怒道：「三招之內，打不死擅奪金牌之人，以咱們金牌門戒規治罪。」幾句話說得聲色俱厲，神氣十足，一代武林大俠的神丐宗濤，竟然俯首聽命，輕聲一歎，道：「金牌門一十二代掌門弟子，敬遵金牌令諭。」右手一揚，呼的一掌直對丁玲劈去。

這一掌可是運力而發，掌勢出手，勁風呼嘯，威勢如巨浪排空一般，疾猛撞到。

徐元平心頭一震，晃身擋在丁玲前面，說道：「老前輩手下留情。」右手一揮，硬把宗濤排山倒海的一掌接下。

宗濤這一掌勢之強，全場中人無不暗暗驚心，丁鳳更是驚得哎喲一聲，閉上了眼睛。

只聽徐元平朗聲大笑，道：「老前輩果然是名不虛傳，好雄渾的掌力。」

丁鳳睜眼望去，只見徐元平安然無恙地站在原地，神采飛揚，若無其事，不禁輕輕一扯姐姐衣角，低聲問道：「姐姐，他接了神丐宗濤那等威猛的一掌，怎麼會沒有一點事呢？」

丁玲輕輕地歎息一聲，道：「我看他內家真力似非宗濤之敵，不過相差也極是微小……」

何行舟心頭大感驚駭，忖道：此人年紀不大，功力卻如此深厚，如果假以時日，成就更難限量，倒不如借宗濤之力，把他除去，免去日後之患，強似殺了那個奪金牌丫頭。當下一舉手中金牌，喝道：「既有人出頭相護奪取咱們金牌之人，那就把他擊斃也是一樣。」

宗濤雖有惜愛徐元平之心，但卻又不敢違背金牌令諭，輕輕歎息一聲，緩緩舉起右手，運足真力，平胸一掌推出。

徐元平接了宗濤一掌，雖覺內腑氣血震動，但他乃衝動好勝之人，不願對人示弱，強自運氣，壓制住內腑翻動氣血，抱元守一，蓄勢相待，一見宗濤掌勢推出，立時雙手一齊推出，又硬接了一擊。

神丐宗濤陡然一揚雙眉，大聲喝道：「再接老叫化子一掌試試，不是你死，便是老叫化子身受門規制裁。」右掌運足全力，一揚劈出。

驕傲的徐元平，雖然震駭於對方的掌力威勢，但他仍然不肯閃避，雙掌平胸外推，竟又硬接一招。

神丐宗濤長歎一聲，道：「罷了，罷了，老叫化雖然要身受門規制裁，但也輸得心服口服。」緩緩轉身，面對金牌一個長揖，說道：「金牌門一十二代掌門弟子宗濤，恭候執牌人傳

諭裁決。」

何行舟冷哼一聲，收了金牌轉身疾向來路奔去，神丐宗濤和那小叫化子，緊隨身後，眨眼間走得無影無蹤。

查玉和鬼谷二嬌望著三人背影消失，才一齊向徐元平身側圍去。只見他面如死灰，雙目圓睜，呆呆地站著，一語不發。

丁鳳突感芳心一酸，正待伸手拉他，忽聽身後響起一個洪亮的聲音，道：「不要動他。」三人同時一驚，轉頭望去，只見一個身材高大、身著錦衣的中年大漢，滿臉莊肅，站在五步左右之處。此人來得無聲無息，查玉和丁氏姐妹竟不知人家何時欺到，不禁呆了一呆。

那錦衣中年大漢，緩步走到徐元平身側，仔細地望了兩眼，冷冷道：「他已受了極重的內傷，即使救治得法，也非三、五日能夠復元，看在他受傷的份上，今宵就網開一面，不出手截留你們，快些走吧！」

丁玲冷笑一聲，舉手輕輕在徐元平背心上拍了一掌，徐元平眼珠轉了兩轉，長長吁一口氣，噴出一口鮮血。

查玉右手疾出，輕輕一點徐元平「氣海」穴，身子一側，把徐元平扛在肩上，道：「咱們走吧。」

鬼谷二嬌暗運功力，緊隨身後相護。

三人走了幾步，突聞那錦衣中年大漢，在身後高聲喝道：「站住。」

丁玲右手一探懷，暗在指甲藏了「迷魂粉」，緩緩回身，問道：「怎麼，你後悔了嗎？」

錦衣中年微一長腰，疾如電閃般，落在三人身側，問道：「他可曾被毒峰螫過？」

查玉微一沉思，道：「不錯，不過區區一隻毒蜂，就是螫上了兩下，又有何要緊，難道還能要了人命不成？」

錦衣中年冷笑道：「幸而是螫了他，如若是你被毒蜂螫中，哼哼，只怕毒性早已發作……」伸手一探錦袍，取出一個羊脂玉瓶，拔開瓶塞，倒出了兩粒黑色藥丸，道：「這兩粒丸丹，專解各種奇毒，你們在替他療傷之前，先讓他服下，再動手替他療傷。」

丁鳳緩緩伸手，接過丸丹，說道：「如果這兩粒丹丸不是解毒之藥……」

錦衣中年怒道：「不相信你就別讓他吃！」轉身大步而去。

查玉恐怕丁鳳再接口，引起衝突，立時插口說道：「江湖之上素有不加害受傷之人的規矩，二姑娘不要多疑。」一面說話，一面又轉身向前走去。

丁玲輕輕一拉丁鳳道：「收好丸丹走啦！」

那錦衣中年，果然極守信譽，三人走出兩、三丈遠，已聞得竹哨傳音之聲，那花樹林中雖然站了不少疾服勁裝人物，但卻無人出手攔截。

三人匆匆出了「碧蘿山莊」，一口氣走出了兩、三里路，在一處僻靜的山谷之中停下。

查玉放下了徐元平，施展推宮過穴手法，活了徐元平被點穴道，扶他坐好。

徐元平歎道：「我被那老叫化子掌力震傷了內腑，而且我已感到傷勢極重，只怕不是短時間能夠養息復元……」他微微一頓之後，又道：「查兄和賢姐妹都有要事待辦，不必爲兄弟分

心了。」說著話，人卻掙扎站起，舉步欲去。

丁鳳最是沉不住氣，一見徐元平帶著重傷，掙扎欲去，不禁芳心大急，一橫身攔住去路，嗔道：「你傷勢這等沉重，還要到哪裡去？」

徐元平一瞪雙目，冷然說：「我到哪裡去，你還能管得著嗎？閃開！」伸手向丁鳳推去。

丁鳳知他功力深厚，雖是隨手一推，只怕也非同小可，不自覺運氣相拒。

哪知徐元平身受內傷之後，不能運集真氣，一手推在丁鳳左肩，只覺一股暗勁由丁鳳身上反彈過來，全身一震，向後退了三步，一屁股坐在地上，連續噴出兩口鮮血。

丁玲右手一揮，呼的一聲，打了丁鳳一個耳刮子，罵道：「死丫頭，你怎麼能夠運氣反撞。」側身搶前兩步，在徐元平身邊蹲下。

丁鳳被姐姐一耳光打得滾下來兩行淚水，哭道：「我忘記他受了傷啦……」大邁一步，偎到徐元平身旁，嗚咽著接道：「我傷了你嗎？」

徐元平雙掌向後一撐，站起身子，隨手抹去口邊鮮血，笑道：「這怎麼能夠怪你？」轉身向前走去。

丁玲呆了一呆，道：「徐相公請留步片刻，聽我說上幾句話，好嗎？」

查玉道：「徐兄傷勢不輕，縱然要走，也要先行運氣調息一下再走。」

徐元平回頭笑道：「調息大可不必，兄弟自信還能支持得住，不知兩位還有什麼話說？」

丁玲幽幽一歎，道：「你為相救於我，才被那老叫化子打傷，就這樣走了，叫我心中如何能安？」

徐元平淡淡一笑，道：「這個請姑娘不必放在心上，在下個性如此，如果我死不了，咱們還有相見之日，幾位何苦為我延誤事呢？」

查玉歎道：「相識滿天下，知心有幾人。兄弟和徐兄一見如故，不管徐兄對兄弟看法如柯，兄弟卻是極傾心徐兄的丰儀，因而赤心相交，眼下徐兄身受內傷，竟要拂袖而去，這雖是徐兄不願受人涓滴之惠，但如你真的就此而去，實叫兄弟傷心……」

突聞身側不遠處暗影中冷笑一聲，接道：「看不出查子清還有生出這般慈善的兒子，當真是叫老夫羨慕。」

查玉雖被人討了便宜，但他已聽出來人的聲音，忍下心頭怒火笑道：「來人可是冷老前輩嗎？」

只聽一陣破鑼般的哈哈大笑道：「不錯，你倒是還能聽出老夫的聲音。」餘音未落，暗影中緩步走出一個身著長衫，身材矮小的長臉老叟，雙目神光如電，掃掠了全場諸人一眼，直對著徐元平走去，正是千毒谷三毒之一的冷公霄。

丁玲一晃身，躍擋在徐元平前面，斂衽一禮，叫道：「冷伯父你好，玲兒這裡給你行禮啦！」

冷公霄乾咳兩聲，笑道：「客氣！客氣！你幾時這麼看得起過冷伯父了。」

丁玲笑說道：「當今武林之世，誰不知千毒、鬼王二谷交誼篤深……」

冷公霄臉色一沉，冷笑一聲，截住了丁玲的話，道：「人人都說你心思靈巧，詭計多端，看來確實不錯，不過冷伯父一向不吃這個，你少給我灌迷湯。」

丁玲笑道：「冷伯父見聞廣博，威震大江南北，今日江湖，有誰敢……」

冷公霄哈哈一笑，道：「任憑你鬼丫頭舌燦金蓮，但也休想說動老夫，三毒之名，豈是人白叫的嗎?還不給我閃開。」

查玉鑒貌辨色，已看出冷公霄意在把徐元平結束掌下，心中暗自忖道：這老毒物武功之高，眼下無人能敵，如若他真要出手，徐元平決難保得住性命。轉念徐元平又衝動多變，忽而一意孤行，忽而正大光明，性格實在叫人難以捉摸，看來難爲我用，倒不如讓老毒物把他一掌劈死，叫兩個鬼丫頭白費一番心機。心念一轉，故意低聲說道：「徐兄快些運氣調息一下，也許就要有一場惡拚了。」

他說話聲音雖低，但冷公霄耳目是何等的靈敏，早已聽得字字入耳。

徐元平正待答話，突聞丁玲格格大笑，道：「冷伯父雖然和晚輩姐妹見過，但我還不知道冷伯父排行第幾?」

此言問得大出意料之外，饒是冷公霄心地險詐，但一時之間也猜不透丁玲問話含意。不禁微微一怔，道：「你問這個幹什麼?」

丁玲笑道；「千毒谷無人不毒，鬼王谷無人不鬼，只要冷伯父敢答應我問的話，我就能使冷伯父知難而退。」

冷公霄略一沉吟，笑道：「當真有這等事嗎?那我倒是要試一試，老夫排行第二，你這個鬼還真有什邪法不成?」

丁玲道：「不知冷二伯父今年貴庚?」

冷公霄一皺眉頭，怒道：「老夫豈有心情和你們鬥口打趣，快些給我閃開，惹得我怒火起來，先把你這個丫頭給活活劈死。」

丁玲冷笑一聲，道：「江湖上只知我鬼王谷擅用迷魂藥物，可是我們鬼王谷真正的家傳絕藝，江湖上卻很少有人知道。」

冷公霄聽她說得鄭重其事，不覺間又動起疑來，暗自忖道：難道鬼王谷中真有什麼家傳絕藝不成，那倒是值得試它一試。當下答道：「老夫今年六十四歲，七月十三日生！」

丁玲道：「冷二伯父的生日，比中元鬼節早了兩日，看來鬼氣不重，但也不輕……」

冷公霄是何等老辣之人，聽得她幾句話，已知她是胡說八道，藉故拖延時間，陡一欺步，怒道：「哪來的滿口鬼話，再要給我胡扯八道，當心我先殺了你。」

丁玲何嘗不知這等措辭拖延，決難瞞得過冷公霄耳目，但卻又不得不抱著多拖一刻是一刻的心了，當下故作鎮靜，笑道：「冷二伯父不必動怒，今宵總要叫你試試我們鬼王谷的呼魄喚魂之法！」

冷公霄道：「鬼丫頭胡說八道些什麼？我就不信世間真有邪法！」

丁玲眼看再難相騙於他，不禁心中大急，橫跨一步攔在冷公霄面前，說道：「冷二伯父如不信晚輩之言，可不要怪我失禮了。」

冷公霄左掌一撥，隨手擊出一股潛力，直向丁玲撞擊過去。

丁玲早已暗中留神著冷公霄一舉一動，知他那隨手一撥之勢，早已暗蘊內力，如何肯硬接他擊來之勢，疾退兩步，讓開一擊，厲聲喝道：「冷伯父這等苦苦相逼，晚輩只好開罪了。」

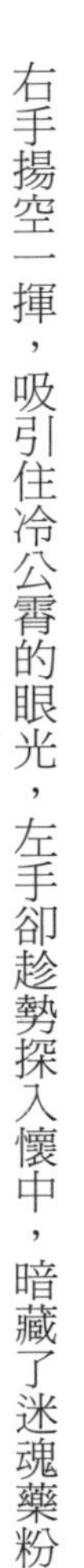

右手揚空一揮，吸引住冷公霄的眼光，左手卻趁勢探入懷中，暗藏了迷魂藥粉。

但聞一聲淒厲長嘯之聲，破空傳來，一條人影，隨著丁玲揮動的玉腕，疾如電奔而來，丁玲右手剛剛放下，來人已躍落在冷公霄的面前，全身黑衣，橫攔去路，面上五顏六色，看去醜怪無比，僵直挺立，一語不發。

這人不但裝束奇怪，而且來得迅快絕倫，不但冷公霄暗暗吃驚，就是丁玲也覺得這巧合太過突然，但她究竟是心機深沉之人，略一沉思，立時鎮靜下來，暗道：不管此人是誰，但他有心相助於我，大概不錯，索性裝模作樣地做到底，如能把老毒物唬退更好，縱然不行，合妹妹、查玉之力，也可以和他硬拚一場。

當下冷笑說道：「需知天下之大，無奇不有，冷伯父此刻可知晚輩之言，並非是信口開河了吧？」

冷公霄仰天打個哈哈，道：「老夫生平之中，見過各色各等之人，但卻沒有見過鬼魔神怪之物，今晚有幸一會，倒是生平一大快事。」右掌一揚，呼的一股掌風，直向那怪人前胸擊去。

丁玲知他功力深厚，這一掌力道定然不輕，擔心那怪人傷在掌下，正待出手搶救，忽見那怪人身形一轉，輕飄飄地閃開數尺，左手一探，迅如電光石火，向冷公霄左肩之上抓去。

此人出手之快，大大出乎丁玲意料之外，她本想出手相助，但見他出手一擊之後，立時又停住身子。

冷公霄側身微閃，反手一記「揮塵清談」，反向那怪人抓來左手脈門上拂去。

那怪人擊去之勢奇怪，變化更是詭異，冷公霄一掌拂出，他已變抓爲戳，微一沉腕，讓過冷公霄拂去之勢，駢指疾向冷公霄「肩井」穴上點去。

冷公霄心頭微生驚駭，退後三步喝道：「掩面塗色，裝神扮鬼，豈是大丈夫的行徑，如再不肯露現本相，這般藏首露尾，可別怪冷老二手下狠辣了。」他見那怪人出手迅詭，知逢勁敵，故而出言相激，想要他脫下面具，看看究是何等人物。

哪知滿臉彩色的怪人，竟是未把冷公霄喝問之言，放在心上，冷冷地站在一側，凝目相視，既不答話，亦不出手，夜色籠罩之下，看上去果然有幾分森森鬼氣。

冷公霄看對方相應不理，不覺大怒，冷笑一聲，喝道：「你就真的是鬼，冷老二豈還怕了不成。」陡然欺身而進，倏忽間劈出三掌，踢出兩腿。

那怪人對冷公霄凌厲迫急的攻勢，卻似未放在心上一般，雙肩晃動，身軀左閃右轉，把冷公霄三掌兩腿的急攻，盡都讓避開去。

查玉冷眼旁觀，發現那怪人武功竟不在久享盛譽的冷公霄之下，至低限度，可和他拚上個兩百招而不敗，如若加上丁玲姐妹和自己之力，想敗冷公霄，決非難事，如能借今晚之機，把他除去，倒是一件大大的稱心之事。

他生性深沉，殺機狠而不露，輕邁兩步，人已接近冷公霄和那怪人身邊，暗中潛運功力，伺機出手，但嘴角間卻掛著微微笑意，行若無事，流目左顧右盼，叫人難以測知他的意向。

冷公霄在一瞬之間連攻了三掌兩腿，都被那怪人讓避開去，暗生警惕，忖道：這人武功，分明不弱，縱然非我之敵，但在一時之間要想勝他，也非易事。鬼王谷兩個丫頭武功雖無驚人

之處，但她們卻極善施用迷魂藥物；查玉家傳百步神拳，武林中極負盛譽，如果他們聯手而出，可是大難對付。心念一轉，倏然向後躍退五尺，哈哈大笑道：「老夫豈有興致和你們幾個孩子作耍。」轉身大步而去。

查玉朗朗笑道：「怎麼老前輩就要走嗎？」

冷公霄停步轉頭，還未來得及開口，丁玲已搶先笑道：「晚輩預祝冷二伯父一路平安。」

這兩人一唱一和，弄得冷公霄大感尷尬，進退不得，因他在武林中的身分極尊，如果今宵被幾個後生晚輩在口齒上輕薄幾句，那可是大大的難堪之事，日後傳言開去，不但有損三毒威名，且將留人笑柄。心念一轉，怒火突起，冷笑一聲，陰森森地說道：「你們可有興致送上老夫一程嗎？」

查玉側目望了那怪人一眼，見他靜站不動，心中忖道：此人如不出手，縱然合鬼谷二嬌和我之力，只怕也難是老毒物的對手。當下微微一笑道：「老前輩和家父交誼極厚，晚輩理應恭送一程，只是晚輩尚有一件要事羈身，不相送行了。」

冷公霄哈哈一笑，道：「好說，好說，見著你爹爹時，請代老夫問好。」緩緩轉身，慢步而去，逐漸消失在夜色之中不見。

丁玲目睹冷公霄去遠，才轉身對那臉上塗著五顏六色的怪人襝衽一禮道：「承蒙相助，驚退強敵，愚姐妹甚是感謝……」

那怪人不待丁玲說完，突然振臂一躍而起，飛躍出兩丈多遠，雙足一著地，立時又借力躍起，轉眼間消失不見。

此人來得突然，去時又一字未留，饒是丁玲機智絕倫，也如墜十里雲霧之中，茫然地望著那人去向，呆呆地出神。

忽聽丁鳳啊了一聲，叫道：「姐姐，他怎麼不見啦？」

丁玲如夢初醒一般，口中糊糊塗塗地應了一聲：「什麼？」

四下瞧去，哪裡還有徐元平的影子。

原來三人全神貫注在冷公霄和那怪人身上，竟不知徐元平何時離去。

查玉輕輕歎息一聲，道：「此人生性高傲，不願受人涓滴之惠，他既然有心逃避咱們，就是找到他，也是徒然增加不安。」

丁玲微一思忖笑道：「少堡主說得不錯，他既然不願和咱們走在一起，咱們也犯不著再去找他。」

丁鳳急道：「那怎麼行，他身上帶著重傷……」

丁玲轉臉白了妹妹一眼，道：「不要說啦，他不願和我們走在一起，那有什麼辦法。」

丁鳳素來對姐姐存著幾分敬畏之心，聽得姐姐一叱，不敢再接下去。

查玉抱拳一禮，對鬼谷二嬌笑道：「兄弟還有點事情待辦，我要先走一步了。」

丁玲躬身還了一禮，道：「少堡主只管請便。」

查玉微微一笑，轉身自去。

丁玲望著查玉去遠，突然拉著丁鳳衣袖，轉身向前奔去，一口氣跑出了十幾丈，才停下腳步，低聲對丁鳳笑道：「你真的想找他嗎？」
丁鳳道：「現在還往哪裡去找，只怕他早就走遠啦。」
丁玲牽著丁鳳，走到一處山坡下的暗影之處，又道：「快躲起來，徐相公就要出來了。」
丁鳳心中雖是不解，但她素來信服姐姐，也不多問，一閃身躲在丁玲身後。
片刻之後，果然見數文外暗影之中，緩緩走出一個人來，步履踉蹌地向正北走去。
丁鳳運足目力瞧去，立時辨認出是徐元平，心中大是驚異，附在丁玲耳邊低聲說道：「好姐姐，你怎麼會知道他沒有走呢？咱們快些追他去。」
丁玲急道：「你先別高興，他要看到了咱們，只怕又要躲起來了。」
丁鳳道：「那要怎麼辦？難道就這樣讓他跑了不成？」
丁玲笑道：「你追人家幹什麼，十七、八歲的大姑娘，什麼話都說得出口，也不害羞！」
丁鳳只覺粉臉一熱，辯道：「人家爲救你才受了傷，你就忍得下心不管啦？」
丁玲笑道：「誰說不管啦，咱們遠遠的盯著他，看他到什麼地方去。」
丁鳳盈盈一笑，道：「好極啦，等他摔倒在地上走不動時，咱們再去救他。」說完了話，當先向前追去。
原來徐元平趁著丁氏姐妹和查玉注意冷公霄和那個面塗顏色的怪人時，悄然隱入暗影之中，因他身負重傷，行動極是不便，如若轉身走去，必然要被人發覺追上。
丁氏姐妹已知徐元平武功高出自己很多，耳目甚是靈敏，雖然他已受傷，但兩人仍不敢過於逼近，遠遠地跟在他身後。

其實徐元平這次所受內傷，極是慘重，全身真氣，都吃神丐宗濤一掌震散，鬼谷二嬌縱然緊追在他身後，他也難以發覺，但他神志並未昏迷，心中仍有著一股倔強之氣，強忍傷疼向前奔走。翻越過兩重山巔，到了一座古廟前。

這時，他的內傷越來越重，只覺胸中熱血上衝，雙腿似已不聽使喚，他輕輕歎息一聲，覺得自己應該休息了，不禁豪氣大消。

他用衣袖拂拭一下臉上的汗水，吃力地拖著雙腿，緩步向古廟中走去，心中暗暗想著：這等荒涼的廟宇裡面，決不會有住持之人，如我不能自療傷勢，也決不會有人救我，那就可以很安靜地死在這裡。

沸動的氣血，已使他頭腦暈糊起來，心裡想到，口裡就不自覺地說了出來，聲音雖然不大，但因在靜夜之中，傳播甚遠，跟在他身後的鬼谷二嬌，雖未能全部聽得，但隱隱約約聽到他有尋死之意，丁鳳心頭微感一震，突然加快腳步，追了上去。

到了徐元平身後，正待伸手去扶他搖晃不定的身子，忽覺伸出的左手，被人托住。她沒有回頭，似已知托住她手腕之人是誰，毫不掙扎地向後退了兩步，才側臉望了來人一眼，低聲叫道：「姐姐。」

丁玲搖搖頭，示意她不要再說下去，拉著她向旁側暗影之中隱去。

徐元平的耳目已失靈敏，丁氏姐妹到了他身後，他竟然毫無所覺，雙手捧著前胸，踉踉蹌蹌地向廟中奔去。

八　金牌令諭

這是一座荒涼的古廟，院中長滿了野草，廊廂都已殘破，斷垣殘壁，看上去十分淒涼，夜暗之中，更覺陰氣森森。

徐元平強提著最後一口真元之氣，奔入大殿之中，身體再也支撐不住，噴出來兩口鮮血，暈倒地上。

他摔倒之地，正是大殿神案之旁，兩口鮮血都噴在那殘破的神像之上，身子在摔倒之時，又被神案一擋，滾入了神像之後。

不知道過去了多少時間，忽覺臉上一陣冰冷，打了個寒顫清醒過來。

睜眼望時，只見閃光眩目，雷聲盈耳，原來天氣已變，正在下著大雨。這大殿年久失修，到處都是破漏之處，一股雨水，正漏在徐元平的臉上，他沉暈的神志，吃那雨水一激，忽然清醒過來。

他已得慧空大師數十年修爲的真元之氣，已具有極深厚的內功基礎，只因在受傷之後，不知及時調息，以致傷勢大轉惡化，經過一陣休息之後，翻動的氣血，逐漸平復下來，人也冷靜了許多，轉動一下身體，挺身坐了起來。

閃電雷雨托襯中，增加了這荒涼破廟的陰森氣氛，一幕幕悲慘淒涼的往事，又在他腦際中展現，他想到含冤慘死的父親，養育他成人的恩師，傳授他武功的慧空大師，這些人都給予他深重無比的恩情，也留給他一筆深如江海的血債，要他去討償清結……

思念及此，不禁心頭一凜，暗自責道：徐元平啊！徐元平！你自己生死事小，但父母恩師之仇，豈可不報，慧空大師傳授你武功之時，對你寄託了何等的遠大希望，他老人家雖未說出有事相託於你，但你已在他言辭神色之間，窺得了十之八九，這幾樁事，是何等的重大，你豈能作踐自己性命，一死了之。念轉意變，油然生出了強烈的求生之心。

他鎮靜了一下心神，開始思索求生的方法。

他乃極端聰慧之人，稍一用心索想，立時想到了慧空大師相授的《達摩易筋經》文，當下凝神澄慮，排除心中雜念，默思慧空口授經文。

他已動了強烈的求生之念，又是毫無江湖閱歷之人，想到就做，毫無顧忌，當下盤膝坐下，依照慧空口授療傷真言，運氣行起功來。

但覺體內真氣漸聚，一股熱流由丹田直衝上來，分呈四肢流布，人也由清轉渾，漸入物我兩忘之境。

行功一周，由渾返清，正待再行運氣，逼出胸中淤血，忽聞一個十分淒涼的聲音說道：「師兄縱不念師父授藝教養之恩，也請看在小弟侍候師兄五年的情義份上，免去對師父的責罰，小叫化願以身代師父領受門規裁罰。」

徐元平忍不住睜眼探頭向外望去，只見神丐宗濤身揹葫蘆，抱拳屈膝，跪在大殿之上，在他身側跪著手中高舉火把的小叫化子，何行舟右手舉著一個金牌，滿臉殺機，面對宗濤而立。

何行舟對那小叫化的淒涼哀求，絲毫無動於衷，目光都盯注在宗濤臉上，冷笑一聲，說道：「師父對我有過十餘年教養之恩，我心中十分感激……」

宗濤歎息一聲，接道：「此一時，彼一時，過去之事，不說也罷。」

何行舟放聲哈哈大笑一陣，道：「我初入師門之時，師父確實待我很好，但自收得師弟之後，師父就開始歧視於我，咱們金牌門下很多奇奧的武功，師父也只在暗中傳授師弟，像這等情事，實在叫人難忍難受……」

宗濤突然抬起頭來，雙目中神光炯炯，有如兩道暴射冷電，逼視在何行舟臉上，何行舟身軀微一顫動，舉起手中金牌，高聲喝道：「咱們金牌門祖師立下的規矩，凡是執有此牌之人，就如祖師復生，不論輩份高低，一律聽候差遣……」

突然一道奇亮的閃光，劃空掠過，照得大殿上一片通明，小叫化手中的火把，登時黯然無光，隆隆雷聲，打斷了何行舟未完之言。

那小叫化突然仰起臉來，哈哈大笑，其聲如嘯，聽來極是刺耳。

何行舟大怒道：「你笑什麼？」

小叫化停住大笑，緩緩地答道：「師兄說師父暗中授我武功，不知是親目所見呢？還是臆測之辭，須知師倫大道，乃武林中人人重視之事，豈可隨口污蔑恩師，小叫化生平不會說謊，不錯，有幾種師門之學，師兄未得師父傳授，但師父在授我之時，師兄早已和師叔悄然而去，離開師門，小叫化如有一句虛言，天神共鑒。」

突然間，又是一道奇亮的閃光劃空而過，巨雷暴起，震得屋瓦搖動，何行舟臉色微微一變，不自覺地抬起頭向屋頂望了一眼。

宗濤微微一歎，道：「你要怎麼懲治老叫化，就儘管吩咐吧，我已是年登古稀之人，早已把生死看開了……」

何行舟冷然一笑，接道：「看來師父倒是很想一死百了，對嗎？」他仰臉一陣大笑後，又道：「不過，事情不如你老人家想得那等容易……」

宗濤微現慍色，怒道：「那你要怎麼樣？」

何行舟道：「師父事情尚未辦完，如若死去，未免叫人惋惜。」

宗濤淡淡一笑，道：「是了，你師叔還未忘記南海門中那部奇書，想要老叫化和小叫化在未死之前，去把人家那部奇書偷來，送給你們之後再死，是也不是？」

何行舟笑道：「你的武功，就當前武林而論，已是罕有敵手，如果暗偷不成，明搶也未嘗不可。」

小叫化道：「師父一生俠名卓著，江湖間人人敬仰，師兄如果一定不肯放過師父，亦請成全他老人家一世俠名，早些讓他去吧！」

何行舟冷冷說道：「我和師父說話，哪有你接口餘地，先自打二十個嘴巴子，略示薄懲。」

小叫化抬頭望了師父一眼，左手舉著火把，右手果然在自己臉上打了起來，但聞一陣乒乓乓乓之聲，連打了二十下才停住手。他自己打自己，竟是手法很重，只打得雙頰紅腫，嘴角間

鮮血直淌。

何行舟微微一笑，道：「咱們金牌門規令森嚴，尤其對師長之輩，更應恭順，你竟敢接口多言，如不念在咱們師兄弟一場份上，今宵我就讓你自斷雙手！」

宗濤仰臉狂笑一聲，道：「不必和你師弟為難，老叫化已等得不耐，如若你再不傳金牌令諭，憑藉金牌之尊，擺佈老叫化子，我就要自碎『天靈』要穴，橫屍在金牌之前，以謝祖師。」

這幾句話，果然發生了奇大的效力，何行舟暗自忖道：如若他真的自碎了「天靈」要穴一死，雖然去了眼中釘，但那南海門中奇書，卻是再也無法到手，師叔志在奇書，如若我不能奉獻於他，只怕要惹他生氣。當下微微一笑，道：「弟子這次壓逼師父，全是受師叔之命而來，這一點，想師父定然知道。」

宗濤黯然一歎，垂首不語。

何行舟淡然一笑，又道：「師叔把咱們金牌門中至高信物，交付於我之時，曾再三相囑弟子，只要師父能把南海門中奇書奪交弟子帶回，他願和師父見面一次。」

宗濤雙目之中奇光一閃，接道：「此話可是當真嗎？」

何行舟道：「弟子怎敢欺騙你老人家。」

宗濤忽然長歎道：「老叫化縱然願盡力而為，但對方中人，個個武功不弱，能否如願，很難預料。」

何行舟道：「師父武功高強，弟子知之甚深，如肯全力施為，奪書絕無困難。」

宗濤突然一整臉色，肅容說道：「三日之後，你約他仍來此廟相會，屆時老叫化如若交不出南海門中奇書，自當面對金牌，以死謝罪……」

何行舟接道：「他願否應約，弟子沒有把握，但我定當把師父之言，轉告就是。」

宗濤道：「你師叔如不應約而來，老叫化縱然奪得奇書，也不會交你相轉，只要老叫化在死前把你師弟逐出門牆，他就可不受金牌約束。」

何行舟聽得心頭一凜，暗自忖道：看來師叔不到，他縱然奪得奇書，只怕也不肯交我，如他真把小叫化逐出門牆，讓他帶著奪得奇書而去，不但我和師叔心願落空，且將留下無窮禍患。心念一轉，微笑說道：「師父既然想見師叔一面，弟子自當盡力勸駕，促請師叔移駕來此，和師父相晤……」

他微微一頓後，又道：「師父奪書，恐難免身經劇鬥，這次責罰破例免除，三日後二更，咱們仍在此廟相見吧。」

宗濤霍然起身，對著何行舟手中金牌一揖道：「老叫化三日後在此候駕。」雙肩晃動，去如驚霆迅雷，人影一閃而逝。

小叫化緊接著站起身子道：「多謝師兄金牌留情，使小叫化仍能保得雙手。」

一振腕投去手中火把，大殿中驟然一暗，但聞衣袂飄風之聲，小叫化和何行舟同時躍出大殿。

這時，風雨已住，但滿天濃雲如墨，即使破曉的天色，仍然是一片黝暗。

徐元平屏息凝神，暗中看完了這一幕恩怨糾結的複雜情事，仍不敢大聲出一口氣，他自知

此刻功力未復，縱是平常之人一拳一腳，也可把自己置於死地，直等他確定了何行舟和那小叫化子離開之後，才長長吁一口氣，繼續運氣行功，療治傷勢。

待他第二次行功醒來，天色已是中午時分，耳際間嬌笑不絕，不禁心頭大奇，睜眼探頭望去，只見鬼谷二嬌相對坐在大殿之上，笑語清談，神情極是歡愉。

丁玲探手由旁提過一隻竹籃，放在兩人之間，打開籃蓋，拿出一枚燒餅，咬了一口，笑道：「肚子餓啦，吃起燒餅也覺著滿口清香。」

丁鳳笑道：「姐姐，咱們帶這酒菜，都已經有些涼啦，我去撿些枯枝，把它熱熱再吃。」

丁鳳嬌笑著站起身子，丁玲卻把竹籃中的鍋碗杯筷等，一件一件地拿了出來，敢情兩人早已有準備，所有應用之物，盡放在竹籃之中帶來。

徐元平已一夜半天沒有進過食用之物，他內功精深，本有耐餓之能，但聞陣陣酒肉香氣之後，突感饑火大熾，口中垂涎欲流。

片刻之後，丁鳳抱著一堆枯枝乾草走回大殿，兩姐妹就在大殿一角生起火來，一個司火，一個掌爐，把帶來菜餚放在鍋中蒸炒，丁玲本極精於烹飪之術，濃香愈來愈是強烈。

徐元平被那濃香引得垂涎三尺，幾度想呼喚丁氏姐妹，但每當話到口邊之時，重又嚥了回去，他生性高傲，雖未想到丁氏姐妹是有意用酒肉引誘於他，但向人討取食用之物，總覺難於啓齒，勉強按下饑火，閉目運氣。

等他第三次療傷醒來，已是黃昏時分，睜眼望時，只見丁玲、丁鳳並肩而立，臉上帶著盈盈笑意，站在他的身前。

丁玲緩緩蹲下身子，說道：「一天一夜未食，肚子就不覺得餓嗎？趁著酒菜尚有餘溫，吃一點吧！」說來深情款款，神態之間無限溫柔。

徐元平低頭望去，只見眼前地上擺著七、八盤精美菜餚，不覺呆了一呆，道：「怎麼？你們早就知道我躺在這裡了？」

丁鳳笑道：「怎麼不知道，你走到天涯海角，我們都能找得著你。」

丁玲一拉妹妹右手讓她也蹲了下來，脈脈深情地望著徐元平道：「你也未免太大意啦，我們把菜餚在你面前擺好，你竟毫無所覺，如若我們要下手殺你，你有十條命，也保不住……」

這番話說得婉轉溫和，只聽得徐元平既感激，又覺慚愧，歎道：「多謝良言開導，徐元平感激莫名……」

丁鳳婉然一笑，道：「現在不要緊啦，有我姐姐替你護法，你可以安心運功療傷了！」

徐元平道：「這樣勞動兩位，叫我心下難安。」

丁鳳道：「別說啦，快吃點酒菜，療傷要緊，前天夜晚，我把你撞了一跤，現在敬你一杯酒……」

徐元平有生以來，從未有過任何一個女孩子這般款款深情地對待他，只覺兩人對他的情義深厚無比，心中大生感動，想到過去對兩人的諸般失禮之處，更是愧疚叢生，他本是情感最易衝動之人，當下脫口說道：「兩位這般對待於我，實使人感愧莫名，待我傷勢好了之後，定要想法子報答兩位隆情高誼。」

說完話，伸手端起面前酒杯，正要飲酒，丁玲突然一伸右手，抓住徐元平端酒手腕，輕聲

說道：「你不能吃酒，快些放下。」轉頭又望著妹妹接道：「他正在運功療傷之際，吃酒恐將有害，來日正長，等他傷勢復元之後，咱們再好好吃一次酒。」

丁鳳舉起手中酒杯，一飲而盡，笑對徐元平道：「你別說啦，這杯酒記到帳上，等你傷勢好了之後再吃吧。」

徐元平放下酒杯，環顧二女一眼，舉起筷子，吃了一點菜餚，微笑著閉上眼睛，運功療治傷勢。

三日時間，匆匆而過，徐元平在二女妥善地照顧之下，不但傷勢大爲好轉，而且經他數日來運氣調息，把慧空轉納的真元之氣，融化於本身真氣之中不少，內功大爲精進，不過，他自己並不知道罷了。

這日黃昏時分，徐元平運息醒來，已覺本身真氣逐漸凝固，百穴暢通，已達運用自如之境，笑對二女說道：「今晚三更之前，我的傷勢就可以完全復元，三日夜來，承蒙賢姐妹這般照顧於我，實讓人感恩難忘……」

丁玲盈盈一笑，道：「別說啦，是我們願意照顧你的，豈能算是對你施恩，你這個人最是愛胡思亂想……」

忽聽丁鳳嬌聲叫道：「啊喲，該死。」

徐元平嚇了一跳，道：「怎麼啦？」

丁玲輕顰秀眉，道：「什麼事嘛，總是愛大驚小怪。」

丁鳳緩緩從懷中取出那錦衣中年相贈的藥物，道：「我忘記給他解蜂毒藥吃。」

徐元平搖搖頭笑道：「不必吃啦，我已快好了，還要吃的什麼藥呢！」

丁玲沉吟道：「江湖之上，奸詐難防，但那大漢贈這藥物之時，卻似非心懷鬼謀，也許那蜂毒被內功壓制，無法即時發作，但如把毒氣留到身上，總是禍害，還是把它吃下去吧！」伸手從丁鳳手中取過一粒藥丸，放在鼻子前面聞聞，又放在口中嚐嚐，笑道：「放心吃吧，無證無害。」

徐元平雖極不願吃，但又不忍拂違丁玲情意，接過藥丸，一口氣盡吞腹中。

藥入腹中，立時覺出不對，不禁一皺眉頭道：「這藥丸是什麼人交給你們……」但覺全身高燒，五內如焚，竟難再運氣行功，雙手捧胸，接不下話。

丁鳳早已驚得手足無措，連聲問道：「姐姐，這是怎麼回事呢？」

一向機智百出的丁玲，看到徐元平痛苦之狀，也鬧得沒了主意。

那知徐元平發了片刻高燒之後，突然出了一大身冷汗，緩緩閉上雙目。

丁玲聞得徐元平身邊汗氣，有一股腥臭之味，心中登時放了心，低聲對丁鳳道：「好啦，他身上的蜂毒已被藥力迫出，快去給他準備開水，讓他醒來之時服用。」

她的推斷，果然不錯，不到頓飯工夫，徐元平突然睜開星目，望著丁鳳問道：「什麼人給你的藥丸？告訴我，我要去好好的打他一頓。」

丁玲笑道：「你打人家幹什麼，人家好心相救於你，豈可恩將仇報。」

徐元平道：「他拿毒藥來害我，算得麼恩德。」

丁玲笑道：「怪你吃得太猛，以致藥性突然發作，不過這樣也好，藥力過強，一下子就把你身上餘毒迫出，現在你才真的傷勢將癒了，快些閉目調息，也許晚上還有事情。」

徐元平突然想到，今夜之中，那華衣少年何行舟要帶師叔在這古廟之中和神丐宗濤相會，如若雙方一言不合，說不定會動上手，當下急對丁氏姐妹說道：「今晚上，你們要到外面去躲上一宵，說不定今夜這古廟裡，要發生劇烈的惡鬥之事，你們留此，於我無益，而且對己有害。」

丁玲笑道：「我們已經知道了，你快運氣療傷吧，也許你還能參與這場是非之爭。」

徐元平道：「神丐宗濤的武功，我已領教過了，何行舟和那小叫化子亦非弱手，我雖未見過何行舟那位師叔，但想來定非泛泛之人，留我一人在此療息傷勢，縱然被他發現，也不致對我下手，如果你們兩姐妹也留在這裡，情勢就不同了，如若一言不合，動起手來，咱們決非人家敵手。」

丁玲略一思忖，笑道：「此言並非無理，我們留這裡，可能會引起他們疑心，不過，留你一人在此，也是一樣危險，只要被他們發現，決難見容。」

徐元平笑道：「他們見我獨自在此療傷，必是無意到此，或能見容於我。」

丁玲歎道：「私窺武林門派典規，乃江湖大忌之事，除非他們沒有發現你，一經發現，決不寬容，縱然不把你置於死地，亦必要你變成啞巴瞎子，甚至要你手足殘廢，金牌門雖非江湖上大門大派，但亦算是一個獨立門戶，這等江湖上的一般習規，自然適用，眼下只有一個妥善對策，那就是在他們未到之前，咱們先一步離開此廟。」

徐元平道：「不行，我這最後一次運氣療傷，事關生死成敗，如若移動身子，只怕要前功盡棄。」

丁鳳笑道：「我去找個門板來，和姐姐把你抬上，你坐上面既可照常運氣療傷，也可適時離此是非之地。」

徐元平搖搖頭，笑道：「不行，我在運氣療傷之時，受不得一點震動，你們還是快點走吧！」

丁玲抬頭望望天色，道：「眼下時光還早，也許你還能在他們到此之前，完成最後一次運氣療傷，此刻寸陰寶貴，別再做無謂爭論了。」

徐元平正容說道：「如我能在二更之前運功醒來最好，如若不能在二更之前醒來，你們必須在二更以前離此。」

丁玲笑道：「好吧，我們遵命就是。」

徐元平閉上雙目，開始運氣，此時，他脈穴早已暢通，行動極是快速，片刻間已入渾然忘我之境。

待他運氣醒來，睜眼看時，這荒涼破落的大殿上，已是燭火輝煌，神丐宗濤和那小叫化子，早已到此，兩人靜靜地站在大殿中央，何行舟手執金牌，當門而立，臉上微現焦急之色。

神丐宗濤嘴角間微現著一絲凄涼的笑意，神色間似悲似怨，一副英雄窮途末路之感。小叫化卻一臉愁苦，垂首一側，額角間汗珠隱現，顯然，他心中正有著無比的緊張。

一種莊嚴悲壯愴的氣氛，籠罩著這破落的大殿，徐元平緩緩地長吸了一口氣，回頭望去，只見丁玲、丁鳳緊偎一起，躲在他身後，不禁一皺眉頭，正要開口責問，丁玲突疾伸右手食指，按在櫻唇之上，徐元平只得把欲出口之言，重又嚥了回去。

三人存身之處，正好在供台神像之後，被供台倒映的陰影遮住，不留心很難看得出來。丁玲做事又極細心，趁徐元平運氣療傷之時，早已把留在殿中的痕跡毀去，宗濤和那小叫化子心情都極沉重，根本就沒有留心四周景物，何行舟很少在江湖之上走動，亦未思料及此，這麼一來，徐元平和丁玲、丁鳳的隱身之處，才算沒有被發覺。

只聽神丐宗濤長長歎息一聲，問道：「現在天色到什麼時候了？」

那小叫化子探頭向外面望了一陣，道：「正交子夜三更。」

何行舟冷笑一聲，接道：「師叔既答應了來和師父相見，決然不會失約。」

宗濤黯然一聲長歎，緩緩盤膝坐下，閉上眼，運氣行功。他內功深厚，稍一靜坐，立時靈台空明，雜念頓消，耳目也特別靈敏。

忽聽他冷哼一聲，霍然睜開雙目，話還未說出口，突聞佩環叮咚，四個紅衣婢女，護擁著一個珠光寶氣的綠衣麗人，姍姍步入大殿。

何行舟疾向旁倒讓了兩步，躬身笑道：「弟子何行舟敬迎師叔玉駕。」

綠衣麗人綻唇一笑，目光瞥掠何行舟臉上而過，直對宗濤走去。

神丐宗濤站起身子，抱拳一禮，笑道：「咱們已十餘年未見過面，師妹的風姿依然如昔。」

綠衣麗人冷然一笑，道：「師兄找我到此，不知有什麼教言吩咐？」

神丐宗濤名震大江南北，豪氣干雲，武林道上人物，對他無不謙讓三分，不知何故見了這綠衣麗人，竟然手足無措起來，半晌才訥訥地說道：「這個師兄擔當不起，不過……」

綠衣麗人聽他不過了半天，仍然說不出個所以然來，不禁微微一顰柳眉，冷冷地接道：「你既然沒有什麼事情，我要走了。」說完，緩緩轉身而去。

宗濤高聲道：「師妹請留步片刻，小兄有事請教。」

綠衣麗人微現慍色，道：「什麼話快些請說，我無暇在此久留。」

宗濤歎道：「過去之事都已成過眼雲煙，難道師妹心中還在記恨不成。」

綠衣麗人突然放聲一陣格格嬌笑，道：「師兄太客氣啦，我哪敢記恨於你，哼哼！我已沒有閒情逸致再想到過去之事了。」

宗濤道：「既然如此，只求師妹看在先師份上，把金牌交還小兄，使咱們金牌門的武功，不致在江湖之上失傳，至於小兄個人，願聽受師妹任何裁決，我已年近古稀，生死之事早已不放在心上了。」

那綠衣麗人冷冷答道：「咱們金牌門的祖師，早有遺訓，誰能得到金牌，誰就是本門中掌門之人，金牌既然在我手中，你竟還以掌門身分自居，此等行徑，實有藐視咱們金牌門的掌門祖師遺規之嫌，也虧你說得出口。」

宗濤被她斥責的呆了一呆，正待答話，那綠衣麗人又搶先說道：「再說師兄已存下必死之心，我如把金牌交付於你，只怕你那衣缽弟子，也無能保得金牌，如若咱們金牌門中的金牌被人搶走，那可是羞見歷代師祖的大辱之事。」

何行舟掃掠了宗濤和那小叫化子一眼後，道：「師叔潛隱深山，苦研咱們金牌門中武功，早已身集大成，此次出山，心懷大願，要把咱們金牌門的武功，在江湖上發揚光大，和天下各門各派，以及近年崛起江湖的一宮、二谷、三大堡一爭長短。」

宗濤吃了一驚，道：「什麼，咱們金牌祖師遺規，代代只傳兩人，行俠江湖則可，如若要和人逐霸武林，勢必得廣收弟子，此乃有違祖師遺規之事，如何能做得？」

綠衣麗人突然一沉臉色，嬌如春花的粉臉上，霎時間如罩上一層寒霜，冷冷地說道：「這又有什麼不可，祖師雖有代代只傳兩人的遺訓，但是並無限制各代門人收徒年限，我如廣收弟子，各分輩數，代授武功，既不違背師祖遺規，又可擴大咱們金牌門的門戶。」

宗濤歎道：「這麼說來，師妹已決心擴大門戶，放手胡鬧了。」

綠衣麗人怒道：「金牌既然在我手中，我就是金牌門掌門之人，你這等藐視於我，難道我不敢懲治你嗎？」

宗濤仰臉大笑道：「老叫化一生縱橫江湖，所向無敵，生平沒有掛念在心上之事，唯一大憾，是未能追回師門金牌，今宵既然目睹師門金牌，死而無憾……」

綠衣麗人突然輕揚羅袖，掩口嬌笑道：「我這次重出江湖，早已由傳誦之中聽得師兄大名了，果真是名播遐邇，威動大江南北。」

宗濤道：「好說，好說，老叫化……」

綠衣麗人不容宗濤再接下去，又搶先說道：「師兄盛名得來不易，如果就這樣無聲無息的死去，不覺著有些不值得嗎？」

丁玲附在徐元平耳邊低聲說道：「這女人陰險得很，不知要如何擺佈神丐宗濤了。」
只聽宗濤哈哈一笑，道：「老叫化下愚之人，恕我不解師妹言中之意。」
綠衣麗人突然緩移蓮步，向宗濤走來，臉上笑容如花，媚態橫生。
宗濤似是很怕那綠衣麗人的笑容，望了一眼，立時垂下頭去，向後退了兩步。
小叫化看得一皺眉頭，緩步向師父身側移去，何行舟卻面現激憤之色，雙肩一晃，欺到那綠衣麗人身後，探手抓住那綠衣麗人的香肩，向後一拉，硬把她向前緩行的嬌軀，拉的倒退了三步。

此人大悖倫常的放肆舉動，只看得神丐宗濤臉色大變，冷哼一聲，忽的舉起右手掌。

何行舟一舉手中金牌，大聲喝道：「跪下。」

宗濤揚起的掌勢還未劈出，但見何行舟高舉手中金牌，只得緩緩屈膝而跪。那小叫化子緊陪師父身側，也跪了下去。

綠衣麗人微微一顰柳眉，白了何行舟一眼，但並未阻擋他的舉動，緩緩地退到一側，星目流動，四面張望。

何行舟目光中滿是怨毒，盯在宗濤的臉上，問道：「弟子已遵照約言，邀請師叔到此和師父相見，但不知師父應允辦理之事，是否已經辦好？」

宗濤兩道冷電般的眼神，投注在那綠衣麗人的臉上，問道：「咱們金牌門中素有牌無二主之規，執牌之人，就如祖師復生親臨，師妹既以金牌門之掌門人自居，金牌卻又執在別人手中，不知叫老叫化何適何從？」

臥龍生 精品集

綠衣麗人笑道：「我以掌門身分，要何行舟代我行金牌令諭，有何不可？」

宗濤微微一歎，道：「罷了，罷了，老叫化實不願親眼看著咱金牌門的醜事，傳揚在江湖之上，倒不如死在金牌令諭之下，落個眼不見心不煩……」

何行舟冷笑一聲，道：「你想一死百了，只怕沒有那麼容易！」

突然提高了聲音，接道：「三日之前，我傳下金牌令諭，要你去奪取南海門下奇書，今宵限期已滿，還不交呈奇書，用心何在？」

宗濤正容答道：「老叫化子已盡所能，曾和南海門下護書之人力鬥一晝夜，但對方武功高強，致未能遵諭奪得奇書，願領受門規制裁。」

何行舟回頭望了那綠衣麗人一眼，問道：「宗濤未能奪得奇書，咱們該如何懲治於他？」

綠衣麗人羅袖一拂，直欺宗濤身側，冷冷問道：「你既未奪得南海門下奇書，約我來此作啥？」

宗濤突然哈哈大笑道：「幸得老叫化沒有奪得南海門下奇書，如若被我奪得，那就愧對歷代師祖的陰靈了。」

綠衣麗人嬌笑道：「你覺著我沒有南海門下奇書，就不敢擴大咱們金牌門的門戶嗎？」她微微一頓，斂去笑容，又冷冷地接道：「師兄視死如歸的豪氣，實叫小妹佩服，但咱們誼屬同門，昔年小妹學藝師門之時，又得師兄多方愛護，如要我親手殺死師兄，小妹心中何忍？」

小叫化面現歡愉之色，伏身拜道：「自師叔離山之後，師父無日不在想念之中……」

綠衣麗人輕伸纖手，一推宗濤，笑問道：「師兄果真日日夜夜都在想著我嗎？」

宗濤黯然歎道：「師妹要懲治老叫化子，儘管下手就是，這般的譏諷於我，老叫化死難瞑目。」

小叫化子忽然想起師叔的性情，愈是笑得滿面春風，下手愈辣，心頭一凜，霍然躍擋在宗濤面前，求道：「師叔如若憤怒難抑，只管對小叫化子下手，但望能饒了師父，小叫化子縱受凌割碎剮之苦，也是一樣感戴師叔大恩。」

綠衣麗人緩緩地抬起右腿，水綠羅裙下露出來紅花繡鞋，纖纖蓮足，撩人心旌，臉上媚笑生風，嬌聲嬌氣地說道：「像你這般敬愛師父之人，世上真還少見。」蓮足緩伸，輕輕點在小叫化子前胸之上。羅裙飄飄，舉步如舞，姿勢曼妙，好看至極。

可是那小叫化子竟然擋受不住這綠衣麗人的輕輕一點，大喝一聲，噴出一口鮮血，跪在地上的身軀，倏然間飛了起來，跌到五、六尺外。

神丐宗濤目光如電，望了綠衣麗人一眼，喝道：「師妹這等辣手對付一個晚輩，不覺著太狠了一點嗎？」

綠衣麗人嬌笑道：「你們師徒情如父子，如若師兄一人死去，他定是痛不欲生，那就不如我一手包辦，成全你們師徒兩人。」

宗濤冷笑一聲，回頭望著那小叫化子，說道：「徒兒，從現在起，你已不算金牌門下弟子……」

小叫化掙扎著跪在地上，接道：「師父待弟子恩重如山，弟子縱然不明不白的濺血這荒廟大殿之上，也不願落得被逐門牆之名。」

宗濤怒道：「老叫化言出必踐，還能由得你做主不成，還不快給我滾出廟去。」

綠衣麗人道：「我已點傷他『肺海』重穴，縱然不死，短時間也難養息得好，師兄功力深厚，這點傷勢，自是有能力療治，但怕師兄即將失去替他療傷之能。」陡然一沉臉色，右手食中二指一駢，疾向宗濤「玄機」穴上點去。

突聞一聲大喝：「住手！」呼的一股掌風，由神像後面直擊過來。

綠衣麗人疾向旁側一閃，轉頭望去，只見一個丰神俊朗的少年，和兩個嬌艷如花的少女，由神像後緩步而出。

原來徐元平和鬼谷二嬌躲在神像之後，把幾人對答之言，以及神態表情均都看到眼中，丁氏姐妹本就擔心徐元平動了俠義之心，挺身而出插手這場是非之中，已暗中阻止他，不讓他自找麻煩。

兩人如果不阻止他，或許他自認大傷初癒，還不致於出面管人閒事，但丁氏姐妹這一阻止於他，反而激起他俠心豪氣，他見綠衣麗人放蕩神情，和何行舟大背師倫狂妄之態，越瞧越不順眼，越聽越難入耳，只覺一股憤慨不平之氣，由心中直衝上來，待那綠衣麗人伸手要點宗濤穴道之時，再也忍耐不住，霍然挺身躍起，大喝一聲「住手」，運氣打出一記劈空掌風，人隨著由神像後面緩步走出。

丁氏姐妹一見徐元平挺身走出神像，只得跟著他一起走出來，徐元平經過這一次療傷之後，內功又增進不少，蓄勢劈出一記劈空掌力，勢道威猛異常，在他本人並未覺出什麼，可是綠衣麗人卻知來了勁敵，故而不肯硬接那逼擊過來的猛烈潛力，向旁側閃讓避開。

丁氏姐妹亦看出他經過這一番療傷之後，內功似又深了一層，心中既感驚駭，又有些歡喜，說不出是一番什麼滋味。

那綠衣麗人被徐元平一掌擊得讓閃開去，心中本來甚是憤怒，但一見徐元平之後，不覺怒意頓消，星目流波，微微一笑，道：「你是什麼人，可知江湖之上，偷窺別派的執行典規內幕，乃是武林中大忌之事嗎？」

徐元平冷然一笑，道：「在下三日之前就在此殿養息傷勢，你們自己不查，在有人養息之處，舉行派規之事，那自然是怪不得我。」

他乃毫無江湖經驗閱歷之人，一開口就先把自己曾經受傷之事說出。

綠衣麗人兩道汪汪澄澈的秋波，在徐元平臉上仔細地打量了一陣，搖搖頭，笑道：「看不出你小小年紀竟然會說謊言，而且面不改色。」

徐元平怒道：「住口，我乃堂堂男子漢大丈夫，豈肯說謊騙你。」

綠衣麗人微微一笑道：「就算你說的是實話吧，那兩個女娃兒是你什麼人？」

徐元平道：「什麼人你還能管得到嗎？」

綠衣麗人嬌笑道：「我管不到，難道連問都不能問嗎？」

丁鳳看那綠衣麗人和徐元平說話的時候，滿臉媚笑，故作嬌態，不覺心頭火起，冷笑一聲，罵道：「哼！妖妖氣氣的怪樣子，難看死啦。」

綠衣麗人星目流轉，嬌艷的粉臉上閃掠過一抹殺氣，但口中卻仍嬌笑著說道：「這位姑娘可是罵的我嗎？」緩步直對丁鳳走去。

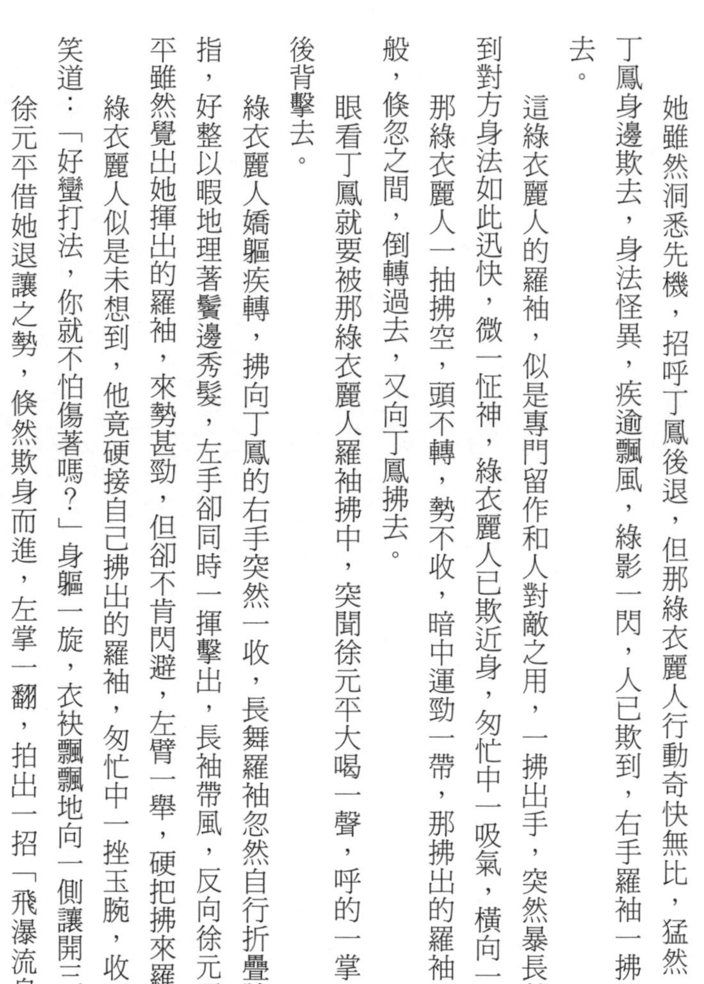

丁鳳道：「你怎麼知道我罵的是你，哼！做賊心虛。」

丁玲早已看出那綠衣麗人不懷好意，急聲叫道：「妹妹快些閃開……」

她雖然洞悉先機，招呼丁鳳後退，但那綠衣麗人行動奇快無比，猛然一挫柳腰，突然向丁鳳身邊欺去，身法怪異，疾逾飄風，綠影一閃，人已欺到，右手羅袖一拂，猛向丁鳳肩上搭去。

這綠衣麗人的羅袖，似是專門留作和人對敵之用，一拂出手，突然暴長數尺。丁鳳萬沒想到對方身法如此迅快，微一怔神，綠衣麗人已欺近身，匆忙中一吸氣，橫向一側跨了兩步。

那綠衣麗人一抽拂空，頭不轉，勢不收，暗中運勁一帶，那拂出的羅袖，有如長了眼睛一般，倏忽之間，倒轉過去，又向丁鳳拂去。

眼看丁鳳就要被那綠衣麗人羅袖拂中，突聞徐元平大喝一聲，呼的一掌，猛然向綠衣麗人後背擊去。

綠衣麗人嬌軀疾轉，拂向丁鳳的右手突然一收，長舞羅袖忽然自行折疊腕上，露出纖纖玉指，好整以暇地理著鬢邊秀髮，左手卻同時一揮擊出，長袖帶風，反向徐元平疾掃過去，徐元平雖然覺出她揮出的羅袖，來勢甚勁，但卻不肯閃避，左臂一舉，硬把拂來羅袖架開。

綠衣麗人似是未想到，他竟硬接自己拂出的羅袖，匆忙中一挫玉腕，收回擊出之勢，嬌聲笑道：「好蠻打法，你就不怕傷著嗎？」身軀一旋，衣袂飄飄地向一側讓開三步。

徐元平借她退讓之勢，倏然欺身而進，左掌一翻，拍出一招「飛瀑流泉」，右手卻施出十二擒龍手中一記「五嶽困龍」，直向那綠衣麗人手腕之上扣去。

左掌力打，右手巧取，剛柔互濟，奇正並施，左掌威勢如鐵錘擊岩而下，右手卻去得疾奇難測。

綠衣麗人一著退讓，失去先機，趕忙斜側嬌軀，避開了徐元平左手掌勁，但左腕卻無法讓開徐元平玄奇的擒龍手法，只覺手腕一麻，雪白的皓腕，已被徐元平握在掌中。

徐元平這一攻得手，不但出了一旁觀戰的何行舟和丁氏姐妹意外，就是神丐宗濤也看得臉色激變，只覺這少年擒龍的手法，和江湖所有的手法，完全不同，出手部位之怪，中途變化之奇，爲生平罕見。

那綠衣麗人心頭大吃一驚，暗中運氣，一雙柔軟滑膩的皓腕，登時變得堅如鐵石，正待用力摔脫徐元平的右手，忽覺左腕一鬆，徐元平竟自行鬆開右手五指，向後退了三步，冷然說道：「你剛才自動收回了拂向我臂上的衣袖，我現在也自動放開你被我扣住的左腕，彼此相互不欠。」

何行舟自目睹師叔手下留情，陡然收回羅袖，心中已是不滿，又見徐元平竟還報施惠，放了師叔被扣左腕，心中妒念大起，一舉手中金牌，大聲喝道：「金牌門一十二代弟子宗濤接聽金牌令諭。」

宗濤抱拳當胸，答道：「弟子宗濤恭候令下。」

何行舟冷然一笑道：「限你百招之內，搏殺那姓徐少年，不得有誤！」

宗濤霍然起身，轉臉望了徐元平，只見他神定氣足，英氣勃勃，橫掌待敵，毫無懼色，不覺心中暗生惜愛之心。

何行舟看宗濤遲遲不肯出手，一舉手中金牌，正待以擲牌絕令催迫宗濤，忽見那綠衣麗人嬌軀一晃，欺到身側，伸出右手，笑道：「把金牌還給我，今晚之事，由我自己處理吧！」

何行舟呆了一呆，道：「為什麼？」

綠衣麗人笑道：「我和你師父誼屬同門，從小就在一起長大，見了面，自然要生出見面之情。」

她說話聲音，雖然仍甚柔和，但神色之間，已隱隱泛現怒意，何行舟素知這位師叔喜怒難測，一句話說不對，立刻就要變臉，看她已現怒意，哪裡還敢多說，乖乖地把手中金牌遞了過去。

綠衣麗人回頭對宗濤笑道：「不管你同不同意我擴大金牌門戶，我已經決定要做，同時我也不一定都要用金牌門的名字不可。你如果能奪得南海門的奇書，我願把數年辛苦尋得的金牌和你相換。」

宗濤歎道：「老叫化已盡了最大的心力，南海門下武功，確是詭異難測，但咱們金牌門下的金牌，乃祖師留下的信物，老叫化只要能活一天，就要想辦法收回金牌。師妹如把金牌交還於我，恢復了老叫化的掌門身分……」

綠衣麗人微微一笑，接道：「你恢復掌門身分之後，就要行施掌門之權，把我看做背叛金牌門弟子，追蹤生擒，按咱們金牌門的門規懲治於我，是也不是？」

宗濤道：「不錯，此乃祖師遺規，凡是咱們金牌門下弟子，均應一體遵奉。」

綠衣麗人笑道：「如果我不服從金牌令諭，你怎麼辦呢？」

宗濤道：「老叫化既蒙師祖慈悲，忝為本門十二代掌門之人，自然要盡我之力，以維護咱們金牌門各種門規，師妹只要把金牌交還於我，老叫化自會奉牌執法。」

綠衣麗人笑道：「奉牌執法是你的事，聽與不聽，那要看我。不過，你現在還沒有取回金牌，這些事最好暫時別談，沒有南海門中奇書，你就別妄想取回金牌，金牌換書，各求所需，誰也沒有吃虧，我花了數年之功，才把金牌找到，你花一點氣力奪書換牌，那也是應該之事。」

宗濤歎道：「奪書之事，老叫化已失信心，但我總要盡力而為。」

綠衣麗人沉思了一陣，突然道：「這個我可以助你一臂之力，但你必須要全力以赴。」話至此處，突然回頭望了徐元平一眼道：「你橫眉豎目的幹什麼，如果存心想和我分出個勝負出來，咱們就找一處無人所在，好好的打上一架看看，究竟誰勝誰敗。」

徐元平冷笑一聲道：「當得奉陪。」

綠衣麗人又轉望著宗濤說道：「你那寶貝徒弟，我下手之時，已留了三分情面，他傷勢雖重，但決不致殞命，以你功力，不難替他療治復元，我把何行舟留這裡，如有需我相助之事，讓他去通知我，我立即就可趕到……」突然盈盈一笑，又道：「師兄萬安，小妹就此拜別啦！」緩移蓮步，直向大殿外面走去。

何行舟急聲叫道：「師叔留步，弟子……」

綠衣麗人回頭一笑，道：「你放心跟著他好啦，你師父未取金牌之前，決不敢傷害於你。」

何行舟道：「弟子為著師叔，死亦無憾，不過……」

綠衣麗人一顰柳眉，笑道：「你既然死都不怕，還怕什麼呢？你放心留在這裡好了。」

何行舟道：「弟子……」

綠衣麗人微現慍怒之色，道：「不必說啦，兩、三天內，我自會派人來接你回去。」說完，轉頭向殿外走去。

四個紅衣婢女迅快地一個轉身，隨在那綠衣麗人身後，護擁著她出了大殿。

那綠衣麗人走出大殿之後，一瞧徐元平沒有跟來，立時又回過頭，伸手指著徐元平笑道：「你不是要和我比試武功嗎，為什麼不來呢？」

原來徐元平仍然站在原地未動，聽得那綠衣麗人叫陣，立時怒聲說道：「難道我還怕你不成？」大踏步向殿外走去。

丁鳳心頭一急，大聲叫道：「站住。」

徐元平怔了一怔，回頭問道：「是叫我嗎？」

丁鳳道：「當然是啦，這女人心懷鬼謀，你幹嘛要聽她的話，哼！比武就比武，為什麼要找一處無人之地去比……」

丁玲微微一笑，接著說道：「妹妹說得不錯，這女人並不是真的要和你比試武功，只怕是另有存心了吧。」

綠衣麗人眉宇間閃掠過一抹殺機，雙肩微晃，衣袂飄風，綠影閃動，人已欺入大殿，格格一陣嬌笑，望著丁玲問道：「這位妹妹，你說我另有存心，可知我存的什麼心啊？」口中問著

話，卻緩步直逼過去。

丁玲雖然機警絕倫，但她究竟還是黃花閨女，被那綠衣麗人追著一問，登時嬌羞泛頰，哼了一口，罵道：「誰知道你存的什麼心，哼！反正你心裡有數！」

綠衣麗人連受丁玲口上羞辱，殺機早起，但外形仍然不動聲色，故意大聲嬌笑著說道：「這位妹妹說話，實在叫人費解，年輕輕的女孩子，怎麼能胡思亂想，信口開何……」

宗濤想不到十餘年未見的師妹，竟然變成這樣一個輕浮放蕩之人，心頭大感羞憤，冷哼一聲，轉過臉去，面壁面立。

丁玲心竅靈活，聽得宗濤一聲冷哼，心中忽然一清，不待那綠衣麗人出手，縱身向右側躍升五尺。

綠衣麗人暗罵一聲「好機伶的丫頭」，微一躬身，笑道：「你跑什麼？」突然一長身，疾比電火閃動，直追過去，同時右手疾拍而出。

她武功本已高強，這一招又是蓄勢含怒而發，其勢不但迅快絕倫，而且還含蘊著極歹毒的一種內家氣功，丁玲兩腳剛剛落地，突覺一股熱氣直逼過來。

徐元平究竟是缺乏江湖閱歷之人，雖然感覺丁玲所受那綠衣麗人一掌，大是怪異，但卻不知出手攔住那綠衣麗人。而那綠衣麗人卻一躍而去。

丁玲中掌之後，已然覺出不對，淡淡一笑，道：「我中了那女人的暗算了……」

丁鳳驚道：「什麼！姐姐受了傷啦？」

但見丁玲粉頰之上，忽然泛現出艷紅之色，滿頭汗珠，紛紛滾下，右手覆額，緩緩坐下身

子，說道：「我快要熱死了……」

這位一向堅強的少女，忽然間變得柔弱起來，嬌喘吁吁，似正勉強忍受著無比的痛苦。

徐元平想不到那綠衣麗人出手一掌，竟有這等厲害，不禁也有點慌了手腳，他乃情感豐富又易衝動之人，一見丁玲傷得很重，陡然間向前一上步，伸手按在丁玲額角上，只覺高熱燙手，心頭大吃一驚，忽然想到神丐宗濤乃那綠衣麗人的師兄，或可知道解救之法，當下回頭對宗濤說道：「老前輩和那綠衣女人有過同門之誼，想必知道她用的什麼武功。」

宗濤在江湖之上身分極爲尊高，徐元平在慌急之間，問話神情未免有些躁急，宗濤一皺眉頭，冷然答道：「這個麼?老叫化也不知道。」他因感激徐元平相救之恩，心中雖然不快，但卻勉強忍下怒火，沒有發作出來。

丁玲雖然非世俗兒女，但她究竟還是黃花閨女身分，在衆目睽睽之下，被徐元平按在額角之上，心中又羞又喜，婉然一笑，接道：「我還支撐得住，別太爲我擔心。」

徐元平回頭望了丁玲一眼，又轉身對宗濤說道：「老前輩乃俠名卓著之人，晚輩早已心慕甚久，如若眼看著一個女孩子身受著極大的痛苦而不加援手，那可是大損老前輩威名之事。」

這幾句話說得十分激動，但又義正詞嚴，宗濤果然被他說得心中一動，緩步走到丁玲身前，仔細地瞧了一陣，又回頭對徐元平道：「她是被三陽真氣所傷。」

徐元平聽得怔了一怔道：「老前輩可有解救之法嗎?」

宗濤沉吟了一陣，道：「三陽真氣是我們金牌門中最難練的一種內家氣功，老叫化子尚無解此傷勢之能。」

徐元平道：「這麼說來那三陽真氣是中人無救的功夫了。」

何行舟突然插嘴說道：「救雖有救，但必須我師叔自己出手，除她之外，當今之世只怕難找第二人能夠解救。」

丁鳳聽得姐姐無救之言，內心大是感傷，兩行淚水奪眶面出，緩緩蹲下身子，抱住丁玲嬌軀，說道：「姐姐，咱們回去吧！也許爹爹能救治你的傷勢。」

丁玲雖覺身如火焚，但她神智仍極清醒，伸手握住丁鳳的左腕，搖著頭笑道：「我恐怕支持不到回家了，你一個人回去吧，見著爹娘之時，就說我病死客地，別告訴他們我是被人用三陽真氣所傷。」

忽聽徐元平大聲喝道：「你放心好了，我必要把那綠衣女人抓來，讓她替你療好傷勢。」陡然欺身而進，雙肩微一晃動，人已欺到何行舟身邊，右腕一翻，疾向何行舟手腕之中扣去。

何行舟已和徐元平動過手，又曾目睹他和師叔過招，自知武功難是敵手，當下縱身一躍，向旁側閃了開去。

但徐元平早已存了一擊必中之心，出手之前，早已想好了對付何行舟的辦法，見他向旁躍避，立時一伸左掌，打出一股奇勁的掌風。這一掌蓄勢而發，打出的時間恰當至極，正好封住了何行舟躍避之路，硬把他逼了回來，右手又向前一探，五指已搭在何行舟左腕之上。

何行舟被勢所迫，只得一提真氣，正等揮拳反擊，忽覺腕骨一麻，全身力道頓失，脈門已被徐元平緊緊扣住。

神丐宗濤一皺眉頭，瞪了徐元平一眼，似欲出手搶救，但他終於忍了下去，轉身向那小叫

化子身旁走去。

徐元平暗中猛地加力，五指漸緊，何行舟只覺左臂行血返向內腑回攻，腕骨劇疼欲裂，滿頭汗水滾滾而下。

宗濤本已伏下身子，準備替小叫化子療傷，但見何行舟滿臉疼苦之色，立時又站起了起來，冷冷喝道：「老叫化的門下，從不願別人管教，快些給我放手。」

徐元平回頭望了宗濤一眼，傲然問何行舟道：「那綠衣女人在什麼地方落腳？」

何行舟側臉望了宗濤一眼，看他眉目間隱泛怒意，大有出手相救自己之心，立時膽氣一壯，強忍著痛苦，答道：「不知道。」

徐元平眉泛殺機，怒聲問道：「你是說也不說？」右手突然又加了一分內力，抖了兩抖，何行舟突覺左臂上的筋骨，有如散了一般，不但奇疼刺心，而且發麻難耐。不覺哼了一聲。

突聽宗濤大喝一聲：「放手。」颯然微風聲中，欺身直攻過來。

徐元平早已有備，右肘向前一推，點了何行舟在肘間「京門」穴，左手反臂拍出一招「神龍出水」，把宗濤攻來之勢一擋，人卻借勢向後疾退了三步。

宗濤擊來之勢，看去雖然猛快絕倫，但他心中並無真和徐元平相搏之心，只不過想搶救何行舟而已。

徐元平向後躍退之時，右手同時鬆開了何行丹被握的右腕，他穴道被點，身已勁力全失，徐元平一鬆手，身軀立時向後倒去。宗濤左手一探，抓住了何行舟的身子，右手向何行舟被點穴道上面推去。

徐元平大喝一聲：「老前輩這般作爲，可莫怪晚輩無禮了。」揚手一掌，平推過去。

他自療傷之後，內力大爲增強，掌勢出手，立時有一股強猛的暗勁，直逼過去。

宗濤武功淵博，內力深厚，徐元平一拳擊出，他已警覺不對，只覺這少年在短短幾天工夫之中，內力似又增進很多，不禁心頭一震，顧不得再解何行舟被點穴道，左手用力一推，把何行舟身體推震出去五、六尺遠，摔出徐元平掌勢威力圈外，右手向後一揮，硬接了徐元平劈來一掌。

徐元平已吃過苦頭，知道宗濤功力較自己深厚極多，如若和人硬拚，決非敵手，怕他反震之力強猛難擋，掌勢劈出之後，立時向後飄身面退，宗濤倉促之間硬接了徐元平一掌，只用出六成真力，掌勢一接之下，竟被震退四步。

徐元平向後飄退的身子，一點實地之後，猛向前面欺去，輕飄飄地落在宗濤身前三、四尺處，說道：「老前輩乃俠肝義膽之人，眼看著一個女兒家，受了暗算，不但不肯相助施救，反而阻撓晚輩，一旦傳言開去，只怕有傷老前輩的俠名。」

宗濤怒道：「老叫化做事，素來不求聞達武林同道，何行舟雖然是背叛我的門下徒弟，但他仍然算是金牌門中之人，任何人也不能在老叫化面前欺侮於他。」

徐元平道：「如若金牌門下弟子犯了十惡不赦大罪，老前輩也要翼護於他不成？」

宗濤道：「那自有我們金牌門中規戒裁治，用不著別人多管。」

徐元平冷笑一聲，道：「金牌現在綠衣女人手中，老前輩只不過也是金牌門下一個傳人，有什麼憑執能懲治金牌門下的叛徒。」

宗濤道：「老叫化乃金牌門堂堂正正第一十二代掌門之人，縱無金牌，亦可約束我金牌門下弟子，誰還敢說老叫化多管閒事不成？」

徐元平怒道：「你這般強詞奪理，翼護門下惡徒，天下英雄，人人可以責備於你，在下素來心慕老前輩的俠名風範，但如以老前輩今宵這等作爲，實叫晚輩寒心。」

他乃生性率直之人，想到之言，就衝口說了出來，也不管對方能否受得。

神丐宗濤威名卓著，江湖上人人都對他謙讓幾分，幾時聽過人這等面對面地相譴之言，也不知心中是急是氣，一時之間，呆在當地，說不出一句話來。

徐元平罵過宗濤之後，轉身走到丁玲身前，問道：「你現在能不能支持得住？」

丁玲雖覺五內如焚，燒得十分難過，但見徐元平關懷之情，芳心甚是感動，暗中咬牙，強忍痛苦，搖著頭笑道：「這點傷勢，我還能支持得住。」

徐元平一揮左手，對丁鳳說道：「二姑娘請抱著令姐先走一步。」

丁鳳看他滿臉憤怒之色，只得依言抱起丁玲，向外走去。

丁玲雖受重傷，但神志尚未昏迷，低聲對丁鳳說道：「叫他和我們一起走吧！宗濤武功何等高強，他決然打人不過。」

丁鳳依言回頭叫道：「徐相公，我姐姐要你和我們一起走啦。」

徐元平一皺眉頭，道：「你們先走一步，我還有點事要辦，隨後就到。」

丁鳳看他神色堅決，不敢再勸，低聲對丁玲道：「姐姐，他不肯走，怎麼辦呢？」

丁玲道：「那咱們也別走啦，還是留在這裡看他和宗濤動手，必要時，你還可助他一臂之力。」

徐元平看丁鳳停在大殿門口，知道兩人已看穿自己用心，略一沉思，朗聲對神丐宗濤說道：「三日之前老前輩一掌震傷了晚輩內腑，使我在這荒廟之中，療息了三日。」

宗濤接道：「老叫化幸還未死，你如不服，儘管討還欠債。」

徐元平冷然一笑，接道：「晚輩生平之中，最恨僞善行惡之人，因平日常常聽得老前輩行俠江湖的諸般事蹟，是以對老前輩的俠名、丰儀，也就特別嚮往，不幸今宵所見，竟使我大失所望，看來江湖的傳言，十有八、九都是子虛烏有，以訛傳訛。」

宗濤仰臉一陣大笑，道：「罵得好，幾十年來老叫化都沒有被人這般罵過。」

徐元平冷笑一聲，道：「我知道我的武功多半不是你的敵手，但我如不和你打上一架，心中這股怨憤之氣實在難以平下，不過在沒有動手之前，有一件事必須要事先說明，希望你也能共守此約。」

徐元平的豪氣，使這位生平中罕逢敵手的大俠，爲之心折地輕輕歎息一聲，笑道：「就憑你當面向老叫化挑戰的這份膽氣，就足以自豪了，什麼事儘管說吧？」

徐元平道：「說起來也不算什麼大事，今宵這場搏擊，不論誰勝誰敗，都不能牽涉到別人身上，如果我敗了，你只能對我一個人下手，不許波及到和我同行的朋友，萬一我勝了，我也只對你一人說話。」

宗濤笑道：「老叫化生平之中，從未聽過別人的話，今宵破例依你，你還有什麼事，請一起說出，免得一件一件的聽來麻煩。」

徐元平傲然一笑，道：「我的話已經說完了，老前輩請出手吧！」

宗濤笑道：「老叫化的年紀總比你大了一大把，哪有搶先出手之理。」

徐元平道：「既然如此，晚輩就恭敬不如從命了。」

陡然向前欺進三步，舉手一掌劈去。

神丐宗濤雙肩微一晃動，向後躍退五尺，轉臉望著殿門喝道：「什麼人！鬼鬼祟祟躲外面。」

徐元平聽得怔了一怔，收掌向後躍退。只聽大殿外面，哈哈一聲大笑道：「在下誤打誤撞到此，實非有心偷瞧，兩位不要見怪才好。」一個身著長衫少年，手撩衣角而入，正是冀東查家堡少堡主閃電手查玉。

神丐宗濤一皺眉頭，正要發作，徐元平已搶先說道：「查兄來得正好，勞請爲宗老前輩和兄弟做個比武的見證如何？」

他這一叫，宗濤只好把欲待出口之言，重又嚥了回去，冷冷地望了查玉一眼。

查玉是何等機警之人，一見宗濤臉色，已知他對自己偷聽兩人談話之事，甚是不滿，當下一轉頭，看見裝作沒看見，轉臉望著徐元平道：「宗老前輩乃一代武學宗師，徐兄乃身懷絕學之人，兄弟不才，如何敢當見證重任，但徐兄既已吩咐下來，兄弟也不便推辭，說不得只好勉強應命了。」

徐元平向前大踏一步，左手「手撥五弦」，右掌「飛跋撞鐘」，一攻之勢，用出兩種大不相同的力道，左手巧取右掌力攻。

神丐宗濤見多識廣，一看徐元平攻出右掌，立時認出是少林派的手法，不覺心頭一震，左手「乘風破浪」，消去徐元平右手擊來掌力，右手「傍花拂柳」，破解了徐元平一招「手撥五弦」，問道：「你是少林寺哪位高僧弟子，快些說出令師尊號，免得老叫化開罪故友。」

原來宗濤這人，性情冷怪，很少朋友，只有少林寺慧字輩中的高僧慧因和他相交莫逆，徐元平以不及弱冠之年，身挾武林絕技，這使宗濤想到當代高人之中，能調教出這等弟子之人，實在寥寥可數，又見他出手施展出的掌法，乃少林派十八羅漢掌中一招絕學，不自禁想到老友慧因大師，故而出言喝問一聲，如是慧因的衣缽弟子，今宵倒是要讓他一著，拚上數十年英名受損，讓他一戰成名武林。

徐元平看對方一眼就辨出自己武功淵源，心下亦是暗自敬佩，他本想承認自己武功學自少林一脈，但轉念又想到慧空大師在傳授武功時相誡之言，不許自己承認是少林門下弟子，當下一挺胸說道：「天下武功本屬一源，無知世人故意把它分成派別門戶，這無非私具用心，在下武功雖有和少林相同之處，但並非少林門下。」

宗濤冷哼一聲，道：「好大的口氣，老叫化好意相問，你竟敢信口雌黃，今宵如不讓你受點教訓，你不知天外有天，人外有人了。」陡然欺身而上，舉手劈下一掌。

徐元平大喝一聲，右手一舉「天王托塔」，硬接宗濤劈下的掌勢。

雙掌接實，砰然微響，激盪的潛力渦旋成風，吹飄起數尺外觀戰的查玉衣袂，但徐元平卻仍是屹立不動。

宗濤冷哼一聲，道：「好小子，果然不錯，再接老叫化一掌試試。」右手橫向而出。

徐元平厲聲喝道：「再接一掌，也未必能要我的命。」左掌斜出一招「力屏天南」，果然又硬接一擊。

這一掌宗濤已運足了八成勁道，心想這一擊定能把徐元平重傷當場，哪知大出了宗濤意料之外，徐元平硬擋他這橫擊一掌，竟仍兀然嶽峙，文風未動，不覺微微一怔，暗道：三日之前他被我一掌震傷，那一掌力道，未必就強過這一擊暗勁，怎生三日之後，他武功竟似陡然增強許多。

這兩人幾招攻拒手法，只看得一側觀戰的查玉，心中大生驚駭，只覺徐元平的武功，較數日之前，似又增進極多。

相偎坐在大殿門口的丁玲、丁鳳，原本十分緊張，在她們想像之中，徐元平決難擋接宗濤十招，不被擊斃掌下，亦將重傷當場。

哪知幾招攻拒過後，徐元平不但毫無敗象，而且掌法愈出愈奇，功力竟也似與宗濤在伯仲之間，力拚巧打，絲毫不落下風。

宗濤一輪急攻被徐元平硬拚巧封地擋了回來，心中既驚又怒，大喝一聲，重又揮掌攻了上去。

徐元平揮掌接鬥，兩人重又打在一起，這次激鬥，較剛才尤為猛烈，霎時間掌影繽紛，四周風生，十回合之後，已然難分敵我，只看得鬼谷二嬌和查玉眼花繚亂。

激戰中忽聽神丐宗濤大聲喝道：「再接老叫化一招『五嶽壓頂』試試！」運起真力，當頭一掌劈下。

徐元平一橫右掌「一柱撐天」，運起功力，橫架一擊，左手突然施出十二擒龍手中一招「金索縛龍」，疾如閃電而出，扣向神丐宗濤左腕脈門。

這一套獨步武林的奇奧之學，果是招招變化精妙，饒是宗濤見識廣博，能辨天下各門各派的武學，竟也無法閃避徐元平這一招擒拿手法，左腕竟被他一把扣住。

這奇詭的一擊，使宗濤驚駭得怔了一怔，右掌下擊力道，減去不少。

徐元平振腕一招，推架開宗濤下擊的右掌，大喝一聲，左手用力向旁側一帶。

宗濤左胸脈門被扣，勁力消失不少，被徐元平一帶，不自禁向前一栽。這是他出道江湖以來從未受過之辱，不禁大怒，暗中運氣，貫注左腕，左腕頓時堅逾金石，用力一掙。

徐元平在宗濤運氣之時，已自警覺，暗運內勁，五指勁力突然增強。

彼此互運內力一較暗勁，竟然是半斤八兩，難分勝負，徐元平無法逼宗濤血脈逆行，消失抗拒之力，就範受縛，但宗濤亦未能掙脫徐元平的五指擒拿。

神丐宗濤一掙未脫，左膝一招，猛向徐元平小腹上撞擊過去，同時一側身，右肩直撞前胸。

這等近身相搏，乃高手相鬥中極少見聞之事，徐元平雖身懷曠絕千古的《達摩易筋經》上工夫，但他究竟是缺少和人搏鬥經驗之人，吃宗濤膝擊肩撞，迫得他撤退扣著宗濤脈門之手。

神丐宗濤擺脫了被扣左手，又放手搶攻，他已知對方武功高強，心中再無顧忌，掌劈指戳，著著指襲向徐元平的要害大穴，這番攻勢，威勢之猛，直似波翻浪湧，而且掌力愈來愈強，招術愈打愈奇。

徐元平三日養息，雖把慧空大師轉授的真元之氣引入經脈，融會吸收不少，但還未能全為己用，動手之初，憑一股英銳之氣，運功對敵，借助引用慧空大師真力，看來內功勁道似和宗濤在伯仲之間，但經過一陣搏擊之後，漸感內力不繼，運氣受阻，和功力深厚的宗濤相較，漸感相形見絀，掌力越打越弱，全憑奇奧的手法，勉強支撐不敗。

要知宗濤被譽為一代武學宗師，不但功力深厚，掌勢雄渾，而且見多識廣，博通各門各派武學，徐元平初和他動手相搏，所用手法，大都是江湖上罕聞罕見之學，宗濤雖有著精博的武功，廣博的見聞，豐富的搏擊經驗，但因瞧不出他武功來路，無法搶制先機，每每被徐元平突出一招奇學，逼得他退避開去。

但在兩人激戰到百招之後，徐元平熟記的各種手法都已用過，必須要想上半晌，才能再出一招絕學，是以他攻出之勢也愈來愈慢。

可是《達摩易筋經》上記載的武學，無一不是奇絕之學，他雖然招術越來越慢，但每攻出一招，必把宗濤迫退。

這時兩人的神態，看上去極是怪異，宗濤雖然已取得絕對優勢，但心中卻是愈打愈覺驚駭，只覺對方手法怪異奇奧，招招是未聞未見之學，不自覺心神專注在對方手法之上，反而忘記了傷敵求勝之事。

徐元平卻是凝神沉思，不時皺起眉頭，想半晌打出一掌。

兩人就這樣又對打了二十餘招，徐元平出掌時間，相隔愈來愈長，但攻出手法，卻是越來越奇，指襲部位，無不出人意料之外。

這一場搏鬥，不但使徐元平和宗濤獲益良多，就是一側觀戰的查玉和丁鳳，也看得心神俱醉，受益不淺。

兩人又拆了兩招，徐元平忽然心頭一動，暗道：我和他這般打法，如何能勝得了他，不如專以熟記胸中的十二擒龍手，和他快速相搏，以決早分勝負。

念轉掌動，正待改易十二擒龍手和宗濤相搏，忽聞撲通一聲，似是有人摔倒地上。這陡然的變故，使兩人不約而同地停下手來，轉臉望去，只見小叫化側臥地上，口中還不停流著鮮血。

原來他看師父和徐元平動手相搏的招數神妙無比，攻拒之間醉人如酒，不覺忘了自己身負重傷之事，掙扎起身，全神貫注著兩人搏擊攻拒。他身受內傷本極慘重，這一用心神，突覺腹中氣血上衝，一陣頭暈目眩，再也支撐不住，撲通一聲，摔倒地上。

宗濤聞聲警覺，想到愛徒身受之傷，必須及早施救，遲則傷脈硬化，只怕要落得終身殘廢，不禁心頭大急，望著倒在地上的小叫化，滿臉愁慮。

徐元平看到小叫化摔倒情形，忽然想到了丁玲傷勢，轉頭望去，只見丁玲倚牆而臥，雙目緊閉，不禁心頭一震，慌忙一個縱起，躍飛過去，伸手一摸她的額角，只感高燒燙手，暗自吃了一驚，急聲叫道：「丁姑娘，丁姑娘。」

丁玲緊閉的雙目，動也未動一下，似乎未聞得徐元平呼喚之聲，原來，她早已被全身高熱燒得暈了。

徐元平望了宗濤一眼，朗聲說道：「令徒和這位丁姑娘，傷勢都很慘重，必須及早救治，

眼下救人要緊，咱們搏鬥之事，就此暫停，待救了兩人之後，咱們再找處地方，一決勝負不遲。」

神丐宗濤冷然一笑，道：「老叫化隨時候教。」言詞之間，托大的口氣，已自減去不少。

徐元平轉頭對丁鳳說道：「二姑娘不要哭啦，抱起你姐姐，咱們走啦。」

查玉縱身一躍，人已到大殿門口，回頭對宗濤抱拳一禮，道：「宗老前輩和徐兄這場搏鬥，使人開了不少眼界，在下叨光，得能一睹高手過招，我這濫竽充數的見證人，也就此告別。」轉身向外走去。

丁鳳抱起丁玲，回頭瞧了神丐宗濤一眼，緊追徐元平和查玉身後而去。

忽聽神丐宗濤大聲喝道：「站住！」

徐元平只道宗濤改變心意，準備再鬥下去，當下轉過身子，返向大殿走去。

只見宗濤左手抓著何行舟右腕，站在大殿門口，一見徐元平走了過來，立時對何行舟道：「你師叔存身何處，快些說出！」

徐元平原本以爲他改變心意，準備接著再打下去，心中十分惱怒，是以氣勢洶洶而來，哪知宗濤卻是趁他出殿的工夫，解開了何行舟的穴道，相逼何行舟說出那綠衣女人的存身所在，不禁心中大感佩服。

他乃情感衝動之人，對人對事，全憑一時好惡之念而定，初見宗濤救援何行舟，行事不分善惡，心中異常憤慨，一念所及，就認定了宗濤所做所爲，盡都是僞善行惡之事，及見宗濤不計嫌怨，自動相逼何行舟說出那綠衣女人存身之處，又覺此人俠名不虛，心中又生出仰慕之感。

只見何行舟頭上汗珠滾滾而下，顫抖著聲音說道：「師叔存身之處，在這荒廟東北十里左右的黃葉溝中。」

宗濤一鬆左手五指，冷冷說道：「如有一字虛言，可別怪老叫化懲罰慘厲。」

何行舟道：「弟子不敢。」

徐元平抱拳一禮，道：「多謝老前輩俠風義膽。」

宗濤冷哼一聲，道：「老叫化乃偽善行惡之人，徒具虛名而已。」轉身向大殿中走去。

徐元平呆了一呆，緩緩轉過身子，向東北方向而去。

九　竹石奇陣

翻過了幾座山峰，到山崖之下，查玉轉臉對徐元平道：「徐兄請把丁大姑娘安置這山崖石洞之中，留下丁鳳姑娘守護，兄弟陪徐兄去找那綠衣女人，先把她降服之後，再迫她替丁玲姑娘療傷不遲。」此人心機深沉，思慮周到，沿途之上，早已留心默察山勢形態。

徐元平轉臉瞧時，果見那山崖古柏之下，有一座可足容人的石洞，當下贊同道：「查兄高見，實叫兄弟佩服。」

查玉微微一笑，道：「徐兄請去安置兩位姑娘，兄弟在此把風。」

徐元平點點頭，帶著丁鳳走向那古柏之下的石洞之處，說道：「二姑娘請守護令姐，在此等候，我和查兄去找那綠衣女人來替令姐療傷，早在中午，遲在天黑之前，定然趕回此處。」

丁鳳放好丁玲，歎道：「我姐姐傷勢極重，危在旦夕。你要早些回來。」

徐元平點點頭，道：「二姑娘儘管放心，在下答應之事，拚了命也要尋到那綠衣女人，逼她來爲令姐療傷。」說完話，轉身而去。

這時，天色已大亮多時，一輪旭日，冉冉由東方升起，金黃色的陽光，照在朝露之上，閃閃生輝。

丁鳳斜倚石洞壁上，望著徐元平大踏步而去的背影，說不出芳心中是一股什麼滋味，只覺一種莫名的淒涼感傷襲上心頭，兩行清淚，緩緩地沿腮而下。

她突然感到昂首挺胸而去的徐元平，對她有著無比的重要，萬縷柔情，結成了一個痛苦的網，縛緊她的心……

她緩緩回過頭來，舉起衣袖，拂拭一下臉上的淚水，抱起姐姐的身子移放在山洞之中，慢慢坐下來，凝目望著姐姐，心中泛起萬千感慨。

她伸手觸摸一下姐姐的額角，只感高熱熨手，那勻紅的粉臉上，此刻也被高熱燒得通紅如火，一縷微弱的氣息，若斷若續，顯然她的傷勢已到了十分嚴重之境。

忽聽丁玲啊了一聲，叫道：「我要渴死了，我要渴死了……」身軀微一掙動，人又沉沉睡去。

丁鳳站起身子，抱起姐姐，向外奔去，找到一處山泉所在，放在地上，伸出纖纖素手，捧起泉水，倒入丁玲口中。

丁玲雖然在昏迷之中，但因高燒難熬，本能地啓開櫻口，喝入泉水，但那緊閉的雙目，卻始終未睜開一下。

直待丁玲閉口不再續吃，丁鳳重又抱起姐姐，回到那山洞之中。

且說徐元平和查玉離開了丁鳳之後，爬上一座峰頂，流目打量四外景物，只見山嶺起伏，綿延無際，竟然看不出一點跡象。

查玉目睹徐元平滿臉焦急之色，不禁輕歎一聲道：「徐兄不必焦急，想那何行舟決不敢對神丐宗濤撒謊，咱們依他之言，向東北方向尋去，好在只十里行程，如若找不到，再回那荒廟找他們不遲，宗濤要爲他小叫化徒弟療傷，一時之間，決不致離開那荒廟。」

徐元平道：「查兄說得不錯，丁姑娘的傷勢十分沉重，如不及早治療，只怕要轉惡化，咱們快些去吧！」說著話人已急奔下山而去。

查玉振袂躍起，緊追徐元平身後向東北方奔去。

查玉打量一下四周山勢，笑道：「依據何行舟說的路程計算，此刻咱們已該到了黃葉溝中。」

徐元平道：「眼下這山谷此等荒蕪，連一處像樣房子也沒有，那綠衣女人，豈肯住在這等所在？」

查玉笑道：「曲徑通幽，也許這外面看來荒蕪的山谷中，卻是峰迴路轉，可能裡面別有天地，咱們先進去瞧瞧再說。」

徐元平道：「查兄說得不錯，兄弟只管擔心丁姑娘傷勢，恨不得一下子找到那綠衣女人，早些替她療好傷勢，也好了去一樁心事。」

查玉微微一皺眉頭，說道：「那綠衣女人是神丐宗濤的什麼人？」

徐元平道：「是神丐宗濤的師妹。」

查玉略一沉吟，道：「以神丐宗濤的武功而論，他師妹武功定然不弱，兄弟雖未親眼看到

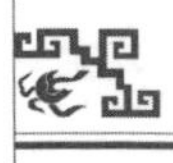

她如何傷了丁玲姑娘，但以她受傷後的情形推論，似是被一種特異的氣功所傷……」

徐元平歎道：「查兄見多識廣，高論不無見地。據宗老前輩所說，丁玲姑娘是被三陽氣功所傷。」

查玉微微一笑接道：「三陽氣功之名，兄弟雖未聞人談過，但想來定然是一種極爲歹毒的內家功力，那綠衣女人身具這等功力，自非好惹之人，徐兄武功雖高，但如想生擒於她，只怕也非易事。」

徐元平歎道：「兄弟自知無能生擒那綠衣女人，但事已至此，只有盡我一己之力，是成是敗，就非兄弟所能預料，如我傷在綠衣女人手下，就請查兄轉告了二姑娘一聲，讓她們早回鬼王谷去。」

查玉笑道：「徐兄儘管放心，以神丐宗濤的武功，尙不能勝得徐兄，諒他師妹也難勝你，生擒於她，雖然未必能夠得手，但自保決無問題。」

徐元平道：「查兄未見那綠衣女人身手，以兄弟所見，她武功似不在宗濤之下。」

查玉暗自吃了一驚，但他外形仍然保持著鎭靜，道：「徐兄且莫這般氣餒，屆時如需我出手，兄弟極願竭盡綿薄，合咱們兩人之力，或能生擒於她。」

徐元平仰臉望天，長長噓了一口氣，似有無限感慨，緩步向谷中走去。

轉過兩個山腳，景物突然一變，只見那狹隘的山谷，陡然開闊起來，成了一片三、四畝大小的盆地，四面山勢迴繞，四、五條山路盤曲蜿蜒而入，徐元平停下腳步，回頭問道：「查

兄，眼下岔路橫列，咱們走哪一條路才對？

查玉凝目打量了一下四周山勢，道：「山勢迴繞，谷道旋轉，兄弟也難瞧出哪條路對……」

突然，他目光凝注在地上，默然沉思起來。徐元平順著他目光望去，只見碎石地上隱隱現出了蹄跡印。

查玉抬頭遙望遠山，低聲說道：「徐兄可看出這跡痕是什麼蹄痕嗎？」

徐元平道：「這個兄弟倒是看不出來。」

查玉道：「馬蹄痕跡，而且留下不久，想這山谷之中哪來的馬匹，咱們不妨循跡追索，也許能找出那綠衣女人下落。」

徐元平道：「她和幾個隨侍小婢，似是都未騎馬。」

查玉道：「也許馬蹄痕跡，是別人所留，但咱們如循跡追索，總比盲目亂找好些。」說完，當先向前奔去。

徐元平隨在查玉身後，沿著馬蹄跡痕走入最右側一道山谷之中。

兩人深入了三里左右，地形又呈開闊，一片畝許大小的雜樹林中，隱現出人影，因在林木環繞之中，兩人目光雖異常人，但也無法一眼看清楚林中之人。

徐元平心繫丁玲傷勢，心中沉不住氣，一見樹林，立時搶在查玉前面，疾向林中奔去。

查玉本想暗中窺探一下林中究係何許人物，但見徐元平明目張膽地闖入林去，只好隨他身後而入。

兩人闖入林中一看，不禁同時一呆，只見一塊數丈方圓的草地之中，站著一個全身紫衣，頭挽偏髻，美麗絕倫的少女。太陽光由枝葉空隙中透照在她勻紅的嫩臉上，她神態異常沉靜、莊肅，星目流轉，打量著環繞在她四周的群雄。

徐元平和查玉呆了一陣，目光轉投在環繞四周的群雄身上。

查玉久在江湖之上走動，黑白兩道中知名之士大都認識，待他看清了環繞四周的群雄之後，前胸如千斤重錘一擊，心頭登時泛上來一股寒意。

原來四周群豪之中，大都是江湖上有名人物，有鬼王谷索魂羽士丁炎山、千毒谷的冷公宵、金陵三雄以及豫、魯、鄂、皖黑道上總瓢把子、鐵扇銀劍于成、洞庭湖三十六寨總寨主混海神龍秦安奇等數十人。

群豪各自守定一方，把那紫衣少女圍在中間，奇怪的是誰也不發一言。

徐元平瞧了環圍四周的群豪一眼，低聲問查玉：「查兄看那紫衣少女，可是咱們在『碧蘿山莊』中所見過的那位姑娘嗎？」

查玉道：「徐兄猜得不錯，此女正是南海門中之人，各路英雄會集洛陽，都是爲她而來。」

徐元平一皺眉頭道：「這般環守四周之人，可都是存心要得那南海門下的奇書的嗎？」

查玉聽他說話聲音愈來愈高，不禁暗生驚駭之心，低聲說道：「不錯，徐兄且不可高聲談論他們，須知眼下之人，個個都是雄踞一方的江湖高手，只要言語間觸犯他們，立時將招致一場麻煩。」

徐元平道：「這些人既都是江湖極有身分之人，為什麼要這般聯手對付一個少女？」

查玉道：「這般人看來雖然像是聯合出手，其實彼此之間，並無默契，也正因高手雲集，互相心存警惕，才不對那少女出手……」

徐元平冷笑一聲，接道：「無論如何，這麼多高手圍困一個女孩子，總是大為不該之事，走！咱們也到前面瞧瞧去！」大踏步直向人群之中走去。

查玉緊隨在徐元平身後，向前走去。

四圍群豪雖聽到兩人步履之聲，但只略微回顧，目光又轉在那紫衣少女身上。

鐵扇銀劍于成，眼看謀書之人愈來愈多，不禁一皺眉頭，伸手取下背上鐵骨摺扇，打開搖了兩搖，說道：「想不到兄弟這地面之上，竟會有今日這番盛會，實叫在下感到榮幸……」

洞庭湖三十六寨總寨主混海神龍秦安奇冷笑接道：「于兄此言，未免說得太過誇大，兄弟雖然很少在陸路之上走動，但也在江湖上混了幾十年的歲月，從來還未聽人說過這等狂傲之言，于兄號稱豫、魯、鄂、皖總瓢把子，難道就不准武林中朋友踏入這四省地面不成，兄弟雖在洞庭湖中小有基業，但只要人不犯我們三十六寨禁地，兄弟也不能禁人家客船漁舟行走在洞庭湖中。」

冷公霄乾咳一聲接道：「這話不錯，冷老二從不信邪，大江南北五嶽四海，大概還沒有冷老二不能去的地方。」

鐵扇銀劍于成臉色一變，道：「兩位這般撩撥兄弟，看來誠心在兄弟地面上找事情了？」

丁炎山陰惻惻地一笑，道：「駝、矮二叟和那碧蘿山莊的莊主，可能很快就循蹤追來，如

果咱們在此地先來個自相殘殺，讓別人坐收漁利，那可是大爲失算之事。」

冷公霄道：「今日之局，恐非言語所能解說得開，不知丁兄有何高見，解決這場紛爭？」

這時四周群豪，一齊轉臉向丁炎山投過去，似是靜待他一發宏論。

丁炎山微微一笑，道：「此女雖是于兄設計擄來，但因其間牽涉關係太大，既然被在場諸位看到，見者有份，只怕在場之人，沒有一個願撒手不問此事……」

于成冷然接道：「此事關係雖大，但也該有個賓主之分，兄弟千辛萬苦擄來此女，各位卻想坐享其成，未免有點欺人太甚了。」

混海神龍秦安奇哈哈一笑，道：「這麼說來，于兄是志在這美麗女子了？」場中紫衣少女聽幾人口舌上輕薄之言，粉頰上登時泛起一片羞紅。

徐元平一皺眉頭，轉臉對查玉說道：「查兄，這些江湖高手，怎的口舌上這等輕薄，不覺著有失身分嗎？」

查玉聽他一開口，幾乎罵盡全場之人，心中暗自發愁，但卻又不能不答徐元平的話，只好硬著頭皮答道：「這等取笑之言，徐兄不可認真。」

秦安奇冷冷地望了徐元平一眼，只覺此人面目陌生，從未見過一面，摸不清對方底細，一時之間，倒不敢惡言相加，眼神一轉，落在查玉身上，冷笑一聲，問道：「令尊沒有來嗎？」

查玉道：「在下遊蹤至此，趕上了這一檔事，家父恐尚不知此事。」

秦安奇伸手指著徐元平道：「這一位想必是和少堡主同來的高人了？」

查玉道：「這位徐兄乃在下一位好友，並非我們查家堡中之人。」

于成聽兩人盡說些不著邊際的話，心中甚感不耐，大聲說道：「此時此地，不是秦兄和查少堡主敘舊的時候。先把眼下大事解決，兩位再敘舊暢談不遲。」

秦安奇道：「于兄儘管劃下道子，兄弟捨命奉陪就是。」

丁炎山眼看兩人大有動手之勢，立時冷冷接口說道：「兩位如果想動手拚上一場，使我們能一睹中原水旱兩路瓢把子的身手，本是一大暢事；不過此刻時機不對，在場諸人恐怕沒有興致欣賞，如果兩位一定要打，不妨找一處僻靜無人所在，好好的去拚個你死我活。」

于成道：「好說，好說，丁兄縱然火上加油，只怕也難如坐收漁利之願。」

秦安奇道：「于兄說得不錯，別人想瞧，咱們就偏偏不打。」

冷公霄乾咳了兩聲，道：「兩位別儘管說些無用之言，你們死活，也不會放在別人心上，現在暫請住口，聽聽丁兄的高見。」

丁炎山皮笑肉不笑地說道：「眼下最爲緊要之事，就是先把這紫衣女娃兒給移囚遠處，不要被碧蘿山莊中人找到下落，然後由在場中人，推選出兩位武功最高之人，找上碧蘿山莊，要他們以書換人。」

冷公霄大笑道：「高明，高明，丁兄之論，兄弟十分佩服。」

秦安奇望了鐵扇銀劍于成一眼，道：「如若那南海門下奇書就在這女娃兒的身上，咱們這樣大費周折，豈非多此一舉。」

鐵扇銀劍于成一揮手中摺扇，道：「南海門下奇書得失，關係咱們中原武學和西域武功的優劣之分，諸位恐都存心一睹，爲了顧全大局，兄弟自願退讓一步，但如奇書在這女娃兒的身

上，兄弟自應有優先取得之權，我先搜她一搜，如果奇書不在她的身上，兄弟當依照丁兄的高見，先把此女移囚隱秘之處，再選高手，通知碧蘿山莊，要他們以書換人。」說完，大步直向那紫衣少女走去。

冷公霄冷哼一聲，緩移腳步跟向場中欺去。

丁炎山一揮拂塵，緊隨冷公宵，也向那紫衣少女停身所在走去。

剎那間，全場群豪一齊蓄勢移步走向場中，局勢頓時緊張，只有洞庭三十六寨總寨主混海神龍秦安奇和屬下五人，站在原地未動。

那紫衣少女眼看群豪紛紛移步，向身邊直欺過來，微微一皺秀眉，閉上了兩隻眼睛。

她這奇異舉動，使環伺她身邊欺進的群豪，看得大感困惑，不禁同時停下腳步。

群豪倏然停步的一陣功夫，卻不見那紫衣少女再有舉動，于成首先不耐，冷笑一聲罵道：「鬼丫頭弄的什麼玄虛。」當先向前衝去。

原來群豪都知南海門下武功怪異，見那紫衣少女一閉雙目，誤認她要施展什麼怪異武功，一時之間，群豪停步，不敢首試銳鋒。

驀聞一聲大喝：「站住！」一條人影，疾如電奔，躍入場中，擋住了于成去路。

群豪抬頭望去，只見一個十八、九歲的少年卓然而立，橫掌當胸，怒目環視群豪。

于成打量了攔路少年一眼，乃是不見經傳之人，不禁想道：「小娃兒膽子可不小！」舉起手中摺扇投去。

攔路少年微一側身，讓開摺扇，當胸右掌，一揮擊出，于成一念輕敵，吃那少年擊出的強

勁掌力，當場震退五步。

那紫衣少女看他一掌震退了來勢洶洶的于成，不自禁地輕舉羅袖掩口一笑。這一笑，如春花盛放，嬌媚橫生，只看得全場群豪一呆。

鐵扇銀劍于成乃異常驕橫之人，被一個毫無聲名、十八、九歲的少年一掌擊退，雖是驕敵輕心所致，但已羞忿難當，只覺一股怒氣由胸中直沖上來，縱身一躍，疾撲而上，右掌一舉正待劈出，瞥見那紫衣少女掩口輕笑之態，突感心頭一跳，只覺那笑容有著無與倫比的魅力，生平之中，從未見過，手臂一軟，勁力頓消。

全場中人，大都是久走江湖的高手，半生之中，不知見過多少佳麗美女，見聞既博，定力自強，紫衣少女的絕世麗容，照人艷光，未能使在場群豪改變奪書之念，但那掩口一笑，卻使這些綠林高人，一個個心波蕩漾，神馳魂飄，只覺她那輕啓櫻唇一笑之中，含蘊著拘魂勾魄之力，人人如飲下一杯濃郁芬芳的醇酒，飄飄欲仙，渾然忘我。

只有徐元平背她而立，沒有看到那風情萬種的笑容，一見于成舉掌下擊，立時右腕疾翻，一招「金索縛龍」，扣住了于成左腕，微微向前一帶，于成身不由己地向前一栽，徐元平缺少對敵經驗，只道對方有什麼近身搏擊絕機，故而失足，借勢欺人，他身子微微向後一讓，掌心蘊力外吐，向外彈震過去。

但見于成一個身軀，吃那彈震之力，震得凌空向外飛去，總算他武功精純，一提丹田真氣，懸空一個大翻身，輕飄飄地落在地上，人雖被震拋兩丈多遠，但卻未受半點損傷。

徐元平想不到號稱豫、魯、鄂、皖總瓢把子之人，竟是這等無用，心中大感奇怪，轉臉四顧，只見四周群豪，個個呆如木雞，站著不動，心中更是大感困惑，不自覺地回頭瞧了那紫衣少女一眼。

此女笑時雖然醉人若酒，但臉上神情卻是變化極快，待徐元平轉頭相望之時，她已恢復一副嫻靜莊肅之態。

就在徐元平轉頭時，鐵扇銀劍于成，已然重又欺身而上，他雖然連吃了徐元平兩次大虧，但都因大意分心所致，他始終不相信一個十八、九歲的小伙子，真能和自己過招動手，爲了保持他在江湖上的身分，索性收了鐵骨摺扇，赤手空拳而上，而且不肯暗中施襲，欺近徐元平身後，大聲喝道：「小娃兒接我一拳試試！」右掌一招「直搗黃龍」，當胸直擊過去，這一招才用出了他真正的本領，潛力激盪，劃空生嘯。

徐元平兩番輕而易舉地得到勝利，心想這次硬擋一擊，定然可以把敵人擊退，哪知事實大謬不然，雙方內力甫一相交，徐元平立時覺出不對，再想運氣行功抗拒，已是晚了一步，吃于成拳風震退了兩步。

這一次交手，雙方才是真正互拚一招。于成只覺對方隨手一掌之中，威勢竟然勁疾異常，徐元平雖被震退了兩步，但鐵扇銀劍于成卻驚駭得自動向後退了兩步。他呆呆地望著徐元平，想不出一個年不及弱冠的少年，怎會有這等深厚的功力，因他擊出的一掌，已用八成功力，存心一舉把對方震傷掌下，既可揚眉吐氣，一洗兩次大意挫敗之辱，也可在四周群豪面前，顯露一下自己的武功。

哪知自己三十年朝夕苦練的雄渾拳力，竟被對方隨手一擊接了下來，雖然對方被震退了兩

步，但他從豐富的閱歷經驗中看出，對方並未全力施爲，而是漫不經心地接了他擊出的一拳。于成的愕然驚顧之情，如何能瞞得過索魂羽士丁炎山和冷公霄兩人銳利的目光。

查玉目睹冷公霄和丁炎山躍躍欲動的神情，心中也不知是驚是喜，暗暗忖道：如若這兩人都動了殺他之心，徐元平這場劫難，只怕難以躲過。

洞庭湖三十六寨總寨主混海神龍秦安奇，心中另有謀算，當下大聲說道：「于兄快些搜索那女娃兒身上，是否帶有南海門的奇書，再要延誤時間，被碧蘿山莊中人追蹤找來，事情就不好辦了。」

冷公霄大笑道：「秦兄說得不錯，要搜就快些搜吧！」緩步直向場中欺去。

丁炎山陰冷一笑道：「好極好極，在下也來湊湊熱鬧。」緊隨冷公霄向場中走去。

徐元平擋在紫衣少女前面，眼瞧著冷公霄、丁炎山、金陵三雄等，分由不同方位而來，暗自發愁。忖道：這幾人來的方向不同，我一人如何能夠對付，只怕難免顧此失彼。

忽聽那紫衣少女說道：「你要小心啦，人家都暗裡存著殺你之心。」

徐元平轉眼瞧去，果見冷公霄、丁炎山四道眼光，緊盯在自己身上，蓄勢緩步而進。

忽覺一陣幽幽暗香襲人，耳際間響起一個十分輕柔但極嬌脆的聲音，道：「你帶著我到西邊一處山崖下，就不怕他們倚仗人多勢眾，欺侮你了。」

徐元平轉頭望去，只見那紫衣少女不知何時已走到自己身邊，一臉肅穆，卓然而立。心中暗自忖道：明明是我挺身救你，才惹來這場麻煩，你不但不說一句感謝之言，反而說成你救我了？他心中雖不滿那紫衣少女之言，口裡卻不由自主地問道：「那山崖離這裡有多少路程？」

紫衣少女道：「出了這片雜林，就可以瞧到啦！大約有四、五里路。」聲音冷漠，大有責怪徐元平不該有此一問。

徐元乎聽得一怔，思忖道：你這般冷冰冰的對我說話，難道我應該幫你不成。當下冷哼一聲，轉身而去。

忽聽查玉大叫一聲，道：「徐兄不要驚慌，兄弟助你來了。」縱身一躍，飛落那紫衣少女身側。

他眼看徐元平和那紫衣少女站在一起，心中大生妒念，一時情感衝動，大喝一聲，跳了過來。

徐元平本欲離去，但聽得查玉大叫之言，心中忽然一動：我既出頭相助於她，豈可有始無終，留人笑柄。當下又退了回來，瞥眼見鐵扇銀劍于成，手張摺扇，疾奔而來，一股憤怒之火，盡發在此人身上，暗中潛運功力，大喝一聲：「退回去。」呼的一招「力撼山嶽」，迎頭猛劈過去。

這一掌蓄勢而發，又正在氣忿之中，掌力之強，乃他自得慧空大師授藝後，最爲凌厲的一擊，勁急的掌風，如巨浪推空一般直撞過去。

鐵扇銀劍于成自和徐元平對了一掌之後，心中輕敵之念頓消，眼瞧群豪直向那紫衣少女欺去，怕人搶了先著，一翻腕，拔出背上摺扇，搶先奔上。他雖然發動較緩，但卻奔行最快，搶在最前，剛好碰上徐元平去而復返，迎頭劈出一掌，而且來勢奇猛，不覺大生驚駭，慌忙一提丹田真氣，橫向左側一躍，讓開五尺。

他應變雖然夠快，但仍然晚了一步，吃徐元平勁急的掌風激盪起的排空勁氣，撞在右肩之上，登時站立不穩，一連向後退了六、七步遠。

徐元平這一掌威勢，不但使鐵扇銀劍于成大感震駭，就是索魂羽士丁炎山和冷公霄也暗自吃驚，向前欺進的身子，突然停了下來。

忽聽兩聲慘叫，正蓄勢而進的金陵三雄，陡然一齊轉身向後，奔出雜林。

原來查玉目睹徐元平發掌威勢震驚群豪，說不出心中是什麼滋味，暗中扣了一把蜂尾針，一語不發，疾向金陵三雄打去。

閃電手查玉本極陰沉機智，就是找上頭的麻煩，他也要設法移嫁在別人身上，非至性命交關之時，決不會施用江湖上人人憤恨的歹毒暗器蜂尾針，但他今日竟失去往常冷靜，一語不發，下手暗襲金陵三雄。

徐元平轉臉望了查玉一眼，道：「兄弟好管閒事，替查兄找來這些麻煩，實叫兄弟心中難安。」忽覺嘯風劃空，一股極強烈的暗勁，從身後直撞過來。

他乃異常好勝之人，雖覺出身後襲來力道十分強猛，但卻不肯閃讓，一沉丹田真氣，雙足扎地如椿，轉身揮掌，硬接了對方襲來一擊。抬頭瞧去，只見冷公霄、丁炎山並肩站在七尺以外。兩人神色都極平靜，雖然感覺出暗襲掌風來自兩人停身的方向，但一時間，卻瞧不出是哪個下手施襲。

只聽查玉朗朗笑道：「咱們兄弟情義深重，還有彼此之分？」

徐元平突然心中一動，暗道：現下查玉肯自願出手相助於我，為什麼不合我們兩人之力，把這紫衣少女護送到西邊山崖之下，難道真要夜以繼日的保護著她不成？

心念一動，高聲說道：「查兄既然願助兄弟護送這位姑娘衝出圍困，就請隨身保護著，兄弟替兩位開路。」話說完，忽然舉起雙掌，一招「推山填海」，直向當前擋路之人推去。

強猛的掌風，排山倒海般直撞過去，幾個擋路之人，見來勢凶惡，紛紛向兩邊讓開。

徐元平一掌驚退攔路群豪，直向正西方向奔去。那紫衣少女，不待徐元平招呼，放腿緊隨他身後奔行。

查玉雙手一齊探懷摸出兩把蜂尾外，大聲叫道：「哪位敢追來，就請一試冀東查家堡蜂尾毒針。」

查家堡蜂尾針乃江湖著名的歹毒暗器，除了武功特高之人，自忖功力深厚，掌風強猛，可震落那無聲無息的毒針之外，一般武林中人，聞得查家堡蜂尾毒針暗器，無不大生驚駭。

索魂羽士丁炎山、千毒谷的冷公霄，眼瞧三人奔行正西方向，心中暗暗笑道：那正西山崖，乃是一處絕地，這三人向西奔逃，無疑自投羅網之中，待他們陷入絕地之後，再設法除去三人，謀奪奇書，現在大可不必硬攔他們去路，是以不肯出手攔阻。

秦安奇和于成兩人不出手，也不肯先擋銳鋒，耗消真力，一齊隨在三人身後而進。

徐元平原想帶這紫衣少女突出圍困，定然難免一場激烈之戰，哪知四周群豪竟無一人出手攔阻幾人去路。

原來群豪之中，以冷公霄、丁炎山、于成、秦安奇幾人武功最高，聲名最大，而且于成和秦安奇帶的人手又多，幾人不肯出手，其他之人大都不敢輕舉妄動。

徐元平奔出雜林，果見正西方有一座突立如削的山崖，回頭瞧了那紫衣少女一眼，正待開口問她，那紫衣少女已搶先說道：「不要問啦！就是那座山峰。」

她聰明絕倫，心思靈巧，一瞧徐元平的神色，立時想到了他要問之言。

徐元平微微一怔，轉身向前走去。

查玉緊隨那紫衣少女身後，雙手各握一把蜂尾針，不時回顧隨在丈餘外的各路豪傑。一向自視甚高，心機深沉的查玉，此刻竟然全心全意地保護那紫衣少女，生怕她受到一點傷害。

三人走約一里多路，忽聽那紫衣少女叫道：「慢一點走啦！」

徐元平回頭望去，只見那紫衣少女已落後一丈多遠，不禁一皺眉頭，暗道：這女子好難伺候！他心中雖是不滿那紫衣少女頤指氣使的說話神情，但他仍然依言放慢了步子。

查玉相距那紫衣少女只不過兩尺左右，留神瞧去，只見她嫩臉艷紅，低喘吁吁，一副嬌弱不勝之態，心中暗生憐惜。低聲問道：「你走不動了？」

紫衣少女頭也不轉地答道：「他們既然不追咱們，幹嘛要急急趕路。」

查玉口中不再答話，心裡卻暗道：昔年衡山大會之上，南海奇叟當著群聚衡山的英雄之面，大駁中原武學，使在場高手，完全爲之心折，武林之上才盛傳南海門奇書之事，此女既是南海門下之人，定然身懷絕世武學，怎的走幾步路，就累成這般模樣，難道她是故意裝作的不成。

暗中瞧去，只見她神色平靜，毫無一點驚慌之情，心中更覺自己猜想不差。

相隨群豪見三人放慢了步子，也隨著放慢腳步，始終和三人保持著一丈多遠的距離。

這一段行程，如讓徐元平單獨走去，只不過是片刻之間的工夫，但因有那紫衣少女相隨，足足走了一頓飯工夫之久，才到那山崖下面。

抬頭望去，只見一座突立的山峰之間凹進去四、五丈深，一丈多寬，似洞非洞，似谷非谷的山窪，除此之外，數十丈內，都無可隱身之處。

徐元平瞧清了四周景物，不禁呆在當地，暗道：此地既無可通之路，又不見「碧蘿山莊」中埋伏之人，不知她到此而來是何用心。

那紫衣少女星目輕掠徐元平一眼，道：「去給我折取一些竹枝來，你們就可以走啦！」匆匆一瞥之間，似已看透了徐元平心中所想之事。

徐元平怔了一怔，道：「好吧！查兄請保護著她，我去替她折些竹枝來，咱們再走。」轉身向左面走去。

紫衣少女目光流轉，瞧了查玉一眼，道：「你把這附近石頭，替我撿些拿來。」

查玉幼承父藝，平日一呼百諾，十分威風神氣，從未聽過這等命令式的吩咐之言，聽來很不順耳，但他卻依言照做，把附近的石塊盡都撿集到那紫衣少女身側。

環圍在四周的群豪，看那紫衣少女沒有逃走的舉動，也就袖手旁觀。

片刻，徐元平折了一捆竹枝回來，放在地上說道：「你瞧瞧夠不夠用？」

紫衣少女望了一眼，道：「夠啦！」緩移蓮步，輕伸皓腕，撿起兩根竹枝，隨手插在地上。

徐元平不知她要的什麼花樣，站在一側呆呆相望。

查玉瞧了一陣，心中恍然大悟，她是在佈置一座奇門陣圖，只是那竹枝布插的方位，既非八卦之位，又非九宮之勢，叫人瞧不出她布設的什麼奇陣。

紫衣少女插好竹枝，又把查玉撿集在身側的石塊，分別放在布插竹枝的空隙中，然後手提著四條竹枝，走到兩人身邊，問道：「你們兩位要不要進陣來？」

徐元平答道：「這區區幾根竹枝、石塊，豈能擋得住人，我們既然答應保護於你，自不能虎頭蛇尾，半途撒手，此處既無你們埋伏之人，趁天色尚早，我們送你回碧蘿山莊去吧！」

紫衣少女搖頭說道：「來時容易去時難，只要我離此一步，立將引起大戰，你們兩人武功雖好，也打不過他們人多，你們和我素不相識，肯冒凶險救我，你們願和我同在竹石陣中避敵，就請隨我進入陣中，如果要走，我也不留兩位。」說話之間，隨手又把兩支竹條插入地上。

徐元平道：「姑娘既然自信這竹枝、石塊，有拒人相犯之能，在下就此告別了。」轉身向前走去。

查玉雖然想相伴於她，但見群豪的目光盡盯在自己身上，徐元平又離此而去，如果竹石陣攔不住四面圍攻之人，被他們衝入陣中，自己決非冷公霄和丁炎山的敵手，與其那時出醜，倒不如現在離開得好。

他雖然極願留此相伴那紫衣少女，但卻自知無能保護於她，只好說道：「姑娘既然自信此陣有拒擋敵人之能，我們留不留此都無關要緊……」話至此處，突然提高了嗓音，道：「徐兄請等兄弟一步，咱們一起走啦。」

此時徐元平已走出一丈多遠，聽得查玉呼叫之聲，停下腳步回過頭，道：「查兄如願留此，就請留下好了，兄弟先走一步……」

他忽然想到丁玲、丁鳳還在那山洞之中等他，爲幫助這紫衣少女，延誤了這段時間，不知丁玲的傷勢如何了。

只聽衣袂飄飄之聲，查玉已躍追身側，瞥眼見徐元平呆呆地站著不動，皺著眉頭，似正在想著一件爲難之事。

原來他心中正在想著該不該把丁玲受傷之事，告訴索魂羽士丁炎山，讓他幫著尋找那綠衣女人。

查玉見他凝目沉思，久久不言，忍不住問道：「徐兄可是在想心事嗎？如果徐兄願意留此，相助那紫衣少女，兄弟自當留此奉陪。」

他心中念念不忘那紫衣少女的絕世姿容，誤認徐元平也在想著那紫衣少女，只因話已出口，不便再留此相護，是以替他找個下台的借口。

哪知徐元平搖搖頭，淡淡一笑道：「兄弟在想咱們要不要把丁姑娘受傷之事，告訴她的叔父？」

兩人談話聲音雖然不大，但是丁炎山的耳目何等靈敏，當下欺進了兩步，大聲說道：「你們說的什麼人？」

查玉微微一笑，道：「我們見著老前輩時，本就應該對老前輩說明，丁玲姑娘受了人極歹毒的內功暗算，傷勢十分慘重……」他故意住口不說下去，瞧著丁炎山臉上神情變化。

丁炎山故作鎮靜地等候了片刻，才冷冷說道：「什麼人有這麼大的膽子，敢傷我們鬼王谷中的人？」

徐元平道：「令侄女傷勢極重，老前輩要不要去瞧瞧她？」

丁炎山目光炯炯地環掃了全場一周，最後把目光投注在那紫衣少女身上。

查玉看丁炎山沉吟不答，心知他捨不得放棄奪取南海門奇書機會，心下暗暗忖道：此人武功高強，心狠手辣，留他在此，對那紫衣少女多了一分凶險，不如激他去看丁玲傷勢，也可使她減去一分危險。

他心中已對紫衣少女深植情愫，不知不覺間就爲她設想，當下道：「丁玲姑娘似是被一種內家氣功所傷，全身高燒，命在旦夕，晚輩和徐兄原是爲了找那傷她之人，哪知卻無意找到了此地。」

這幾句話果然使丁炎山大感焦急，他雖然生性冷僻，殺人不眨眼，但對兩個侄女卻是異常愛護，尤以對丁玲更是偏愛，當他聽得查玉說起丁玲傷勢極重，危在旦夕之時，不禁雙目暴射，大聲問道：「她們現在何處？」

查玉道：「就在距此不遠的一座山洞之中。」

丁炎山一揮手中拂塵，道：「那就煩請少堡主帶我去看看她們！」

查玉道：「晚輩也正爲丁玲姑娘擔心，老前輩見聞廣博，或能及早療好丁姑娘傷勢，好在山洞離此不遠，二姑娘尚留在洞中伺候丁玲姑娘，晚輩前頭引路，老前輩請。」一面說著一面

躬身擺手站立一側。

丁炎山目光炯炯地掃視群雄一周，轉過頭來陰森地朝徐元平身上打量著，正待開口說話，查玉突又趨前說道：「老前輩，事不宜遲，請即隨來。」回頭向徐元平望了一眼，二人同時返身直向來時那隘口奔去。

丁炎山略一思忖，一揚手中拂塵，隨即振袂直追。

查玉回頭瞥見丁炎山已追了上來，更是放快腳步，振臂飛躍，他本是精明幹練、心思縝密之人，這周圍山勢已經他詳細默察，記憶在心，一路跳洞越崗，異常純熟，轉眼間已返回到丁玲藏身之地，伸手向石洞指著說道：「丁姑娘就歇息在這石洞之中，老前輩請進。」

丁炎山舉目對附近形勢略一端詳，逕向洞中走入。

丁鳳守著姐姐，看她氣息奄奄，正在憂心如焚，忽覺一條人影閃入洞來，不禁驚愕萬分，待她定睛一看，登時忍不住眼眶發紅，兩眼滿含晶晶的淚水，躍身而立，低聲喊道：「叔叔……」

丁炎山一臉冷酷，毫不理會，俯身伸手一摸丁玲額角，只覺高熱發燙，細按手腕脈息低沉，人已進入昏迷狀態，輕皺眉頭，轉臉向丁鳳問道：「你姐姐傷勢不輕，究竟是被何人所傷？快說？」

丁鳳遂將姐姐如何被那綠衣少婦所傷的經過情形訴說一遍，丁炎山越聽越火爆，大聲說道：「將你姐姐抱起，隨著我來。」

丁鳳俯身將姐姐抱起，隨著丁炎山出了山洞。

查玉一見丁炎山氣呼呼地走出山洞，趕忙趨前問道：「丁姑娘傷勢如何？老前輩見聞廣博，可否即予療治？」

丁炎山說道：「少堡主對這一帶路途似乎很熟識，就煩請再借重指引一程如何？」

查玉心中一愣，故作鎮靜，答道：「晚輩亦是初履此地，老前輩吩咐，理應遵命，但不知老前輩打算往何處而去？」

徐元平道：「此時不好去找宗老前輩，依在下愚見，如果丁姑娘之傷老前輩無法療治的話，還是尋訪擊傷丁姑娘的那位婦人爲上策。」

丁炎山一翻眼，鋒芒畢露，淡淡道：「老夫之意，與你何干？請不必多言。」

徐元平個性倔強，如何能受此斥責，當下挺胸朗聲說道：「在下曾被宗老前輩所傷，潛至古廟養息療傷，多承二位姑娘尋蹤前來護助，盛情可感，如今丁姑娘身負重傷，在下豈可插手不顧。」

丁炎山怒目說道：「老夫早已告訴你，此事不勞干涉，難道你尚不知老夫爲人嗎？」

徐元平冷哼一聲道：「當日在洛陽萬盛客機，已然領教過！」

丁炎山一聽「萬盛客棧」，雙目睜瞪：「少年人如不快些離此，莫怪老夫出手懲戒了？」

徐元平道：「上天下地，來去由人，老前輩如確有意，在下當然奉陪！」

丁炎山一時凶性暴起，移步欺身，忽聽丁鳳凄聲尖叫，眾人大吃一驚，趨前相視，只見丁玲躺在丁鳳懷中，全身痙攣，手腳抽搐，臉色蒼白，口角間流出腥血，濺灑丁鳳前胸，鮮紅一片。

丁玲本已暈迷，只因丁鳳抱出洞口之後，經那山中涼風吹拂，神志稍甦。聽到叔父與徐元平頓起衝突，一時急氣翻騰，沉血上湧，人又昏厥過去。

索魂羽士丁炎山已經蓄勢待發，聽得丁鳳的尖叫之聲，陡然收住待發掌勢，轉頭走近丁玲，左手伸縮間連點了丁玲「天突」、「缺盆」兩處要穴，冷然對丁鳳說道：「你姐姐身受這等慘重之傷，你還不把她送回鬼王谷去療治，到處跑來跑去的幹什麼？」

丁鳳平日對這位整日臉上不見笑容的叔父，心裡本就存著幾分畏懼之感，現下瞧他怒目相視，心中更覺害怕，不自覺地向後退了兩步，說道：「我見姐姐傷勢慘重，只怕不能支撐到鬼王谷……」

丁炎山冷冷地掃視了查玉和徐元平一眼，接道：「所以你就聽了他們兩人之言，守著你姐姐在這山洞之中等候……」

徐元平忽然縱身而上，擋在丁鳳身前說道：「在下既然答應了找那綠衣女人替丁玲姑娘療傷，不管如何我總要做到，閣下大可不必對你晚輩發威，如果真的延誤了丁玲性命，在下以命相抵也就是了。」

丁炎山陰冷一笑，道：「大丈夫言出如山，屆時可是不能反悔。」

丁鳳看他相護之情，這等深切，只覺鼻骨一酸，兩行清淚，順腮而下，不知哪裡的一股勇氣，一掃臉上驚怖之情，頓覺生死之事，全已不在心上，挺胸說道：「三叔叔不必再生鳳兒的氣，要是姐姐真的死了，鳳兒也決不獨活下去，自絕姐姐屍體之前。」

丁炎山聽得怔了一怔，道：「很好，很好。」轉身向前走去。

丁鳳只感此時心中空空洞洞的，世間的一切事情，似都不再與她有關，回首望了徐元平一眼，茫然一笑，熱淚如泉，奪眶而下，抱著姐姐，隨在丁炎山身後，向前走去。

徐元平轉頭望了查玉一眼，舉步隨在丁鳳身後走去……

查玉冷眼旁觀，見三人此刻都有點神智混亂，流目四顧，空山寂寂，暗自歎息一聲，不自覺地也隨後跟去。

丁炎山表面上雖然看不出激動之情，大步而行，其實心中卻爲丁玲生死之事，激動難安。信步走去，不知不覺間，又到了竹石陣前，心中突然一動，又想起謀奪南海奇書之事。佇足望去，只見那紫衣少女抱膝坐在山窪旁一塊大巖石上，望著被困在竹石陣中的冷公霄和鐵扇銀劍于成，嘴角間泛出一絲冷峻的笑意。

徐元平仔細瞧了那竹石陣圖一眼，心中暗感奇怪，不知何以冷公霄和于成竟被困在陣中，不能出來。

原來陣外瞧去，只見一片竹枝亂石，雜亂橫陳，絲毫看不出異樣可疑之處，以冷公霄和于成的武功而論，只需兩個飛身縱躍，就可以越度而過。

丁炎山瞧了一陣，回頭對查玉說道：「令尊以精通奇門易數，馳名江湖，想來你對此道，定然也極有心得了？」

查玉微微一笑，道：「晚輩才智愚拙，只不過略通皮毛而已。」

丁炎山道：「當今武林之世，有誰不知查家堡的奇門易數之學，就請仔細瞧瞧這竹石陣圖，是否有通達之路，如若你瞧出入陣之路，咱們立時就衝進陣去，逼她交書，眼下冷老二和于成都被困入陣中，餘下的一個秦安奇，諒他也無能攔得住我丁某人，其餘人數雖眾，但均是不堪一擊之輩，這等大好時機，如若錯過，那可是大大的遺憾之事。」

查玉仔細瞧了一陣，見那竹枝布插之位，似是依著五行奇數布成，只是中間加了一些石塊，卻難解是何用意？

丁炎山看查玉凝望竹陣，呆呆不言，心中暗道：久聞此人精明幹練，如若不許他一些甜頭，只怕他不肯答應。當下說道：「少堡主可瞧出了此陣秘奧之處嗎？」

查玉搖搖頭，答道：「瞧是瞧出了一點門道，只是此陣和一般五行陣圖有很多不同之處，一時之間，很難全盤了然……」

丁炎山冷然一笑，接道：「你如能找出入陣之路，老夫也不虧待於你，找出那奇書之後，咱們每人一半。」

查玉笑道：「老前輩這般瞧得起我，晚輩如何敢當。」

丁炎山道：「老夫一向不打誑語，出口之言，決不反悔。」

查玉道：「鬼王谷、查家堡誼如唇齒，晚輩怎敢懷疑老前輩之言？」

查玉暗想：眼下我尚未能看出這竹石陣的奧妙，如若冒冒失失地衝入陣中，只怕重蹈冷公霄、于成覆轍而被困陣中不能出來。但如據實相告，又怕他不肯相信。一時之間甚感爲難，想不出適當之言回答。

忽見丁炎山細長的身軀一晃，人已欺到查玉身邊，左手一伸，抓住查玉右腕笑道：「咱們攜手而入，也免得你再分心顧我。」他怕查玉在帶他入陣之後，棄他不顧，故而伸手抓住查玉手腕。

查玉淡然一笑，道：「老前輩不肯信我之言，要是被困陣中，可不能責怪晚輩。」

查家堡主查子清，以精通奇門神算之術，名滿大江南北，查玉推說難解陣圖奧妙，丁炎山哪裡肯信，一揮手中拂塵，笑道：「只要你肯相陪於我，縱然被困陣中，也無妨礙。」拖著查玉大踏步向陣中走去。

查玉對奇門神算之學，雖然不及乃父，但他自幼在父親細心教導之下，苦苦鑽研，已然對此道有了相當的根基，他雖然瞧不出竹陣中石塊的用途，但已被他看出那竹枝插布的位置，是依五行生剋之理，佈成五行陣圖，是以丁炎山強行拖他入陣之時，他心中並無驚慌之感。

丁炎山是何等老辣之人，一面拖著查玉向竹石陣中奔去，一面暗中留心著查玉神色，見他毫無驚慌之象，心中愈發安定，加快腳步，向前奔去。

徐元平眼瞧著查玉手腕被丁炎山抓住拖向竹石陣中，本要出手搶救，但見查玉毫無掙脫之心，只好袖手旁觀。

忽聽丁鳳長長歎息一聲，緩步走到徐元平身側，說道：「我姐姐恐怕不行了。」

徐元平轉頭向她懷抱中的丁玲瞧去，只見她原如朝霞的臉色，此刻卻是一片蒼白，雙目緊閉，氣若游絲，不禁一皺眉頭。

丁鳳突然微微一笑，又道：「我姐姐要是死了，咱們兩個也都活不成啦。」

徐元平哦了一聲，道：「不錯，我已經答應過你叔叔，她死了我要以命相償。」

丁鳳道：「我也說過，姐姐死了，我就不再獨活下去。」

徐元平正待答話，忽聽丁炎山大喝之聲，傳入耳際，轉頭瞧去，只見丁炎山抱著查玉雙雙躍入竹石陣中。

丁炎山入陣之前，氣焰萬丈，奔行極快，哪知躍入那一片竹石陣之後，陡然似換了一個人般，立時靜站不動，但他左手卻仍緊緊地握著查玉右腕。兩人在陣中略一定神，查玉突然轉身向右移動三步。

丁炎山臉色一片肅穆，他在聚精會神聽著查玉舉動，查玉腳步一動，他已緊隨移動，雙足行動之間，有如盲人一般，似是全憑靈敏聽覺而動。

徐元平瞧得大感奇怪，暗道：區區幾根竹枝，幾塊山石，難道真有這等奇奧的威力不成，倒要試他一試。不自禁地也舉步向竹石陣中走去。

丁鳳眼瞧徐元平也向竹石陣中走去，心中暗生驚駭，大聲叫道：「徐相公，你要到哪裡去？」

徐元平道：「你守住丁玲在陣外等我，我進陣去看一下就出來。」

丁鳳道：「查家堡奇門神算之學，傳遍武林，我叔叔和查玉走在一起，自是無妨，你一人如何可以進去。」

徐元平道：「我就不信那幾根竹枝、山石佈成的陣圖，當真能把人困住，何況我又不深入

陣中，只要進去幾步，試試就出來。」

丁鳳道：「萬一你被困入陣中，不能出來了怎麼辦呢？」

徐元平道：「那有什麼要緊，人家都不怕，我怕什麼呢？」

這一段相處的時日之中，丁鳳已知道徐元平是個生性異常高傲之人，心頭一急，道：「你們都要到那竹石陣中，就不管我和姐姐了嗎？」

徐元平聽得心中一動，只見洞庭湖三十六寨總寨主混海神龍秦安奇帶著屬下高手，緩步地向前走來，心中暗暗忖道：如若我真的被困入陣中，她一個女孩子家，如何能夠對付這麼多強悍的綠林人物，何況她還要照顧重傷垂危、奄奄一息的丁玲。心念一轉，當時又退了回來。

抬頭看去，只見查玉帶著丁炎山左轉右彎地在石陣中盤折而入，已然進入了丈餘遠近。

那紫衣少女本來端坐在山窪旁一塊大山石上瞧著幾人，一見查玉竟然深諳五行生剋變化，立時爬下巖石，撿起一根竹枝，走入陣中。

查玉初入陣時，似是頗爲清醒，左轉右折，走得一點不錯，哪知深入一丈左右之後，忽然迷惘起來，帶著丁炎山左衝右闖，走了一刻工夫之久，仍然在數尺方圓內打轉。

徐元平站在陣外，瞧得心中大感焦急，高聲叫道：「查兄，直往前走，就可出陣了。」

他內功深厚，大喝之聲，如擊洪鐘一般，只震得滿山回音，哪知查玉卻似充耳不聞，仍然帶著丁炎山左奔右闖。

這時，那紫衣少女已然走到兩人身側數尺所在，手提竹枝，靜立一側，瞧著兩人。查玉愈奔愈急，丁炎山也隨著他急如旋風般的身子，團團亂轉。大約有一頓飯工夫之久，查玉已累得

滿頭大汗，忽然一腳踏在一塊石上，身子一傾摔倒在地上。

這一摔，似乎把他摔得清醒了不少，挺身坐在地上，不再瞎奔胡闖。

那紫衣少女低頭沉思了一陣，緩緩向前走了兩步，把手中竹枝伸到查玉手中，低聲說道：「快些用力摔開那臭道士，我救你出陣。」

原來丁炎山在查玉摔倒地上時，也被查玉的身子絆倒，但他左手仍然緊緊地抓住查玉右腕不放。

說也奇怪，徐元平大叫之聲，如擊洪鐘，震得滿山回音，查玉卻似未曾聞得，而那紫衣少女細微的聲音，他卻聽得字字入耳。

他乃城府深沉之人，聽得那紫衣少女之言後，身軀靜止不動，暗中潛運功力，左手抓住那少女伸出竹枝，陡然一躍而起，右手用力一甩，掙脫了丁炎山的手掌。

丁炎山雖是老謀深算之人，但他萬沒想到，查玉在摔倒地上之後，竟然會突起掙扎，驟不及防，被查玉掙脫了被握右腕。他究竟是武功高強之人，反應特別靈敏，雖被查玉一甩掙脫右腕，但左手立時緊隨向前一探抓去，但聞嚓的一聲，查玉身著長衫被丁炎山扯下一尺多長。

丁炎山一抓未中，查玉已在紫衣少女導引之下，越過三塊山石，四根竹枝，但覺眼前一亮，一切幻影盡消。回頭瞧去，只見丁炎山盤膝而坐，閉目調息，他老謀深算，自知難以衝出陣去，索性端坐地上養神調息，先使躁急的心情平復下來，再想出陣之法。

查玉雖然已重睹天日，但他已知厲害，抓住手中竹枝，牢牢不放，隨在那紫衣少女身後緩步而行，直待出了竹石陣，才鬆開手中竹枝。

紫衣少女接引查玉出陣之後，丟棄了手中竹枝，望也不望查玉一眼，緩步走到山崖下，倚壁而坐，閉上雙目。

查玉望著竹石對面的徐元平，相距不過四丈多遠，只見他舉手揮動著，高聲說道：「恭喜查兄安然出陣，兄弟要和丁鳳姑娘去找那綠衣女人，替丁玲姑娘療傷去了，事情辦妥之後，兄弟再來這裡找你。」

紫衣少女忽然睜開雙目，瞧了查玉一眼，問道：「那姑娘可是受了傷了嗎？」

查玉本來心存迫她交書之念，但見她姿容如仙，耀眼生花，一和她目光接觸，惡念頓消，竟然不自覺地欠身答道：「不錯，那位姑娘被人用極歹毒內家氣功打傷。」

紫衣少女看他彬彬有禮，神態十分文雅，不禁嫣然一笑，問道：「你和那臭道士入陣之時，氣勢洶洶而來，幹嘛現在又對我這般和氣了？」一開口直截了當地說出查玉心中隱秘，竟若未卜先知一般。

查玉雖然是機智百出之人，不知何故在紫衣少女之前，竟然變得十分呆板，被人一語道破心事，不禁雙頰發熱，激動地說道：「這個，這個……」

紫衣少女笑道：「不要這個那個啦，你叫他把那受傷的姑娘抱進陣中來，給我瞧瞧，只要沒有絕氣，我就能把她傷勢療好。」

語氣肯定，大有天下醫道唯吾獨尊之概。

查玉略一猶豫，高聲叫道：「徐兄慢走，兄弟有話要說。」

徐元平已轉身帶著丁鳳向前走去，聽得查玉呼叫之言，停下腳步，回頭答道：「丁玲姑娘

傷勢極重，已經奄奄待斃，有話以後再說吧！」

查玉急道：「這位姑娘說她能醫得丁玲傷勢，要徐兄把丁姑娘送入陣中給她瞧瞧。」

徐元平側目望了丁玲一眼，只見她玉容已微現青白之色，手足已呈僵硬，看樣子已難再撐時間，生死只是片刻間事，心中暗道：我尚不知這綠衣麗人所住之處，一時間想找到她，談何容易，此女舉動端莊，似非浮誇自大，倒不如先讓她瞧瞧再說。

心念一轉，高聲答道：「既然那位姑娘自言能醫，那就試試吧！」帶著丁鳳轉身向竹石陣中走去。

紫衣少女彎身撿起地上竹枝，又緩步走入陣中。

徐元平早已存下試試那竹石陣究竟有何奇奧之心，是以不願讓那紫衣少女接引，急步奔到陣邊，正想舉步入陣，丁鳳大叫道：「你不要急進陣中，好嗎？」

那紫衣少女似已瞧出徐元平的存心，腳步更慢了。

徐元平回頭瞧去，只見丁鳳滿臉幽怨，流露出乞求之色，不禁心中一動，暗自忖道：我如強行入陣，只怕她心中惶恐不安，我乃堂堂男子，豈能和一個女孩子家鬥氣。當下忍住好奇的衝動之念，停步陣外。

丁鳳見他竟肯聽自己之言，心中十分高興，一掃臉上幽怨之情，縱身一躍，飛落到徐元平身側，笑道：「我說你，你心裡可生氣嗎？」

徐元平答道：「我爲什麼要生氣……」忽然若有所悟，哦了一聲，接著：「沒有。」

丁鳳嫣然一笑，道：「那就好啦！」

兩人談話之間，那紫衣少女已到竹陣邊緣，輕伸皓腕，把手中竹枝伸出陣外，說道：「你抓住竹枝，要那女孩子抓著你的衣服進陣來吧！」

徐元平依言抓住竹枝，丁鳳右手抱著姐姐，騰出左手來拉住徐元平的衣服，緩步入陣。在那紫衣少女接引之下，竹石陣中，竟然毫無變化，片刻之間，過了竹陣。

丁鳳鬆開左手，抱著姐姐，站在徐元平的身側，目光卻投注在那紫衣少女臉上，她雖是女兒之身，卻亦爲那紫衣少女的絕世容色吸引。

紫衣少女丟了手中竹枝，望著丁鳳懷中的丁玲，自言自語地說道：「她傷得實在很厲害。」

查玉站在那紫衣少女身旁，聽得她的話後，轉過身子接口問道：「這麼說來，是無法可救了。」

紫衣少女頭也不轉地微微一笑道：「我不是告訴過你嗎？只要她沒有絕氣，我就有辦法救得了她。」

徐元平道：「那就有勞玉駕，瞧瞧她的傷勢吧。」

紫衣少女微一點頭，道：「把她放到地上，我先看她脈搏再說。」

丁鳳緩緩地蹲下身子，把姐姐放在地下，徐元平站在丁鳳身後，兩道眼神盯在那紫衣少女的臉上。

紫衣女微曲柳腰，抓起丁玲一雙手腕，纖纖玉指，輕按在丁玲脈門上，片刻工夫，鬆開丁玲手腕，笑道：「她被人用一種很歹毒的內家氣功所傷……」

徐元平聽她一開口，說得一點不錯，點頭接道：「她是傷在三陽氣功之下。」

紫衣少女重複了一句：「三陽氣功……不錯，武學之中有這一門武功，不過傷她之人的三陽氣功，尚未到爐火純青之境，如是功力臻於絕頂之人，被傷之人必須在兩個時辰之內，著手療治，過了兩個時辰，被對方掌力熱毒，侵入內腑六臟，全身高燒，血脈暴裂，子不見午十二個時辰內必死無疑。」

丁鳳芳心一震，急道：「我姐姐自中掌到此刻，恐已有四、五個時辰了。」

紫衣少女微微一笑道：「不要緊，傷她之人，火候不夠，縱然再延誤上幾個時辰，也是一樣有救的，不過……」

徐元平道：「姑娘可有什麼礙難之處嗎？」

紫衣少女道：「這等荒涼的山野之中，沒有藥物可用，只有先用針灸之術，疏散她一些侵身熱毒，然後我寫個藥方，你們帶她離此，找個大的市鎮，照方用藥，清除她殘餘熱毒，休養三日，就可以完全復原了。」說完話，緩緩從懷中取出一根銀針，又道：「你們哪個精熟人身穴道？」

徐元平暗想：此女既然精通醫術，不知何以竟不肯親自動手，我雖得慧空大師講述過人身各處穴道，但這用針救命之事，有不得毫釐之差，萬一用針偏了錯了，誤了丁玲性命，豈不成終身大憾之事。一時之間，左右為難，呆呆地開不出口。

查玉眼瞧徐元平猶豫不言，微微一笑，接道：「在下略通人身脈穴之理，不過，對於針灸之術，卻是一無所知……」

紫衣少女一伸皓腕，把銀針送到查玉面前，接道：「別說啦，你只要精熟脈穴，那就不會有錯。」

查玉接過銀針，蹲下身子，聚精會神地瞧著丁玲，暗自分辨她身上穴道。

但聞那紫衣少女脆若銀鈴的聲音說道：「第一針扎她的任脈『玉堂』穴。」

查玉對準丁玲「玉堂」穴的部位，微一沉腕，三寸六分長的銀針刺入丁玲「玉堂」穴中一半。

紫衣少女輕輕一顰黛眉，又道：「針不及脈穴主道，如何迫出熱毒……」

查玉不待那紫衣少女說完，握針雙指微一用力，銀針盡刺丁玲的「玉堂」穴中。

紫衣少女嫣然一笑，讚道：「你很聰明，第二針扎她的督脈『商曲』穴。」

查玉依言施針，又扎了丁玲的「商曲」穴。

紫衣少女連聲喊道：「第三針扎她少陽膽經『五樞』穴，第四針扎她太陽脾經『腹結』穴，第五針扎她少朋心經『天突』穴。」她一口氣喊出三經三穴，查玉依言用針，竟然能分經認穴，毫無錯誤。

紫衣少女取回查玉手中銀針，笑道：「好啦，現在你們可用本身內功真氣，助她行開凝結的血脈，迫出熱毒，她就可以清醒過來啦。」說完，轉身緩步而去，走到山崖旁一塊巖石之上坐下。

查玉轉臉瞧了那紫衣少女的背影一眼，回頭對丁鳳說道：「丁二姑娘請扶起令姐身體，好讓在下試行運氣迫散她體內熱毒。」

徐元平大踏一步，攔住查玉說道：「這個不敢再勞查兄出手，讓兄弟試試吧！」

查玉微微一笑，向後退了三步，轉眼向那紫衣少女望去，只見她星目神凝，呆呆地望著陣外，不禁隨著她目光瞧去，一望之下，怒火大起，冷哼一聲罵道：「好辣的手段。」

徐元平已經盤膝端坐，暗自運氣，聽得查玉冷哼之聲，不覺睜眼向陣外瞧去。

只見混海神龍秦安奇拳腳齊施，擋住了鐵扇銀劍于成手下之人，卻命自己屬下搬取了很多枯草乾枝，堆在竹石陣外。

徐元平因精神全貫注在療治丁玲傷勢之上，竟然沒有發覺，現下瞧去，陣外已然堆積了不少枯枝乾草，而且還正在源源運集。

忽見那紫衣少女站起身子說道：「我這竹石陣雖可擋人，但卻無法擋火，現在還來得及，你們出陣逃命去吧！」

查玉聽得心中一動，暗自忖道：你陣中變化難測，一進入陣，無異投身天羅地網之中，不被火燒死才怪……

那紫衣少女目光一掠查玉，似已瞧出他心中所思之事，冷笑一聲，又道：「聽我口中指示行動，決不會把你們困入陣中，再不走，就來不及了。」

在這等情景之下，徐元平自是無法再運氣迫出丁玲體內熱毒，霍然起身，高聲說道：「姑娘這竹石陣既然難擋住火攻，爲什麼不和我們一起出陣？」

紫衣少女淡然一笑道：「我不要緊，你們快些走吧。」

徐元平還待勸說，那紫衣少女已緩步直走過來，接道：「入陣之後，先向左面橫跨三步，

再向前走兩步，以後行動聽我口中指說，就不會被困入陣中了。」

此女說話神情，十分冷傲，徐元平不覺心生怒意，轉臉對丁鳳說道：「咱們走啦。」大步向竹石陣中走去。

丁鳳躬身對那紫衣少女福了一禮，道：「多謝姑娘救我姐姐。」伏身抱起丁玲，隨在徐元平身後向陣中走去。

查玉略一思忖，抱拳說道：「姑娘既有防禦火攻之能，在下就此告別。」

他幼受父蔭，成名江北道上，且以不喜美色自豪，現下雖爲那紫衣少女的絕世容色傾倒，但要他說幾句頌讚傾慕之言，卻又感難以出口，就此而別心又未甘，以他的過人機智，想了半天，才想到兩句既含傾慕又不露骨的話，說完之後，也不敢回頭瞧那紫衣少女反應神情，霍的轉身隨在丁鳳身後而行。

紫衣少女微微一笑，高聲說道：「四位慢走一步……」

忽聞呼然一聲，竹石陣中飛起一片沙石塵土。

原來徐元平對這竹石陣困人之事，一直耿耿於懷，竟然不肯聽那少女之言，直向陣中衝擊，哪知入陣兩步，忽覺眼睛一花，景物突然一變，放眼一片漫無邊際的竹林、巨巖，不禁心頭火起，暗暗想道：明明是一塊數丈方圓大小竹枝插成的陣圖，怎的會變成這樣一片一望無際的竹林，那紫衣少女，定然會什麼障眼法之類邪術。飛起一腳，向一塊巨巖上面踢去。

他因早知那幻化的巨巖，只不過是一塊飯碗大小的山石，是以踢出的一腳，用足了八成勁力，在他想來，只要踢飛了一塊山石，就不難破除她的障眼之法，哪知一腳踢出，眼前的巨巖突然消失不見，一腳踢空，身子不自主地向前一栽。

定神瞧去，眼前仍然是一片無際的竹林、巨巖，不覺怒火更熾，憤念一動，靈智立閉，揚手一掌，向巨巖之上劈去。

他此時功力，已極深厚，憤怒之下，更是全力施爲，一股強勁的劈空掌力撞擊地上，激起一片沙石塵土。

可是沙飛塵揚之後，景物依然如舊，眼前的竹林、巨巖，仍然屹立無恙。

他乃生性高傲，不肯服輸之人，眼看踢出的一腳、劈出的一掌都未收效，心中更是惱怒，正待向前奔閃，忽覺衣袖被人抓住一扯，他怕衣袖被人扯破，立時隨那一扯之勢，向右跨了兩步。

但見艷陽當空，眼前的竹林、巨巖盡皆消失不見，丁鳳一手抱著丁玲，一手抓著他的衣袖。忽聞一個嬌脆的聲音，飄入耳際，道：「向前走五步，左轉三步。」

丁鳳害怕徐元平不肯聽話，用力抓住他衣袖，拖著他依言而行。

但聞那紫衣少女嬌若銀鈴般的聲音，連續不斷傳來，道：「右行兩步，前進四步，左轉一步，再往前走……」

幾人在那紫衣少女指示之下，不過片刻工夫，已出了竹石陣。

十　古墓探秘

徐元平等出了竹石陣時，秦安奇已帶著屬下高手，把鐵扇銀劍于成的人打傷了兩個，餘下之人，不敢再戰，自行撤退，但因于成被困在竹石陣中，幾人也不敢走得過遠，守候在數丈之外，瞧著情勢變化。

秦安奇已下令屬下把枯枝乾草堆積在竹石陣外，準備放火。

徐元平當先出陣，縱身一躍直飛過去，遙空一掌，劈向那點火之人，慘叫之聲隨起，那點火大漢的雄壯身軀和一堆乾草枯枝，同時飛向空中，摔出丈餘遠近，山風吹襲中，千百斷草，飄蕩空中，撒落了數丈方圓。

徐元平一掌震飛那點火之人，雙腳落著實地，大踏步直向秦安奇走去。

秦安奇只道他要動手，便暗中運集功力，蓄勢相待，哪知徐元平相距他四、五尺時，陡然停下腳步，說道：「你乃一方霸主身分，豈可乘人之危，如若傳到江湖之上，不知你還有何顏見天下英雄。」

幾句話義正詞嚴，說得秦安奇大生羞愧，略一思忖，道：「閣下說得不錯，不過這些人都是江湖上出了名的魔頭，凶殘成性，對付這些人，本不該有什麼忠厚之心……」

徐元平冷笑一聲，接道：「在下生平之中最恨僞善行惡之人、暗算傷人之事。」

查玉擔心秦安奇一把火燒死那紫衣少女，插嘴接道：「江湖之上雖有黑、白兩道之分，但乘人之危，總非男子漢的行徑，何況這竹石陣，又非你秦總寨主布設，借人之力，以逞排除異己之能，只怕要留給江湖同道笑柄。」

秦安奇冷哼一聲，道：「查家堡蜂尾針，名列江湖上五大絕毒暗器之一，早已爲江湖同道唾棄，難道就不怕爲人恥笑嗎？」

查玉笑道：「蜂尾針雖然絕毒，但卻是憑借真實的本領打出，再說真正本領高強之人，也未必害怕暗器。」

秦安奇道：「這麼說來，查家堡的蜂尾毒針，算是正大光明的暗器了？」

徐元平怒道：「哪來的這麼多話，快叫你屬下把那堆積在陣外的乾草枯枝搬開。」秦安奇冷笑一聲，道：「我要不搬呢？」

徐元平道：「那就你也到竹石陣中去，試試什麼味道。」

陡然縱身一躍，飛落到秦安奇的身後，呼的一掌，直劈過去。

秦安奇雙掌平胸推出，硬接了徐元平一掌。

兩股強勁的潛力一接，秦安奇突覺全身氣血一湧，不自主地向後退了三步。

徐元平大喝一聲，說道：「再接我一掌試試。」第二掌隨著劈擊出手。

秦安奇萬沒想到，對方一個年不及弱冠的少年，竟有這等驚人的深厚功力，接下了第一掌，心中已自大感驚駭，目睹徐元平第二掌來勢，較第一掌尤爲凶猛，哪裡還敢硬接，側身一閃，讓避開去。

徐元平心懸丁玲傷勢，存了速戰速決之念，一見秦安奇不再硬接自己掌勢，立時欺身而進，舉手一掌拂去。

混海神龍秦安奇側身一讓，呼的一掌「直搗黃龍」當胸擊來。

徐元平自和神丐宗濤在荒廟之中，經過一番搏擊之後，對敵經驗，已然長進了不少，目睹秦安奇一拳擊到，故作閃避不及之狀，身子向後一仰，下盤完全暴露在敵人拳勢之下。秦安奇如何肯放過這傷敵的機會，倏的沉腕，拳勢下沉，由直擊變成下打，猛向徐元平的小腹之上劈下。

忽見徐元平身子一轉，右手疾如電閃般橫裡直抄過來，秦安奇只覺擊出右拳腕上一麻，脈門要穴已被徐元平扣制手中，在場的洞庭湖總寨高手，眼瞧總寨主在不到三回合之間，已爲對方擒拿住脈門要穴，個個心生驚駭，臉上變色。

只見徐元平拖著秦安奇走到竹石陣邊，停下身子，扣制秦安奇脈門要穴的右手不放，左掌卻頂在秦安奇後背之上，口中大喝一聲，左掌向前一推，把混海神龍秦安奇推入竹石陣中。

徐元平生擒秦安奇的凜凜神威，震住了全場之人，洞庭湖總寨中雖有八個高手在場，但此刻卻無一人出手來搶救。

直待徐元平轉過身來，八人才呼嘯一聲，蜂擁而上。

查玉大喝一聲：「站住。」橫跨三步，冷冷說道：「哪一個想試試查家堡蜂尾毒針，就請上來。」

八人都是久走江湖之八，已久聞查家堡蜂尾毒針之名，聽得查玉一喝，果然無人敢搶先而行，一時之間全都呆在當地，彼此相望，誰也不肯首試毒針。

查玉微微一笑，揚了揚控在手中的蜂尾毒針，道：「閃開！」

八人果然分讓開一條路來。

查玉回頭望了望徐元平道：「徐兄請走前面，這般雞鳴狗盜之輩，讓兄弟來應付吧。」

徐元平讚道：「查兄盛名，果不虛傳，兄弟佩服至極。」大踏步當先由八人之間走過。

丁鳳抱著姐姐緊隨徐元平身後而行，查玉手控蜂尾毒針走在最後，八人震懾於查家堡蜂尾毒針的威名，眼看著三人昂首挺胸而過，不敢出手攔截。

三人走入了雜林之時，徐元平陡然停住腳步說道：「丁玲姑娘的傷勢，不宜延誤時間太久，就在此處先替她療好傷勢再走吧！」

丁鳳望了徐元平一眼，緩緩坐下身子扶正丁玲嬌軀。

徐元平瞧著查玉說道：「查兄此刻請替兄弟護法，我要給丁玲姑娘療傷。」

查玉笑道：「徐兄儘管放心吧。」

徐元平說畢，微微一笑，盤膝坐下，暗中運氣，直待丹田熱氣上升，才緩緩伸出右手，抵住丁玲後背的「命門」穴上。他此時的內功，已極精深，手掌一觸及丁玲背心，熱流立時滾滾循臂而出。

不到一頓飯工夫，忽聽丁玲嬌懶無力地喊道：「熱死我啦！」慢慢地睜開雙目，一陣山風

吹來，飄起她零亂秀髮。

丁鳳若悲若喜地喊了聲「姐姐」，撲向丁玲懷中。

丁玲在重傷後，清醒過來，全身酥軟無力，丁鳳這一撲之勢，叫她如何能承受得住，隨著丁鳳撲來的嬌軀，全身向後倒去。

徐元平剛剛收回抵住丁玲背上的右手，正準備站起身子，瞥眼見丁玲向後直掉過來，不自覺地伸出手來一扶，姐妹兩人的嬌軀，盡倒入徐元平的懷中。

丁鳳首先挺身躍起身子，伸手去抱丁玲之時，只見她閉目躺在徐元平的懷中，嬌吁喘喘，似是十分勞累，不禁微微一呆，蹲下身子，抓住丁玲雙手，叫道：「姐姐，你受了驚嗎？我見姐姐清醒過來，一時樂而忘形，忘記了姐姐傷後無力，真是該死。」

丁玲緩緩睜開眼睛，笑道：「不要怕，我不要緊。」

她仰臉望了徐元平一眼，又道：「妹妹，用力拉我起來。」

丁鳳手腕加勁抱起丁玲，扶著她站好身子，說道：「姐姐，三叔叔也來啦！」

丁玲微微一笑道：「他老人家在什麼地方？」

丁鳳道：「三叔父被困在竹石陣中……」

丁玲吃了一驚接道：「什麼？竹石陣能困住叔叔嗎？」

徐元平雙手一攤，大聲道：「糟糕，咱們還得回去找她。」

丁玲奇道：「找誰呀？」

徐元平道：「找那布設竹石陣的紫衣少女啊！」

丁鳳目睹徐元平焦急之色，說不出心中有一股什麼味道，衝口而出說道：「她把我們攆出陣來，還要去找她幹什麼？」

徐元平道：「她說開給你姐姐藥方，咱們忘記問她要了。」

丁鳳微一忖思，點點頭道：「對啦，那趕緊去，你順便要她把三叔叔送出來。」徐元平面現難色，沉吟不答。

丁玲雖然機智卓絕，但也沒法從兩人片段的談話之中，聽出事情經過，忍不住插口問道：「妹妹，什麼事，你仔細的說給我聽聽。」

丁鳳這時依言很詳細地把入陣替她療傷的經過說了一遍。

丁玲微一沉忖，才問道：「妹妹，你再仔細想想著，遺漏了什麼沒有？」

丁鳳道：「沒有啊！」

丁玲笑道：「那就趕快回去吧！她不是攆你們出陣，是要你們出來幫她把放火之人打跑或是殺掉，你們把秦安奇投入那竹石陣中，那是更合她的心意啦！」

查玉微感心頭一震，暗道：不錯，江湖盛傳鬼谷二嬌才智過人，看來是一點不錯了。

徐元平道：「你們姐妹在林中休息，我去討藥方去。」說完，轉身又向那竹石陣中走去。

丁玲想要見識那紫衣少女，手扶丁鳳香肩，強作精神，跟了過去。

徐元平回頭瞧了兩人一眼，一皺眉，但卻不便出言喝止，只好放慢腳步而行。

幾人到了竹石陣外時，那紫衣少女早已守在竹石陣旁邊等候。

丁玲手扶丁鳳左肩，欠身作禮，笑道：「謝謝姑娘救了我，此恩不知何時能報。」

那紫衣少女道：「不必啦，我已經從你們同伴身上取回報償了。」

右手竹枝一探，挑出來一塊白絹，又道：「這是藥方。」回身又向竹石陣中走去。

徐元平瞧那紫衣少女冷傲之態，氣得哼一聲，不肯俯身去撿。

查玉搶上兩步，探臂撿起地上白絹，抬頭瞧去，那紫衣少女也正回頭相望，和查玉目光相觸，不禁嫣然一笑。

她那盈盈一笑中，風情萬種，嬌媚橫生，連丁玲、丁鳳女兒之身，也覺得她那一笑有勾魂攝魄的魅力，叫人心頭怦怦亂跳，只有徐元平仰頭望天，沒有看到她的笑容。

那紫衣少女已轉身向前走了數步，查玉還在瞧著她背影發呆。

丁玲流目四顧，只見七個勁裝大漢，和查玉一般地呆呆望著那紫衣少女的背影出神，回頭低聲對丁鳳說道：「這少女的笑容嬌媚迷人，含蘊著無比的魅力，恐怕是一種邪門功夫……」

丁鳳接口說道：「奇怪呀，他爲什麼一點也不怕呢？人家都失魂的呆呆出神，他卻渾如不覺一般，絲毫不受感染。」

丁玲道：「他沒有瞧到，瞧到了還不是……」

忽聽徐元平大聲說道：「查兄，那白絹上可是給丁姑娘開的藥方子嗎？」

原來他低聲叫了查玉兩聲，查玉恍若未聞，不覺提高了聲音。

查玉如夢初醒一般，回頭道：「不錯，不錯，這白絹之上，正是她給丁姑娘開的藥方。」

那紫衣少女聽到了徐元平大叫之聲，當下又停下了腳步，回頭望著幾人。這次她沒有再笑，匀紅的嫩臉上一片莊肅之色，像一株盛放在冰雪絕峰上的梅花，傲骨霜姿，寒香冷艷，只看得陣外群豪，一個個垂下頭來，只覺她氣度清貴，高不可攀，不敢再抬頭望她。

丁玲歎口氣，道：「此女在片刻之間能夠連變兩種大不相同的神情，而且能使瞧她之人，都受強烈的感應，如非一種邪門功夫，哪裡能有這樣大的魅力，咱們快些走吧！別再瞧她啦，再等一下，她不知又要變了什麼新花樣了。」手扶丁鳳香肩，轉身緩步而去。

那紫衣少女目睹陣外群豪，都爲自己輕聲淺笑而如醉如癡，單單徐元平不爲自己變化的神態所攝，不禁心中大感氣惱，冷哼一聲，轉過身子，自言自語地說道：「我不信你是鐵鑄石造之人，全絕了七情六慾，總有一天，我要你跪在我面前求我。」

當她自動地停下腳步，轉身看時，徐元平、查玉和丁氏姐妹已然聯袂緩步而去。

查玉不停地頻頻回頭相望，丁氏姐妹也偶爾回顧一眼，只有徐元平挺胸而行，從未回頭望過一眼。

三人走過雜樹林，到了官道之上，徐元平突然停下腳步，望著丁氏姐妹說道：「那紫衣少女既通針灸之學，想來這藥方也不會有什麼錯誤，你們到了市鎭，就依她相囑之言，服藥後休養三天……」

丁鳳微覺心頭一震，接道：「怎麼？你不和我們一起走了？」

徐元平淡淡一笑，道：「我想到了三件重大之事，必須要早些去辦，就此向諸位告辭了。」

丁鳳道：「那麼，你要到哪裡去呢？」

徐元平低頭沉吟了良久，才抬頭答道：「這個請恕我暫難奉告。」

他回頭又瞧著查玉，說道：「兄弟有一件不情之請，不知查兄肯否答應？」

查玉道：「只要兄弟力能所及，決不推辭。」

徐元平道：「丁玲姑娘傷勢未癒，服藥後仍需休養數日……」

查玉笑道：「徐兄可是要兄弟守護丁玲姑娘，待她傷勢復原之後，再行離開，是也不是？」

徐元平道：「此本極難出口之事，但兄弟……」

丁玲望了查玉一眼，接道：「查少堡主想必有要事待辦，怎敢為我養傷之事延誤時間，現在就請把藥方給我吧，由我妹妹守在我身側已經夠了。」

查玉把手中半方殘帕寫成的藥方，交到丁玲手中，笑道：「既然如此，兄弟恭敬不如從命。」

丁玲接過藥方，瞧也未瞧地放在懷中，目光又轉投到徐元平身上，問道：「你就這樣走了，連你丟的東西也不要啦。」

徐元平沉吟了一陣，說道：「一時之間哪裡能找得著他，但我……」

丁玲接道：「你既然有急事要辦，那就訂個後會之期，如我把你失物追回，見面之時，就原物奉還，如若追不回你所丟的東西，亦把他行蹤查出。」

徐元平聞說，急答道：「我們三個月後，在和神丐宗濤相遇的荒廟中見面吧！」

丁玲道：「無論如何，屆時你一定要赴約。」

徐元平道：「大丈夫言出如山，只要我能活在世上，決然不會失約。」說完了拱手作禮，轉身而去。

丁鳳黯然神傷，望著徐元平大步而去的背影，幽幽問道：「姐姐，他爲了什麼事，要這樣急急而去呢？」

丁玲笑道：「一時之間我也猜不出來，但一定是要緊之事。」

查玉抱拳一笑，道：「鳳姑娘請照顧令姐早把傷勢療好，兄弟也就此告別，也許我們三、五天內，還能再見。」說完，也轉身而去。

丁玲暗中試行運氣，只感體內幾條經脈穴道似被堵塞一般，不能通暢，而且胸中隱隱作痛，趕忙停止運氣，轉頭瞧去，丁鳳仍然在望著徐元平的背影出神，不禁暗自歎息一聲，叫道：「二丫頭。」

丁鳳轉臉一笑，道：「姐姐叫我嗎？」

丁玲抬頭望望天色，說道：「三叔叔被困在竹石陣中，我又元氣未復，真不知該叫你做什麼好。」

丁鳳道：「我倒有一個主意，只是不知道是否可用？」

丁玲道：「說出來吧！如果不適用，我們再想別的法子。」

丁鳳道：「徐相公一向言出如山，我們求他救出三叔叔，我陪你去療傷……」

丁玲搖頭道：「不行，他忍受不了三叔叔的冷漠之氣，三叔叔也是看不慣他的倔傲神情，

別說不會答應，縱然他答應下來，也是一場麻煩的事。」

丁鳳道：「那要怎麼辦呢？」

丁玲道：「眼下之策，只有一條，你帶著藥方到市鎮上替我買藥，我在附近找處可容藏身之所等你，我服藥之後，在原地休息，你就立刻去救三叔叔出陣。」

丁鳳道：「姐姐傷勢未癒，留此有害無益，不如我先把你送到市鎮上，找處客棧休息，我再回來救護三叔叔也是一樣。」

丁玲道：「我傷勢很重，行動遲緩，你帶著我走需時甚久，快些自己去吧！」轉頭望著路旁一株高大的虬松，又道：「那株虬松枝葉密茂，足可藏身，你快把我送到那裡。」

丁鳳吃了一驚，道：「什麼？」

只見丁玲這時已轉身緩步向前走去，她只好急奔一步，扶著她向那株虬松走去。

兩人走到那虬松之下，丁玲揚手指著一處枝幹交錯之處，說道：「你把我抱上樹，快些買藥去吧！」

丁鳳縱身上樹，雙腳勾住枝幹，倒垂而下，抓住丁玲衣服，用力一提，把丁玲提了上去。

丁玲選擇了一個位置坐下，笑對丁鳳說道：「快去替我買藥，最好別讓人瞧到你。」

丁鳳答應一聲，躍下虬松放腿疾奔而去。

丁玲吃力的移動一下身子，背靠在一枝粗大的樹幹上，閉目養息，但她腦際中卻雲集了千百事端，雖然她知道此刻嘔心瀝血去想事情，對自己尚未復元的傷勢，有著極大的妨礙，但不能不用心去想。

她已瞧出眼下發生之事，異常重大，群雄齊聚洛陽的局面，不只關係著今後鬼王谷在江湖上的聲譽地位，而且牽扯著今後的武林全局，一步失算，即將落得終身大憾。

她暗暗的歎息一聲，自言自語的說道：「丁玲！丁玲！你一生自負才智過人，江湖之上，也都稱頌鬼谷二嬌的聰明超人，今日你如不能想出一個法子，箝制群雄，取得那南海門下奇書，豈不要被人恥笑……」

且說徐元平大踏步向前走了一段路程，突然心生不安之感，暗自責道：「一個人做事應該有始有終，豈可虎頭蛇尾，練武之事，也不在三五日時間之爭，丁玲傷勢未癒，那紫衣少女仍在被困在陣中，你這般撒手一走，豈是大丈夫的行徑……」

徐元平只顧自引咎自責，舉步上山，亦不自覺，直待到了峰頂，被勁急的山風一吹，人才清醒復常。回頭眺望，遠山連綿，哪裡還能瞧到丁鳳的影子。

徐元平呆呆地站在峰頂上，想著連日來的際遇，心中感慨萬千。

深秋的風吹飛著他的衣袂，他望著雲天出神，腦際中又浮現出恩師被害的淒涼景象，復仇的怒火，驟然間在胸中燃燒起來，只覺胸中氣悶難忍，不覺仰天長嘯。

原來他自從和神丐宗濤在那荒廟中一番苦戰之後，不僅增長了很多對敵經驗，而且體會出很多武功要訣，這些存於他胸中的武功要訣，使他很自然地生出了一種求進步的衝動，只因沒有找到那綠衣女人，無法療治丁玲的傷勢，使他念念難忘。待丁玲受那紫衣少女針灸之術開活穴道之後，學習武功的衝動，又在他心中迅速地展開、蔓延，終至難以壓制，才匆匆向丁氏姐妹告別而去。

徐元平也不知怎樣地，當下不自知地逐漸加快了奔行的速度，但是他腦際中卻盤旋著各種武功修習方法。

徐元平只想到急於要找一處人跡罕至、適合他修習武功的僻靜所在，但一路上又不知留心尋找，一口氣奔出了十幾里路，到了一片古柏聳立、陰風森森的所在。

由於眼前景物的大變，使他沉醉於思索武功要訣的心緒，忽然一清。

定神望去，只見荒墳纍纍，殘碑斷碣，原來已經到了一片極大的荒墓所在。

這片荒涼的墓地，足足有二十畝地大小，四周古柏環繞，一片濃蔭，更增加了墓地荒涼恐怖的氣氛。

徐元平雖然覺著這地方過於陰森荒涼，但他卻又想到這深山荒墓所在，常人決不會來，倒不失爲修習武功的好地方，不自覺間，緩步向裡走去。

且說丁玲閉目想了一陣眼前之事，忽覺氣血轉運不暢，疲倦難支，心知再不放下心中思索之事，好好地休息，只怕傷勢要急轉惡化，趕忙排除心中雜念，凝神澄慮，閉眼休息，果然精神又逐漸好轉。

她輕輕地歎息一聲，拂掠一下垂在鬢邊的散髮，緩緩地向前爬去，立時在一處枝葉密茂的所在，隱住了身子。她在事先早已相度好了的四周形勢，選擇的隱身所在，位置極好，放眼可見數里內的景物。分開枝葉瞧去，但見四周山勢起伏，十分靜寂，那竹石陣所在的景物，卻因中間相隔著一片雜林，無法看到。

她凝目想了一陣，輕聲地自問道：「難道我的推想錯了嗎？」

正自懷疑的當兒，忽見一股濃煙，直沖而上，以方向距離推斷，正是那紫衣少女布設竹石陣的地方。

丁玲被這意外的變化所震駭，身軀在樹枝上顫動了一下，幾乎由樹上跌了下來。

她想被困在竹石陣中的三叔父，可能會被這一把野火燒死……但她傷勢未癒，別說下去營救，就是想跳下樹去，也非要被摔傷不可，心中空自焦急，但卻無法可想。

她此刻唯一的希望，是妹妹早些拿藥回來，於是，不住地回頭張望。

當丁玲目光重又投向起火方向時，卻見四、五個身著勁裝的大漢疾奔過來，因爲相隔距離遙遠，她無法看清楚那些面貌，但她乃心細如髮之人，凡事一經過目，均能深留腦際，隱隱辨出那些急奔的勁裝大漢，正是剛才守在竹石陣外的人。

她微一沉思，立時了然是怎麼回事，罵道：「江湖上盛傳查玉陰險之名，看來果然不錯，中原綠林水陸兩道上的總瓢把子，鐵扇銀劍于成和混海神龍秦安奇、千毒谷的冷公霄、還有自己三叔父，這幾個在武林中極負盛名高手，看來都要葬送在查玉一把野火之中了……」

正自忖思當兒，忽見閃電手查玉和那紫衣少女，並肩從那雜林中走了出來。這一發現，使丁玲更證實了自己的判斷沒錯，那一把野火確爲閃電手查玉所放。

兩人走得很慢，但卻是對著自己停身的虬松而來，不禁心頭一駭，暗道：如若被查玉發現自己隱身在松樹之上，今番定難逃出他毒手，縱然是妹妹及時趕了回來，只怕也不是查玉的敵手……

她此刻心中異常的矛盾，既希望妹妹早些回來，去救三叔，又怕妹妹回來了和查玉碰上。

但見兩人愈走愈近，不大工夫，已到了丁玲棲身的虬松之下。

她藉著濃密的松枝掩遮，看到那紫衣少女的臉色異常莊嚴，似乎根本未把查玉放在眼中，昂首行來，旁若無人。

查玉臉上的神情，卻是陰暗不定，時常變化，時而愁眉苦臉，時而默然微笑，滿面春風，也不知心中在想的什麼事。

紫衣少女走到虬松樹下之後，突然停下腳步，背對查玉而立，問道：「你要我到這裡來有什麼事？說吧……」言詞之間極其冷漠。

查玉仰首望天，深深地吸一口氣，又輕輕咳了一聲，問道：「十年之前，南海奇叟帶著一位姑娘，闖入衡山英雄大會，當著天下英雄之面，大駁中原武學，那位姑娘可是……」

紫衣少女冷笑一聲，道：「不錯，就是我，你要怎麼樣？」

查玉道：「這麼說來，在下失敬了。」

紫衣少女道：「你那些朋友呢？他們到哪裡去了？」

查玉道：「這個？我也不清楚……」他微微一頓，突然提高了聲音道：「姑娘既是南海門之人，想必知道那本南海門下奇書在哪裡了。」

紫衣少女突然轉過身來，兩道眼神盯在查玉臉上，微微一笑，緩緩說道：「我們那南海門的奇書，待你們大江南北的高人會齊之後，就拿出來，讓你們見識見識。」

紫衣少女的笑容大異常人，臉上神情逐漸變化，似是每一細小的部分都受著控制，眼睛、眉毛、櫻唇和玉頰上兩個深深的梨渦，各成一體，像是百種不同顏色的花朵，一齊盛放，組成無與倫比的嬌媚，真個是傾城傾國，百媚橫生。

查玉只覺她那笑容之中，含蘊著勾魂攝魄之力，瞧得心頭怦怦亂跳，哪裡還記得南海門奇書之事，目凝神呆，腦際中一片空白。

丁玲隱身在松樹之上，大氣也不敢出，只怕查玉聽到，但聽兩人久久不言，忍不住輕輕分開松枝，向下一瞧，只見查玉呆呆望著那紫衣少女出神，如同酒醉一般，不禁心中大感奇怪，微微探頭一瞧，慌忙又別過頭去。

她雖是女兒之身，但也不敢多看那紫衣少女臉上笑容。

只見那紫衣少女櫻唇啟動，一縷清音，婉轉而出，道：「你可是想瞧瞧我們南海門中的奇書了嗎？」

查玉茫然地搖搖頭，卻是答不出話，其實他心中空空洞洞，根本不知要答些什麼。

紫衣少女臉色突然一整，柳媚花嬌般的笑容，忽然消失不見。

查玉如夢初醒般，一舉手拍了一下腦袋，道：「在下久聞南海門奇書之名……」

紫衣少女不待他把話說完，立時接口道：「所以你想瞧瞧那本奇書上面記載一些什麼武功，是嗎？」

查玉怔了一怔，道：「姑娘聰明絕倫，猜得一點不錯。」

紫衣少女微一頓後，道：「我們南海門下奇書，裡面用了回文、藏文、天竺文和漢文寫

成，就是給你看看，只怕你也看它不懂。」

查玉微一沉吟，道：「這麼說來，姑娘是看得懂了。」

紫衣少女道：「天文地理，醫卜星算，我都知道一點，你儘管想難題問吧！」

查玉聽她口氣愈來愈大，忽然激起好勝之心，暗道：我不信你一個十、八九歲的女孩子家，真能有這等本領，微微一笑，說道：「咱們打一個賭好不好？」

紫衣少女聞言答道：「不用說啦！我要是輸了就把我南海門奇書送給你，你要是輸了怎麼辦？你自己說吧！」

查玉暗暗吃了一驚，忖道：此女果然厲害，句句字字，無不是我想說之言。便微笑說道：「我如輸了，就不再存瞧你那南海奇書之心。」

紫衣少女冷漠一笑，說道：「這般重的誓言，你就不覺著太吃虧了嗎？」

查玉看她說得認真，暗道：不錯，如你所說是真，我這誓言倒是立得很重……

正待開口，那紫衣少女已搶先說道：「你現在已經感到有些後悔了，是嗎？不過不要緊，此地只有我們兩人，只要我不對別人說起，別人哪裡會知道你說過之言不算呢？」

查玉沉吟半晌，才道：「我們既是打賭，我如不……」

紫衣少女笑道：「我此刻還是替你想了一個最便宜的賭法，贏了可得去我們南海門下奇書，輸了對你毫無損失。」

查玉怔了一怔，道：「姑娘先請說出，讓我斟酌再說。」他已覺出對手聰明絕倫，不敢再作輕易承諾。

紫衣少女微微一笑道：「這辦法最是便宜，你要是輸了，每次見著我時，就陪我談上幾句親熱知心之話……」

查玉聽得呆了一呆，道：「什麼？」這等便宜的打賭，正是他夢寐難求之事，他幾乎懷疑自己耳朵聽錯了。

紫衣少女笑道：「怎麼？我剛才說得太重了嗎？」

查玉暗暗想道：如你是由衷之言，我要寧可輸了。

紫衣少女忽的媚然一笑，又道：「你先別太高興，只怕你沒有本領贏我。」

查玉暗暗想道：好大的口氣，她這麼說，倒是要出一個難題，來難她一難的。

紫衣少女一看查玉的神情，似已猜出他心中之言，當下說道：「你最好想個最難的題目，難我一下試試……」

此言一出，又激起查玉的好勝之心，暗道：舉世萬千學問，我不信你能件件皆通。心中雖有此想，但他已知對方才華絕倫，如若說出的問題，被人隨口答出，那可是太不光彩之事，一時之間，竟然想不出極難的題目，而默然沉思起來。

紫衣少女緩緩坐下，笑道：「你慢慢的想吧，我要先休息一下了。」說完，背倚虬松，閉上雙目。

再說徐元平緩步走入那荒涼的墓地之中，觸目荒草蔓延、殘碑林立，心中忽生淒涼之感，暗道：縱然英雄一世，死後也不過落得荒草掩骨，世人爭名逐利，一生奔忙，實乃乏味無聊之

至。一念及此，豪氣大消，不禁一聲長歎。

抬頭望去，只見自己正停身一座奇大的青塚之旁，身後緊依一個丈餘大小的石翁仲，面前豎立著一塊高大的石碑，雖然殘破，但字跡仍隱隱可見。

只見旁側兩行小字寫道：「海內無知己」、「天涯只一人」，中間三個大字「獨之墓」，因頂端一片墓碑破去，不知上面寫的什麼？

徐元平端詳墓碑一陣，只覺此人口氣托大之中，隱含無比的淒涼，不禁歎息道：天下這等遼闊，千千萬萬之人，此人竟連一個知己也找不到，我雖然際遇不幸，父母含冤而死，但卻有恩師把我撫養長大，慧空大師傳授了武林中人夢寐難求的武功，丁玲、丁鳳照顧我療養傷勢，查玉對我百般遷就，誠心相交，看來我比此人幸運得多。想到感傷之處，不禁對著墓碑深深一揖，說道：「老前輩一生之中，遇不上一個知己，那當真是天下最為傷心之事，如果在下早生幾十年，定當和你交個朋友。」

忽然間腦際突掠一個奇想，暗自忖道：此人活時未遇著一個知己，死了之後，定然也是一個人長眠地下，不如我守在這裡陪他一些時日，也可聊慰他泉下陰靈呢。

心念一動，立時舉步向前走去，越過墓碑，到了那奇大青塚前面。

荒草蔓掩的青塚前面，有一座青石的供台，供台上放著一個黑鼎。

那青石供台，已為風雨侵蝕得片片斑痕，但台上黑鼎卻不知何物做成，依然完好如初，毫無半點損傷痕跡。

徐元平繞過供台．緩步繞行那青塚一周，只覺此墓之大，生平從未見過，心下暗道：這人

生時沒有親友，死後卻建了這樣一個大墓……看來墓中之人，雖然孤獨一生而終，但定是出生在豪富之家。他心中胡思亂想，人卻又走向那供台前面。

只見那黑鼎之中，一片晶瑩水光，幾枚青翠的柏葉，靜止在水中動也不動。

徐元平看得十分奇怪，不覺探手向鼎中摸去，只覺手觸處一片堅硬、奇寒，原來那黑鼎中的蓄水，都已結成了冰，落在鼎中的柏葉，都被凍結在堅冰之中，是以看去都靜止在水中不動。

他自幼在顛沛窮困之中長大，很少瞧到過珠寶古玩等名貴之物，雖然覺出那供台黑鼎寒涼得奇怪，但卻未把它放在心上，抬頭瞧去，艷陽當空，深秋季節中的太陽，餘威猶存，不知何故那黑鼎中的積水，竟然能結成冰，而且經歷了一天的太陽，仍不化去。

他想了又想，終想不出個所以然來，這念頭又使他的好奇心動，不覺伸手向那黑鼎摸去。

徐元平只覺觸手生寒，一股冰冷之氣，振臂而上，不禁心頭大吃一驚，慌忙縮回伸出的右手，退了兩步，望著那供台上黑鼎發呆。

這當兒，那虬松之下，查玉正在挖空心思索想題目：他既怕輸，又怕贏，題目出得太難，對方答不上來，由此雖能得到天下武林人物個個夢想的南海奇書，但卻沒法得親玉人芳澤；如若題目出得太容易，對方不用思索就答了出來，又怕對方看不起自己。想來想去，想不出一個適當的題目。

紫衣少女似是已等得不耐，忽的睜開星目，緩步由查玉身側走過，坐在他對面一塊山石之

上。忽覺臉上一涼，一點水珠，滴在臉上，不自禁伸手撩去。

查玉正在貫注全神索想題目，竟未瞧見那紫衣少女動作。

紫衣少女聰明絕倫，一聞手上氣味，立時辨出是人身汗水。緩緩起身，繞到查玉身後，側臉望去，只見一個身著黑衣的少女，伏在松幹之上，長髮散垂，神情間似是異常痛苦，瞧了一眼，立時辨出正是自己剛才相救的鬼谷二嬌之一，微一沉忖，大聲問：「你想了這樣長的時間，還沒有想出來嗎？」

查玉抬頭一笑，道：「姑娘胸藏玄機、武功、文才以及星卜神算之學，自是比在下高明，但不知是否通曉山川地理、武林奇聞等旁雜之學。」他自知真正學問一道，決無法難倒對方，故而狡言引入旁枝。

紫衣少女聽得微微一怔，道：「你說吧！我輸了就把我們南海門中奇書相贈。」

查玉微微一笑，道：「我們中原武林道上，盛傳一件奇事，七十年前有一個貌美如花的女俠，武功極高，一顰一笑，無不醉人如酒，能使和她對敵之人，甘心棄去手中兵刃，束手受戮。但她生性冷酷無比，每當人棄去手中兵刃，拜倒石榴裙下之時，她就用一柄鋒利無比的短劍，緩緩的刺入那人前胸。」

說至此處，忽然心中一動，暗道：此乃傳誦我們中原武林之事，她哪裡會知道，只怕這一問，贏定了她，心中大生悔恨之感。

只見那紫衣少女微微一笑，道：「你是問『戮情劍』的出處來歷呢？還是問那持劍之人的出身，兩者只許選擇一題，你自己決定吧！」

紫衣少女此語一出，只驚得查玉呆在當地，半晌開不得口，想不到她竟連這等奇情異事，也能瞭如指掌，當真是博學廣聞，才華蓋世。

紫衣少女見查玉呆立在那裡，沉默不語，忍不住又追問道：「怎麼，這兩個題目竟這等難決定嗎？怎麼不說話呢？」

查玉乃是城府深沉，工於心計之人，當下接道：「這『戮情劍』的出處與那使用之人的身世，兩個問題原是一而二，二而一的東西，溯古就不能漏今，述今也必須引故，你如能答，就應詳詳盡盡的溯源述今的答，如二者只能答其一，也不能算作得窺全豹……」

查玉話還未完，那紫衣少女忽然眼珠一轉，格格一陣嬌笑，道：「你這個人倒是一肚子鬼主意，剛才是又怕輸又怕贏的不敢出題目，現在你竟然又想以說古道今的來難我了。」

查玉心裡一怔，暗道：這真是邪門了，怎麼我心中所想之事，她竟全猜得一點不錯，看來此女的才智又不知要比鬼谷二嬌高出多少倍了……

紫衣少女望著查玉，道：「你也不要為難了，我就把這個問題全說出來好不好？」

她輕啓櫻口，正待說出「戮情劍」的故事，查玉突然伸手阻止，道：「且慢，在這等荒野之地你我二人打賭，不論誰輸誰贏，沒有見證之人，只怕……」

紫衣少女展顏一笑，道：「你不要怕我賴賬，證人早已到了。」說著又盈盈一笑。

查玉被這句話弄得大感迷惑，眨了眨眼睛，正想啓齒相詢，猛然間半空松葉一陣簌簌響動，忽的墜落下一個黑衣玄裳的人來。

查玉耳目原極聰明，聞聲驚覺，一見人影落下，還以為有人暗中施襲，猛一滑步，右手疾

吐，直向人影扣去。

就在查玉右手將觸及那人影之際，突然發覺這墜落下來的，竟是鬼谷二嬌中的丁玲，不覺心中一寒，知她必定是由樹上摔下，趕忙猛收勁力，招式急變，改扣為扶，正好將丁玲急墜而下的嬌軀攙扶了一下。

查玉右手扶托丁玲右腕，抬頭朝紫衣少女望去，卻見她羅袖掩口，星眸斜盼，在一旁吃吃偷笑，臉上無絲毫驚異之色，不由心中大感奇怪，心中忖道：她棲身樹上這事，難道你也早已知道了不成？

就在此時，突然在數丈之外，丁鳳手中提了一大包物件，飛躍過來。她也沒有來得及向二人問明情由，蹲下身子，抱住丁玲，低低地問道：「姐姐，你怎麼啦，怎麼好好的會跌下來呢？」她連問了丁玲兩遍依然未見回應。

原來丁玲在松樹之上，一聽二人提到了「戮情劍」，不由得連帶想起許多事情，一時間用腦過度，神耗心疲，只覺兩眼一陣昏花，便自樹上摔下，突然的下落之勢過於猛急，雖經查玉攙扶了一把，沒有跌傷，但丁玲卻也掉得不輕，是以人已昏迷過去。

丁鳳又在她耳邊叫了兩聲，還是不見她醒來，心裡一急，眼中隱現出濡濡淚光，向著紫衣少女道：「你開的藥是買到了，但她卻又昏了過去，真是急死人啦……」

紫衣少女冷冷笑道：「你也不要急，誰叫她不聽話，爬樹要爬得這麼高呢？」

丁鳳急道：「她人都昏過去了，你得趕快想法子救人呀！」

紫衣少女也不理丁鳳的叫嚷，俯身把丁玲看了一陣，道：「這是她不知自惜，耗去心力過

多，心火衝激了毒氣才會這樣，唉！本來就快復原的，這樣一來，勢必又得多延些時日了。」

說罷手支香頤，望著鬱鬱的蒼松，呆呆地出神。

再說徐元平在那墓前，望著黑鼎怔怔地發了一陣呆，恍然自悟，這黑鼎之中的積水在這陽光照耀之下，卻竟然能結成堅冰，想必這黑鼎必屬一種罕世的珍寶。

如此一想，不自覺又伸手摸撫了一陣，只覺觸手清涼，沁人肺腑，真是冰清玉潔，故此他在一時之間竟不忍釋手。曠野風嘯，荒草蟲聲，墓地更平添不少淒涼意味。

徐元平也隨著自然景色，心潮由洶湧漸入平靜，慢慢地進了物我兩忘的境界。

在渾然中也不知過了多少時間。這時萬籟俱寂，徐元平靈台淨明，猛然間似覺身側響起了一陣錚錚鏦鏦的響聲，宛如鳴金叩玉，其聲清越動人。

他定了定神，目光橫掃，四下搜望了一下，心中奇道：荒塚古墓哪來的這種聲音呢？好奇之心一動，立時用心側耳傾聽，那清脆之聲，竟是由墓中發出。

徐元平蹲身墓石貼耳一聽，立即辨出是一種清泉流濺之聲，淙淙不絕，音波均勻，似是一條小溪，橫穿墓底而過，不禁好奇之心大動，站起身子，繞行墓地查看，但見青草蔓延，掩蓋了全座巨塚，找不出一點可疑之處。

他仰望星月，呆呆地想了一陣，腦際忽然閃掠過一道靈光，暗道：此時已是深秋季節，嚴霜肅殺，樹木花草，大都已開始枯萎，爲什麼這座青塚之上，草色依然鮮艷碧綠，不見一枝枯草？

徐元平心中疑竇既生，萬千想法俱來，只覺這墓底之下異常古怪，忍不住一股好奇之念，湧上心頭，想道：怎生想個法子進入這墓中瞧瞧才好。

一念未息，突聞鳥羽劃空之聲，抬頭望去，月光下群梟紛紛向巨塚飛來，怪叫之聲，此起彼落，片刻間群集在徐元平停身的巨塚之上，盤旋飛舞不去。

徐元平心中雖然有些驚怖之感，但他卻又無法按捺下好奇之念，忖道：不知這些夜貓子繞飛在這巨塚之上做什麼？倒是要看它個水落石出。

念頭一轉，緩緩向後退去，隱身在墓碑之後，暗瞧群梟動靜。

但聞喳的一聲，一隻巨大梟鳥，陡然一斂雙翼，落在那供台黑鼎之上，然後昂首又是喳的一聲怪叫，振翼而去。

一梟飛去，第二隻立時緊隨而下，如法炮製，立在那黑鼎上，怪叫一聲離去。

盤旋群梟，似是久歷訓練一般，動作迅快熟練，不大工夫，已走得一隻不剩。

徐元平仰望天色，心中大感奇怪，不知群梟為什麼要各自在那黑鼎之上落著一下。

他乃毫無江湖閱歷之人，見聞甚少，心中雖覺可疑，但一時卻是想不出原因何在。

群梟散去，荒涼的墓地中又恢復一片死寂，徐元平默然沉思了一陣，忽然想到此行目的，是練習幾種體會出來的武功，這等荒費時間，豈不可惜，當下一提真氣，抱元守一，呼的發出一掌，遙向一株古柏之上劈出。掌勢勁道吐出，尚未擊中古柏，忽然一吸丹田之氣，把劈出掌力，倏然又收了回來。

一試成功了，豪情大動，掌勢一翻一轉，遙向一片柏葉之上擊去。強勁的劈空勁氣過處，

一大片斷枝落葉紛紛向外飛去，徐元平卻倏然一聲大喝，猛然一收丹田真氣，帶回擊出暗勁，四處橫飛的斷枝落葉，吃那回集的勁力一帶，倏忽間倒飛過來，一枝較大的枯葉，竟然直投手中，散枝枯葉，紛紛在身前飄落。

徐元平手握柏枝，暗自默誦《達摩易筋經》上一段原文道：「……精化氣，氣化神，神化虛，虛化三花聚頂，是謂無上大力，力欲意會，變化隨心，是謂小乘。」

他這般輕輕易易地把想到的一種武功，試演而成，心中既驚且喜，只覺自己武功上的成就，太過迅快，不知原因何在？難道自己當真是天賦奇稟，舉世第一的聰明之人不成……

萬千揣想，紛至沓來，湧上心頭，但仔細一想，又覺件件都似是而非……

忽然間，想起了慧空大師在授完武功後，閉目而逝的景象，一道靈光閃過腦際，暗道：他在幽室中六十年，依然故我，但在傳過我武功後，卻寂然而逝，這等推想起來，他定然把半生修為的養生保命真元之氣，暗中接納於我，此等天高地厚之恩，叫我如何報答得完……

但覺一股衝動的熱情，直湧心頭，熱淚點點，奪眶而出。

一陣山風吹來，使他從憂傷中清醒過來，但覺眼前一片夜色，不知何時，飛來一片烏雲，把天上星月遮去。

只見那供台黑鼎上，一片黑黝黝的光華，此物在星月照射之下，並無光輝放射，但在夜暗中，卻顯出一片油光，不禁好奇之心大動，緩步走了過去，雙手捧鼎，向上一拔。

在徐元平心想這座區區石鼎，還不是應手而起，哪知石鼎竟然文風未動，驚奇之下，隨手向右一轉。只聽一陣軋軋連響，供台忽然自動分裂成一座石門。

他乃生性衝動之人，也不考慮一下，舉步就衝了進去。

定神看去，眼前是條青石砌成的隧道，曲曲彎彎向裡通去。

徐元平略一猶豫，舉步向前走去，深入了七、八尺遠，隧道向左面彎去。

耳際間響起了一陣軋軋之聲，回頭望去，那供台裂成的石門，重又合在一起。

歸路既斷，索性放膽向前走去。這座古墓甬道之中，雖然陰氣森森，但卻毫無潮濕陰霉的氣味，似是有著很好的通風設備，但卻看不到一絲透出的天光。

轉過了幾個彎後，忽聽水聲盈耳，眼前橫跨著一道三尺寬窄的水渠，水勢湍急，顯然是外面進來的活水。

低頭瞧去，這渠道足足三尺以上的深度，但水面距渠不過兩、三寸樣子，這般湍急的奔流日夜不停流著，不知排流何處，甬道和水渠，都用極堅硬的青石砌成，工程甚爲浩大驚人。

他驚奇地感歎一陣，舉步跨過水渠，向前走去。

甬道雖然左彎右曲，走來使人迷失方向，但幸好只有一條。

又轉了兩個彎，眼前突然大亮，一片寶光，耀如白晝，狹窄的甬道，至此也突然開朗，成了一座兩間房子大小的石室，四壁光滑如鏡，一片潔白，也不知用什麼東西砌成，再經嵌在室頂的四顆寶珠一照，閃閃華光四映，滿室光亮如雪。

甬道至此而止，石室裡面有一扇緊閉的石門，寫著：貴客止步，下面署名孤獨老人。

室中陳列著不少珠寶古玩，件件都是價值連城的珍品，一紙白箋，壓在一把翠玉尺下，上

面寫道：到此之人皆有緣，寶物隨意收撿，勿存貪心，只限選取一件。

徐元平鑒賞了一陣，只覺每一件都是自己生平未見之物，心中暗自笑道：這人實在是孤獨得可以，自己既然死了，還要把這些珍貴珠寶深藏墓中，當真是世上就沒有值得愛顧之人嗎？

徐元平觸景生情，忽然又想到了一種武功，當下便盤膝而坐，運氣調息。

這當兒，在他停身的石室上面，鐵扇銀劍于成帶著兩個屬下望著那矗立的巨墓呆呆出神。

徐元平無意中旋開巨墓的機紐，深入古墓之中，但他卻不知把旋動的機紐重歸復原，石門雖然已閉，但全墓中的埋伏，已自緩緩發動。

這是座構造奇巧、曠絕天下的建築，數百年前曾有十二個名滿天下的土木巧匠，爲它嘔盡心血、耗盡智力而死，任何人沒有它建築的原圖，也無法自由出入，除非那十二個建築這孤獨之墓的工匠同時復生。

鐵扇銀劍于成，經常在中原數省地面上走動，雖是荒山僻野亦極熟悉；他擄得那紫衣少女之後，原本打算把她押解到這荒墓之地，迫她交出南海門下奇書，或是留作人質，通知「碧蘿山莊」以書換人，哪知中途全局大變，紫衣少女借徐元平和查玉相護之力，擺下竹石陣，把冷公霄、于成困入陣中……

于成脫出圍困之後，帶著僅餘的兩個屬下，落荒而走，知此地荒僻無人，準備休息一下，再籌謀奪書之策。

哪知走近那巨塚之時，忽然發現供台上放的黑鼎，竟然自行在緩緩轉動。

饒是他鐵扇銀劍于成久走江湖，見聞博廣，也不禁大吃一驚，揉揉眼睛定神看去，一點不錯，那供台上的黑鼎確實在緩緩旋轉。

于成瞧了半晌工夫，不見其他變化，心神略定，重重地咳了一聲，緩步向前走去。

隨行兩人，一見總瓢把子走向供台，心中雖然害怕，但也不得不壯著膽子向前走去。

于成走到供台之後，不自覺地先伸手一按供台，正待再去摸那黑鼎，想瞧瞧何以此物竟能自己轉動，哪知手還未觸及黑鼎，忽聽軋的一聲，矗立在丈餘外處一個巨大的石翁仲，忽然向幾人停身的供台處疾衝過來，雙手捧舉的朝笏，疾如電火一般地擊下來。

于成武功高強，耳目靈敏異常。那石翁仲衝來的聲音雖然不大，但他已自驚覺，回頭望時，那石翁仲手捧的朝笏已急擊而下，他這一驚非同小可，慌向旁側一躍。

但聞一聲慘叫，一個站在他身後的屬下，被那石翁仲下擊的朝笏，打得頭骨碎裂，腦漿迸流而死。

于成一躍丈餘，腳落實地，回頭瞧去，只見那石翁仲擊斃屬下之後，向前疾衝之勢並未停住，直待衝到那供台前面，才倏然而止，于成不禁出了一身冷汗。

定神瞧去，另一個隨來屬下，已然被嚇得摔倒在地上，爬不起來了。

于成望著那倒臥在地上的屬下一眼，一語未發，暗自運氣調息。

他一面運氣調息，一面留神四周動靜，只怕再有什麼駭人的變化。運氣一周，心神漸定，開始用心去思索眼前發生的奇事。

忽聞軋的一聲，不禁心頭一跳，定神瞧去，只見那衝到供台前面的石翁仲又自動向後退

去。

這石人前衝之勢，迅如電光石火，但後退之勢卻是緩慢異常，足足有一盞茶工夫，才退回到原來的位置，剛才迅急擊下的朝笏，也隨著它向後移動的身子，緩緩歸了原位。

鐵扇銀劍于成轉臉望去，只見那供台上的黑鼎，仍然不停地緩緩轉動著。

鐵扇銀劍于成呆呆地望了一陣，腦際忽然閃過一個念頭，暗道：這座巨大青塚之外，建築了這等機關埋伏，墓內定然隱藏著什麼隱秘，那黑鼎不停轉動，想必是操縱這青塚附近埋伏的機紐。

心念及此，忽然生出好奇的衝動之念，仔細地打量了一下青塚附近的形勢，暗自想道：那石人只能衝到供台前面，我如躍到那巨塚和供台之間，它就無法傷害到我了。

這當兒，那個被石翁仲猛衝之勢嚇暈倒在地上的大漢，已自行清醒，急奔到于成身側，訥訥地說道：「總瓢把子，請恕……」

鐵扇銀劍于成全部心神都集中在推想那黑鼎之事，哪裡有心情聽他說話，低叱一聲：「站開一邊去。」縱身一躍，人已落到那巨塚和供台之間。

他已通過一次危險，乃提高警覺，腳落實地後，翻腕拔出背上銀劍，在附近地上敲擊了一陣，覺出無異，才重又還劍入鞘，蹲下身子，瞧著那供台上緩緩轉動的黑鼎，慢慢地伸出雙手，抓住黑鼎。

那黑鼎旋轉之力，十分強大，于成兩臂逐漸加到了四、五百斤的勁力，仍無法穩住那黑鼎轉動之勢。

他手中雖在抓著黑鼎，兩道眼神卻盯著丈餘外的石翁仲，怕它陡然衝上前來。

又過了一盞茶工夫，仍不見那對面石翁仲有所舉動，心中忽然大悟，操縱那石人的機關如不在供台之上，定然是在供台前面的草地中，只要人走到供台前面，或是碰到供台，觸發那操縱石人的機關，石人就立時衝了過來，看來這黑鼎和石人無關。

心意一轉，膽氣大增，雙臂潛運真力，想把那黑鼎旋轉之勢穩住。但聞一陣軋軋不絕之聲，由地下直傳上來，不禁大駭，趕忙放開黑鼎，準備躍開。

哪知雙手一鬆，突覺身子疾向地下沉去，眼前景物全失，一片漆黑。

這一驚非同小可，于成急提丹田真氣，雙足用力一蹬，向上躍起。

只覺下墜之勢，陡然加快速度，足下早已懸空。

但鐵扇銀劍于成究竟是久歷江湖之人，臨危不亂，一振雙臂，穩住下墜之勢，橫向一側躍去。只覺觸手處光滑如鏡，竟無攀掌著力之處，急忙一個轉身，向另一面壁間抓去，哪知手指觸處仍是無法用力，不覺氣餒，暗道：「完啦。」

原來四面盡都是光滑堅硬的石板砌成。

念動心灰。他此刻提聚在丹田的一口真氣忽散，下落之勢則立刻增快，忽感全身一震，腳落實地。

定神看時，只見自己正停身在一座一間房子大小的石室中，四壁都是光滑青石砌成，頂上隱隱浮起白光，瞧去和四壁顏色相同。

他呆了一陣，開始索想眼下處境，唯一的希望就是早些設法離此困境。

忽覺石室中空氣有著極輕微的波動，不禁心中大奇。

運足目力，四外瞧去，但見石壁依然，毫無異樣，心中暗自奇道：難道我被這一摔，摔昏了不成？閉目運氣，只覺經脈暢通，毫無受傷的感覺，抬頭看去，登時心頭一跳，原來頭上石頂，正自緩緩向下降落。

他雖是久經陣仗之人，卻從未遇到此等情勢，不覺心中大亂，運足功力，一掌向石壁擊去。一拳擊在石壁之上，但仍然絲毫沒有作用，反因用力過猛，震得腕骨生疼。

但見頭上石頂愈落愈低，已快碰到頭上，心知今宵無法逃得劫難，不禁黯然一歎，自言自語說道：想不到我鐵扇銀劍于成，不死於戰亂之上，卻埋骨在這墓底之中……

他雖已自知難逃此刻，但一種求生本能，卻使他不願坐以待斃，當下運足真氣，雙手向上一舉，托住那緩緩下落的石頂；那石頂下落之勢雖然緩慢異常，但卻沉重無比，于成用盡平生之力，仍無法抵得那石頂下壓之力，不知不覺間，身子隨著那石頂之勢蹲了下去。

大約有一盞茶工夫，于成已由蹲變躺，仰面臥在地上。他已累得筋疲力盡，索性不再掙扎，仰面而臥，閉目等死。

哪知等了一刻時間之久，仍不覺那石頂壓落身上，睜眼瞧去，石頂已自動停住下降之勢，相距身子，只不過三寸左右。

鐵扇銀劍于成這時只見那光滑的石板上，寫著十六個制錢大小的黑字，道：難得到此，歡迎之至，別怕壓死，當心餓斃。下署孤獨老人題。

于成看完之後，不由暗自罵道：這孤獨老人真個可惡，佈下這等陷阱，偏又不肯把人害死，躺在這裡活活餓死，常人也要七日以上工夫，會武之人豈不要半月以上時間！這半月的活罪，豈是好受的嗎？

他想到氣惱之處，不覺破口大罵孤獨老人。

他罵了一陣，自己也覺著好笑起來，暗道：這座巨塚，不知是幾百年前造成，造這巨塚之人，恐怕早已屍骨化灰，縱然罵破喉嚨，也沒有半點用處……

心念未息，忽聞一面石壁內傳出來喝問之聲，道：「什麼人大叫亂罵？……」

這聲音來得怪異已極，于成作夢也想不到，這數百年的古墓之中，裡面居然還有活人，一陣顫慄，出了滿頭冷汗。但聞石壁之上，傳過來一陣卜卜之聲後，又飄傳過來問話之聲道：「你可是誤踏機關，陷身在墓中的嗎？爲什麼不講話呢？」

鐵扇銀劍于成仔細分辨那傳來聲音，分明是由人口中發出，心中忽然一動，暗道：我到這巨塚之處，已非一次兩次，每次均未見有什麼可疑之處，單單今宵瞧到那黑鼎轉動。想必是此人首先觸動機關，陷落墓中，才害得我步他後塵，跌入此墓。他越想越覺自己推想不錯，不禁把一腔怒火全部還到那發話之人身上，一時之間，忘其所以，挺身欲起。但聞咚的一聲，頭撞在石頂上，只撞得一陣耳鳴眼花，鼻孔中鮮血泉湧而出。

一陣疼痛，使他躁急之心，重又平靜下來，趕忙運氣，止住流血，當下大聲說道：「不錯，在下正是誤中埋伏，陷落這墓中之人。兄台可也是誤陷墓中的嗎？」

因那石壁堅厚異常，傳音不易，彼此雖都盡量提高聲音，但傳到對方耳中之時，聲音卻極微小。

但聞那石壁之中又傳來細微的聲音，道：「想那孤獨老人生平之中，未能遇上一個知音之人，是何等可悲之事，人世間既沒有他一個知己，自是難怪他建造這樣一個步步機關的巨塚，來防備宵小窺覦他的寶藏……」

這番似是而非之言，只聽得鐵扇銀劍于成呆了半晌說不出話來，心中暗暗想道：此人當真是豪放得可以，現在身陷危險，竟然還肯替建築這機關塚墓的孤獨老人辯護。

他自己陷入求生不得、欲死不能之境，只道別人也和他一般的被困其中。

只聽那細微的聲音又透壁傳來，道：「不知兄台那面放的什麼珍貴之物，兄弟這邊可真是琳琅滿目，美不勝收，明珠、古玉、寶光燦爛，件件都是價值連城的珍寶，罕聞罕見。」

鐵扇銀劍于成聽得怔了一怔道：「什麼？」

石壁間又傳來細微的聲音道：「兄台如果瞧得順眼，取一、兩件古玩，那也是人情之常，唉！這樣多古玉珠寶埋藏在這荒涼的古墓之中，也實在可惜得很……」

于成越聽超光火，不禁破口罵道：「見你媽的鬼，你在發什麼瘋?滿口胡說八道。」

驀聞石壁間咚的一聲大震，道：「你怎麼出口傷人，等會兒我找到你時，最少打你四個耳刮子！」

于成聽那石壁大震之聲十分強猛，心中忖道：這人武功倒是不弱，單聽他掌力在石壁上的震盪之聲，似乎比我高出不少。

他雖已辨知對方內功比自己精深，但想到他被困機關之中，絕無脫離之望，心中又復坦

然，哈哈大笑道：「你最好還是別來找我，要是被我見著，我最少要打你八個耳光。」

這時石壁間又突然透傳憤怒的喝聲，道：「你不要走，我立時就去找你！」

于成大笑道：「歡迎！歡迎！找不到我你就是王八蛋。」他想對方和自己一般地陷入孤獨老人布設的機關之中，要想出來，豈是容易之事。

久久不聞對方回答之聲，不禁心中狐疑起來，暗道：難道他真的來找我了不成？

心念一動，又大聲說道：「你要是不來，可別怪我又罵你了……」

他一連喝問了七、八句，仍不聞對方回答之言，心中大感奇怪。

不知過去了多少時間，忽聞另一面壁間響起了卜卜之聲，一個憤怒的聲音，透壁而入，問道：「你在什麼地方？打耳光的人來找你了！」

于成吃了一驚，暗道：這人當真有神鬼莫測之能，竟真的被他脫出這古墓中布設機關……

忽的心念一轉，他既然能自脫機關而出，想必有解我圍困之能，不如激他一激，先讓他把困我的機關解開，縱然真的被他打上四個耳光，也強過活活餓死在這石室之中，當下高聲答道：「只怕咱們誰打誰還難確定，你先進來再說吧。」

但聽石壁卜卜之聲不絕，來人似還在找尋石室之門。

大約過了有一頓飯工夫之久，那卜卜之聲，突然停了下來。

一種求生的本能，使鐵扇銀劍于成在壁間響聲消失後，反生出悵惘之感，暗自忖道：如若來人不得其門而入，我是非要餓死這古墓之中不可了……

忽的心念一轉，又自想道：萬一他弄錯機關，使這沉重的石頂壓了下來，豈不被壓個粉身碎骨？一時之時，心緒如潮。

忽聞軋的一聲，那覆身石頂緩緩向上升去，耳際聞水聲淙淙，左面石壁忽然自動向兩邊分裂，盈耳水聲從那分裂壁縫中傳入石室，這陡發的變化，很難預料是好是壞，于成不自覺地暗中運氣戒備，一挺身坐了起來。

就在他挺身坐起的刹那間，那上升的石頂和向兩邊分裂的石壁，陡然加快了速度，只見那石壁開處，一人探身而入。

于成仔細一瞧來人，竟是在荒林中出手相護那紫衣少女的少年，不禁微微一怔。

徐元平看清楚于成之後，也不覺呆了一呆道：「哼，我道是誰，原來是你。」

這時鐵扇銀劍于成聽得徐元平喝罵之聲，哪裡能忍得下，一躍而起，怒道：「不錯，是我，你要怎麼樣？」

徐元平瞧這石室，只不過有一間房子大小，動起手來很難施展得開，退後了兩步，問道：「剛才罵我的可是你嗎……」

于成看他突然向後退去，心中吃了一驚，只道他要弄動機關，重把自己困在這石室之中，立時大聲喝道：「哪裡去！」急步向外衝去。

兩人同時喝問對方，是以誰也沒有聽清楚對方講的什麼。

徐元平停身的石道本極狹窄，鐵扇銀劍于成的衝出之勢，又異常強猛迅快，人影一閃，兩人直向一起撞去。

徐元平看他衝來之勢十分猛惡，只道他要搶先出手，不禁心頭大怒，右手呼的一掌，平胸

直擊過去。

于成久經大敵，一見徐元平擊來掌勢威猛絕倫，心知只要硬接他這一擊，勢非要當場判個生死不可，趕忙一吸丹田真氣，向後跌去，雙掌同時平胸推出，以免被對方強勁的掌力擊中前胸，震傷內腑。

他應變雖然迅快，但因雙方過近，只覺護胸雙掌被一股疾來的潛力一撞，本來向後躍退的身軀，速度大增，有如離弦之箭，脫韁怒馬，使他失去了主宰自己之能，砰然一聲，撞在石壁上，只震得內腑中氣血翻動，頭暈目眩，眼前亂冒金星。

總算他功力深厚，又能及時的施出千斤墜的身法，減少了向後撞的力道，雖被堅硬的石壁碰得耳鳴眼花，但神志並未暈迷……

耳聞衣袂飄風之聲，一條人影迅快無比的欺近身側，只感全身左右搖動，砰砰幾聲脆響，雙頰各自中了兩掌。

這四記耳刮子，不僅打得迅快，而且手法奇重，只打得這位領袖中原數省綠林的總瓢把子，滿口鮮血泉湧而出。

于成舉手在頂門「天靈穴」上，輕輕的擊了三掌，一面暗中運氣止疼。

這時候，鐵扇銀劍于成定神看去，只見徐元平滿臉肅穆，站在面前，不禁激起凶心，借理頭上亂髮作爲掩護，暗中摸著摺扇，陡然一張，一招「玄鳥劃沙」，斜擊過去。在他想來，這陡起發難的快襲，疾如星火，石室中地方又極狹窄，徐元平武功再高，亦必要傷在摺扇之下。

哪知事實不然，但見徐元平左手疾起一轉，五指奧妙無比地扣住了他提扇右腕的脈門，于

成只覺手腕一麻，摺扇已被人奪了過去。這等上乘奇奧的手法，實乃江湖上未聞未見之學，鐵扇銀劍于成呆呆地望了徐元平半晌，才茫然地問道：「你這叫什麼武功？」

徐元平傲然一笑，合了摺扇，送到于成手中，笑道：「你如不服，不妨再試兩次瞧瞧！」

于成接過摺扇，靠著石壁向左橫跨了兩步，陡然身軀一轉，摺扇半張半合，一招「拂雲指月」，疾向徐元平「玄機」要穴上點去。這一招乃是鐵扇銀劍招數中最狠的五大絕招之一，已不知擊敗過中原綠林道上多少高手，在他生平之中，尙未遇上過能夠破解他五招執扇裡藏劍的絕學之人。

徐元平近來藝業大進，一見之下，已知于成這招攻勢之中，蘊含著另外的變化，暗中提高警覺，右手一招「五嶽鎖龍」，左腿陡向前欺進一步，五指疾向于成摺扇手腕之上扣去；手肘卻撞向于成前胸「玄機」要穴。

這等欺身而進。肘指並用的奇效，又大大地出乎于成的意料之外，攻出的摺扇反爲所制，迫得他由攻變守，向後疾退。

一招失機，全盤受制，只感右腕一麻，摺扇又被人奪了過去，同時「玄機穴」上也被徐元平右肘輕輕抵住，只要徐元平一加力，于成立時要傷在他手肘之中。

鐵扇銀劍于成生平之中，不知經過了多少陣仗，但卻從未遇到像今日之慘敗，被人出手一招就奪過兵刃，制住要穴，不禁呆呆地望著徐元平發起楞來。

徐元平傲然一笑，道：「你如還不服氣，咱們就再試兩次。」

說話之間，向後退了兩步，又把摺扇還到了于成手中。

于成伸手接過摺扇，目光盯在徐元平臉上，楞了半天問道：「你用的叫什麼武功？」

徐元平道：「告訴你只怕你也不懂，我用的是十二擒龍手。」

于成仰臉誦道：「十二擒龍手！」想了半天，仍然想不出來路出處，不禁搖頭歎道：「不錯，在下的確想不出武功的出處。」

徐元平笑道：「別說你了，就是當今武林之世，又有幾人知道這十二擒龍手的出處？」

于成道：「中原各門派武功手法，在下不敢說所知博廣，但大都聽人談過，但閣下這十二擒龍手法，確實是一種見所未見，聞所未聞之學……」

徐元平道：「這麼說來，你是服氣了？」

于成沉吟半晌，突然怒道：「一個人心中佩服一個人也就是了，這般的盤根問柢，是何用意？大丈夫可殺不可辱，我鐵扇銀劍于成豈是貪生怕死之人？」

徐元平看他說來充滿豪壯之氣，心中暗自讚道：此人雖然出身綠林，但卻不失英雄氣概。當下微微一笑，道：「兄弟言出無心，于兄不要生氣。」說完話，深深一揖。

于成原想這幾句頂撞之言，定將引起他的殺機，但又自知武功相差懸殊，縱然存下拚死之心，也難支持上三、兩個照面，與其被擒後受辱而死，倒不如拿出英雄氣度來，慷慨就義，哪知徐元平不但毫無怒意，反而和顏相向，長揖謝罪；他反倒有些不好意思起來，訕訕一笑，拜服地上，道：「小英雄武功絕世，在下早已心服口服，五體投地的了。」

徐元平扶起于成笑道：「兄弟只不過在手法上取巧一些，算不得什麼，如以真功實力而論，兄弟絕非于兄敵手。」

于成微微一歎，道：「我于成在江湖之上跑了幾十年，會過不少高人，但像小英雄這等身手，一招之間能把我手中摺扇奪了過去，實是絕無僅有之事……敢問小英雄高名大姓？」

徐元平道：「不敢，不敢，在下叫徐元平。」

于成笑道：「兄弟生平之中還沒有誠心誠意的服過哪個，但今日對徐兄卻是心服口服，今後徐兄如有需用兄弟之處，只要一紙相召，由我于成起，豫、魯、鄂、皖四省陸路道上朋友，個個都替你賣命。」

徐元平笑道：「兄弟不過一介武夫，怎敢受此優遇。」

于成哈哈大笑道：「我于成雖然出身綠林，混跡江湖，在刀尖子下長大，但尚能遵守信義二字，徐兄人中之龍，如果我把四省總瓢把子之位相讓與你……」

徐元平連連搖頭，說道：「這個兄弟可更不敢當！」

鐵扇銀劍于成哈哈一笑，道：「我也知徐兄不肯屈就這綠林匪首之位……」

徐元平道：「那也不是！綠林人物劫富濟貧，雖然有違法紀，但要比那些偽善行惡、盜名欺世之人，又要高出一等。」

于成一拍大腿道：「徐兄說得不錯，兄弟承朋友們抬舉，讓我出任豫、魯、鄂、皖四省總瓢把子，我也曾傳諭各地道上朋友，立下兩大戒條：非不義之財不取，非奸惡之人不殺。幾十年來中原道上雖然出了不少案子，但就兄弟所知，並未妄殺一個好人。」

徐元平道：「于兄這等仁俠用心，兄弟甚是佩服。」

于成笑道：「好說，好說，……」忽覺腳上一涼，低頭瞧去，不知何時，石室中已經積水

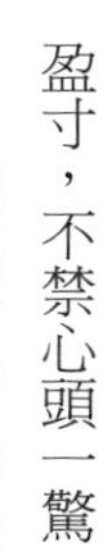

盈寸，不禁心頭一驚。

徐元平也自警覺，忽道：「此處恐非容身之地，咱們得快些離開……」話還未完，忽聞濤聲盈耳，一股急流，湧門而入。

徐元平暗運功力，大喝一聲，一掌直劈了開去，但聞嘩的一陣大響，水花四濺中，那湧門而入的急流，竟然被徐元平的一掌迫了回去。

徐元平一擊得手，縱身一躍，當先向外衝去。于成緊隨身後，衝出石門。

那被徐元平一掌擊出的急流，接著重捲而到，滾滾滔滔，一片水光波影。

徐元平心知縱然武功再高一倍，掌力再強上幾分，也無法用掌力阻止源源湧上的急流，眼下之策，必須要找一處可資棲身的安全之所，然後再籌謀出墓之策。

心念一轉，不再發掌，側身逆流而上。

也不知水勢從何湧來，只覺水位上升之勢迅速異常，片刻之間，已達腰部。

兩人走完了一條甬道，抬頭看甬道交錯處，水勢洶湧，不知從何處來，往何處而去。

徐元平停下腳步，回頭對于成道：「于兄請小心一點，此墓之中原有一條水渠，此刻水位高漲，地形水渠已難分辨，萬一陷入下去，只怕不易上來。」

于成抬頭望望石頂，歎道：「水位再升上三尺，這甬道之中即將全爲洪水淹沒，別說兄弟這旱鴨子，就是把洞庭湖三十六寨總寨主混海神龍秦安奇喚來，只怕也要活活悶死這古墓之中……」他微微一頓後，忽然放聲大笑道：「可惜呀！可惜！秦安奇不在此墓，如果他在此處，我倒要瞧瞧他是如何個混法。」

徐元平道：「混江混海不難，但要他混出這密不透風，石甕般的古墓，只怕不是易事。」

鐵扇銀劍于成大笑道：「如果我于某今日能夠留得命在，非得想個法子，激那秦安奇來這古墓中一趟不可。」

兩人談話之間，迅速高漲的水位，已經齊胸近頸。水位雖然上漲許多，但水勢的流速，卻是減低不少，似是這古墓中所有空處，都已爲洪水浸滿了，流速反面減低下來。

徐元平暗中一沉丹田真氣，雙足站穩實地，暗想道：這甬道都是用堅硬的青石砌成的，不但顏色相同，而且牢不可破，未被水淹之前，還可細心地從石壁上找出點破綻，試行著開動這古墓中的機關，還有一線脫出這古墓的希望。

此刻，到處一片波光，景物形勢，都無法分辨清楚，別說覓出路了，這水勢如果不退下去，縱有絕世武功，也難出這古墓，淹不死也得活活餓斃。

鐵扇銀劍于成究竟是久走江湖之人，一股衝動的怒火消去後，忽然想到這洪流的來處絕非地下泉水積成，必然引用外來之水，如果追根尋源，找到那洪流入口之處，或能脫此圍困。

心念一動，立時說道：「兄弟想出了一個逃出這古墓之法，只不知能否適用？」

徐元平道：「你想到了什麼法子？快說出來聽聽。」

于成道：「與其守在這裡坐以待斃，倒不如逆流而上，尋出洪流入口，或可脫此圍困。」

徐元平道：「不錯，洪水未退之前只有這個辦法。」當先逆流行去。

請續看《玉釵盟》（二）

臥龍生武俠經典珍藏版 5

玉釵盟（一）

作者：臥龍生
發行人：陳曉林
出版所：風雲時代出版股份有限公司
地址：10576台北市民生東路五段178號7樓之3
電話：(02) 2756-0949　　傳真：(02) 2765-3799
執行主編：劉宇青
美術設計：許惠芳
行銷企劃：林安莉
業務總監：張瑋鳳
出版日期：臥龍生60週年珍藏版 2022年3月
ISBN ：978-986-5589-58-5
風雲書網：http://www.eastbooks.com.tw
官方部落格：http://eastbooks.pixnet.net/blog
Facebook：http://www.facebook.com/h7560949
E-mail：h7560949@ms15.hinet.net
劃撥帳號：12043291
戶名：風雲時代出版股份有限公司

風雲發行所：33373桃園市龜山區公西村2鄰復興街304巷96號
電話：(03) 318-1378　　傳真：(03) 318-1378
法律顧問：永然法律事務所 李永然律師
北辰著作權事務所 蕭雄淋律師

行政院新聞局局版台業字第3595號 營利事業統一編號22759935

定價：320元　

國家圖書館出版品預行編目資料

玉釵盟／臥龍生 著. -- 臺北市：風雲時代出版股份有限公司，2021.06- 冊；公分（臥龍生武俠經典珍藏版）
ISBN：978-986-5589-58-5（第1冊：平裝）
ISBN：978-986-5589-59-2（第2冊：平裝）
ISBN：978-986-5589-60-8（第3冊：平裝）
ISBN：978-986-5589-61-5（第4冊：平裝）

863.57　　110007325